본인의 서재

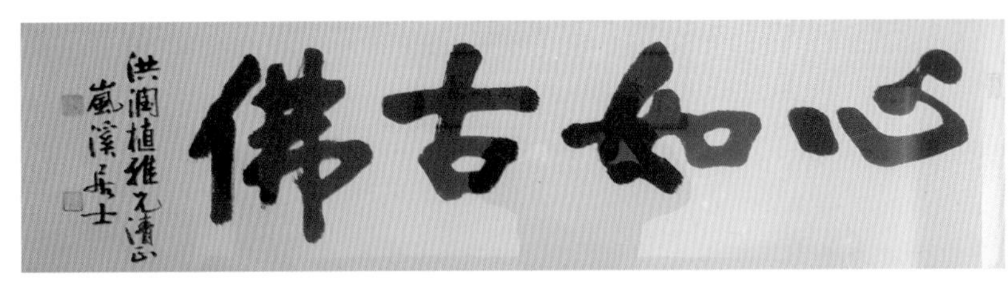

본인의 평소 마음가짐

석주스님께서 본인의 성품을 평함

한 · 일 문화교류 업적으로 받은 감사패

작가 난계의 화조도

연사(蓮史)의 표상(자수)

불교 게송의 관음찬

통도사 경봉스님 글씨

남정선생이 본인의 서재를 표상함

벽천 나상목 부채 그림

송영방 교수의 운주사 전경 묘사

이왈종 작품

문화예술대학원생 작품

석정스님 작품

서울대 김원룡 교수 작품

연사란 아호를 희화화한 그림

목정배 교수 작품

고려불화 전시 기념

석정스님 쓰시고 범하스님 새기심

융합의 구조기능에서 본
蓮史 홍윤식의 불교문화기행

융합의 구조기능에서 본
蓮史 홍윤식의 불교문화기행

홍윤식 지음

도서출판 동인

저자 근영 (올해 초)

시작하는 글

불교문화는 역사적으로나 사회적으로 우리 생활 속에 깊이 숨어들어 있다. 이와 같은 문화를 우리는 전통문화라고 한다. 그러나 다른 한편 전통문화는 오랜 시일에 걸쳐 전승되는 가운데 다양한 기층문화와 접속하면서 많은 변용을 가져왔다. 만약 그렇다고 한다면 전통문화는 기능적인 면이나 내용적인 면에서 고찰을 필요로 한다. 따라서 전통은 문화내용에 관한 것이 아니라 문화내용의 실현에 있어 기능적인 면을 강조하는 것이란 생각을 하게 된다. 즉 그것은 불교문화란 융합의 구조기능을 지닌다는 것이다.

여기서 전통은 다른 한편 특정의 문화가치 즉 개개의 문화영역에 한하여 생각할 수 있는 것이 아니라는 것이다. 왜냐하면 그것은 오히려 문화형성력이라 할 수 있기 때문이다. 그것은 과거는 과거이면서 현재인 것이며 여기서 동질성의 의식 일체감의 의식이 있는 것이라 할 수 있기 때문이다. 이는 다름 아닌 전통이 자각적 가치의식임을 의미한다.

이처럼 전통문화의 개념을 바탕으로 오늘날 폭넓게 분포되어 있는 불교문화의 내용들을 우리는 다시 한 번 재정비할 필요성을 느끼게 한다. 즉 불교문화의 내용을 문화의 형성력인 가치의식으로 재정립해야 된다는 것이다. 예컨대 오늘날의 불교문화에 대한 인식과 연구는 주로 형식이나 양식면에 치중하고 있는 것 같아 이에 대한 재평가를 필요로 한다는 것이다. 즉 그것은 불교문화에 대한 양식론만이 아니라 그에 의미를 부여하는 인식이 필요하다는 것이다. 그것은 불교문화의 전통이 오늘날의 새로운 문화에 대한 창조적 기능을 다 하게 될 것이라 믿기 때문이다.

오늘에 전하는 전통적인 불교문화는 음악, 미술, 공예, 건축 등의 부분별의 내용적 특징이 존재한다. 그러나 그에 의미나 가치를 부여하는 작업은 부족하다는 느낌이 든다. 그렇다고 한다면 전통적인 불교문화에 대한 인식은 개개의 문화를 대상으로만 할 것이 아니라 이들 개개의 전통문화를 종합적으로 체계화하여 인식하게 해야 된다는 것이다. 왜냐하면 문화란 그 시대와 사회생활 능력의 총체이기 때문이다.

이 책은 이와 같은 의도에서 불교문화의 여러 분야를 불교의식이라는 체계 속에서 이해하려는데 목적을 두었다. 그러나 이와 같은 방법론의 채택은 쉬운 일이 아니다. 그리하여 본서에서는 그를 위한 방안을 제시하는데 머물고 그를 위한 연구를 계속했으면 한다. 왜냐하면 한국의 전통문화는 불교를 바탕으로 한 총체적 문화역량의 집결체이기 때문이다.

2019년 3월

홍윤식

차례

一. 불교문화에 대한 전통성 인식과 그 접근 방법

1. 한국불교미술의 특징과 그 미의식

본인이 불교에 대한 관심을 갖게 된 것은 불교의식에서 비롯된다. 절에서 거행하는 장엄한 의식이 나의 마음을 움직였기 때문이다. 건물의 구조 건물을 장식하는 단청이나 벽화 또한 근엄한 모습으로 나의 마음을 압도하는 불상이나 불화 그리고 그와 같은 분위기 속에서 행하는 종소리 염불소리 기타 작법 등이 한편 아름답고 신기하고 경이로운 마음을 자아내게 했기 때문이다. 불교에서는 이와 같은 현상을 장엄(莊嚴)이라고 한다. 오늘날에는 현대적인 용어를 사용하여 불교예술 불교미술 불교음악 등으로 표현하지만 불교경전 등에는 이 같은 용어는 없고 오직 극락정토는 여러 모습으로 장엄되어 있다고 하여 불교미술적 요소 음악적 요소 또는 불교예술적 요소 등을 종합적으로 표현하고 있다. 그리하여 불교미술에 대한 미학적 고찰을 하려한다면 불교에서 흔히 사용하고 있는 장엄에 대한 의미를 종합적으로 깊이 고찰할 필요가 있다고 생각한다.

그것은 오늘날에 불교미술에 대한 연구가 대단히 성행하고 있음을 볼 수 있으나 그 방법론이 양식주의가 중심이 되고 있어 그 내용을 알지 못하고 불교미학에 대한 토대가 없어 새로운 불교미술의 창조적 발전을 못하고 있음이 매우 안타깝게 생각되기 때문이다.

불교에 대한 관심은 여러 측면이 있을 수 있다. 우선 불교를 지적(知的) 방면에서 관찰함도 가능하다 왜냐하면 우리 인간은 지성(知性) 이지(理知)라고 하는 것이 인간성의 근본까지 차지하고 있어 불교와 지성은 불가분의 관계에 있게 된다. 불교를 처음 접하게 되는 연구자는 불교는 학문적이고 과학적이고 지적인 것이란 결론을 쉽게 내리기도 한다. 그것은 원시불교에서 보면 지적인 경향이 많이 나타나기 때문이다. 후세에 발달한 대승불교에 있어서도 지적경향이 많이 나타나나 정적(情的) 경향도 많이 나타난다는 사실에 주의를 기울일 필요가 있다. 예컨대 원시불교나 대승불교가 다 같이 수행방법으로 삼고 있는 계(戒)·정(定)·혜(慧)의 3학을 수행덕목으로 하고 있다는 것은 불교를 지적 종교만이 아닌 정적인 요소도 지니고 있음을 일러주고 있는 것이라 할 수 있다. 이 점도 불교를 미학적 측면에서 생각하게 하는 것이다.

한편 불교를 사회적 현상으로 생각할 수 있다. 불교가 본사 말사 등의 제도와 신도회 조직 등을 필요로 하고 있음은 불교가 하나의 사회적 관계를 표현하는 현상이라 볼 수 있기 때문이다. 오늘날 큰 관심의 대상이 되고 있는 연등회 등도 불교의 사회적 활동성을 표현하고 있는 것이라 할 수 있을 것이다. 그런데 여기에도 불교의 정적 요소가 내포되어 있어 관심을 끌게 한다.

또한 불교에는 신비적 경험이란 것을 잊을 수 없는 것이다. 왜냐하면 앞서 살핀 바에 의하면 불교는 의식적(儀式的)·지적(知的)·사회적 요소를 지니고 있으나 이것만으로 불교가 종교적 기능을 다하고 있는 것이라 할 수 없다.

그 위에 신비적 감정이 없어서는 종교적 기능을 충분히 다할 수 없는 것이라 생각하기 때문이다. 즉 불교의 신비적 분자가 내포되어 있어 살아 있는 종교로서의 기능을 다할 수 있게 된다.

이와 같은 신비라는 경험 속에는 여러 가지 감정적 분자가 내포되어 있다. 예컨대 경이로운 감정 공포의 감정 신뢰 희망의 감정 등이 신비적 감정 속에서 배태된다. 일반적으로 불교는 지적(知的)인 것이라 생각한다. 이를 철학이라 생각하기도 한다. 그러나 그 외에도 위에서 앞서 살핀 것처럼 여러 가지 요소를 지니고 있다. 이를 감정적 요소라 해도 무방할 것이다.

불교는 안심입명(安心立命) 또는 전미개오(轉迷開悟)란 말을 잘 쓴다. 그러나 이들 속에 내포되어 있는 감정분석을 하지 않으면 안 된다. 여기에는 희망 신앙 경이 그리고 자비라는 것이 없으면 안 된다. 그뿐만 아니라 환희의 마음 법열(法悅)이란 것이 없으면 안 된다. 이러한 감정은 입으로 말하기는 어려우나 종교의 진리를 조립하고 있는 정적요소(情的要素)인 것이다.

지금까지 불교를 보는 여러 가지 측면을 살펴보았으나 본고는 불교미술의 미학적 접근에 목적을 두고 있으므로 앞에서 살핀 바와 같이 불교미술은 불교의식의 소산이라 한데 기인하여 불교의식을 좀 더 구체적으로 생각해 보기로 한다. 불교의식이란 불교적 감정의 외적 발전이라 할 수 있다. 즉 안에서 밖으로의 표현인 것이다. 그렇다고 한다면 그 표현이라 한 것이 다시 밖에서 안으로의 마음으로 향하게 하는 것이 아니어서는 안 된다.

불교의식이란 것은 어떤 의미에서 보면 없어서도 괜찮은 것이라 할 수 있다. 즉 마음이 통하면 외부는 어떤 것이라도 무관하다고 생각할 수 있게 되기 때문이다. 그러나 우리 인간은 그렇지 못하다. 인간이란 것은 마음의 움직임이 있으면 그것에 상응한 표현형식이 없어서는 안 된다. 만약 그것이 없다고 한다면 그 마음의 움직임이 없다고 할 정도로 표현이라고 하는 것과 경험이란 것의 관계가 밀접한 것이다.

표현이란 것을 빠트리면 안 된다. 무엇인가 마음속에 움직임이 있으면 그 것이 반드시 밖으로 나타나게 된다. 밖으로 나타나지 않으면 그 마음속에 있는 것이 완전히 느껴지지 않았다고 할 수 있다. 특히 감정 의식 등의 마음의 움직임에 대해서는 그 상응의 표현이란 것이 없어서는 안 된다는 것이다. 표현이 있고서 비로소 그 마음의 움직임이 완전하게 움직인 것이라 할 수 있기 때문이다.

미술적 측면에 있어서나 문장을 쓸 때 그 표현이 잘 되지 않는다면 혹은 음악을 하더라도 좋은 소리가 나오지 않는다고 하면 그 사람의 느낌이 아직 완전하지 못한 것이라 할 수 있다.

오늘날 한국불교는 외부적 표현으로서의 불교의식이나 문화행사에 관심을 집중하고 그를 발전시키려 하고 있음은 바람직한 일이라 생각한다. 그러나 그를 있게 한 정신적 내용까지 이해하려 하고 있는지는 잘 모를 일이다. 왜냐하면 불교의식 속에 내재되어 있는 참된 마음을 지니고 모든 것을 수용하고 그를 의식을 통해 그 표현을 통해 오늘에 살아 있는 불교와 만날 수 있게 하지 않으면 안 된다고 생각하기 때문이다.

따라서 한편 생각하면 단순한 하나의 형식을 따르는 폐해를 생각할 수 있다. 즉 내용보다는 표현이란 데 너무 무게를 두고 나면 그 표현의 의식이란 것이 형식에 치우쳐 아무런 의미를 찾아볼 수 없게 되리라 생각하기 때문이다. 이와 같은 것이 전통이란 것에 수반되는 폐해인 것이다. 여기서 전통이 갖는 폐해를 다시 되 돌아볼 필요를 느끼게 한다. 그렇게 되면 전통적인 불교의식에 새로운 힘을 불어 넣게 된다. 그 새로운 힘이란 것이 지금까지 경험한 역사를 무시한 것이 아니라고 한다면 그 역사에 나타나 살아온 정신을 지켜 나가야 할 것이다. 그리고 그것을 변형해 가는 환경에 대하여 적절한 형식으로 새롭게 표현해 나가야 할 것이다. 이와 같은 것이 불교의 전통을 지킨다고 하는데 중요한 일이기도 하지만 이는 신중한 판단을 필요로 하는 것이라 할 수 있다. 요컨대 형식이 형식에 그치고 만다면 큰 결함이 생긴다. 한편 마음의 움직임은 마음 안에 그치지 말고 형식으로 표현되지 않으면 안 된다. 왜냐하면 그렇지 않다고 한다면 참된 마음의 힘이 나오지 않는다고 보기 때문이다. 여기서 표현의 형식이란 것과 표현의 정신이란 양면을 생각하지 않으면 안 되는 것이라 할 수 있다.

불교의식의 소산으로 표현된 것을 장엄이라고 한다. 이 장엄이란 가치는 미학의 대상인 것이다. 그러나 지금까지 장엄에 대한 미학적 연구는 미진한 상태에 있다. 미술사의 연구는 표현의 형식에만 치중되어 표현의 정신에 대한 연구가 부진하다.

그러면 이 장엄에 대한 연구는 어떻게 할 것인가?

장엄에 대하여 가장 구체적인 언급을 하고 있는 경전은 무량수경이다. 이 경에서는 부처님의 얼굴을 표현하여 광안외(光顔巍)라 하고 있다. 즉 부처님 얼굴은 빛이 나서 산과 같이 당당하다는 것이다. 그리고 부처님 신체에 대해서는 부처님 신체라는 것은 보통 인간의 육체 이상으로 여러 가지 존엄한 금색의 광명을 발하고 있다고 한다. 그리고 그 국토의 장엄한 모습을 생생하게 나타내고 있어 극락정토를 느끼게 하는데 손색이 없다. 즉 이 같은 무량수경이 설하는 장엄의 광경은 우리들로 하여금 심미감(審美感)을 불러일으키기에 충분한 것이라 할 수 있다.

이상과 같은 부처님의 모습은 부처님이 대각자라는 인격의 소산인 것이다. 이것을 우리는 살아서 움직이는 경험으로 쌓지 않으면 불교라는 가람이 출현하지 않았다고 생각한다. 부처님의 인격 그것은 빛인 것이다. 그리하여 그 가람은 장엄되는 것이라 하겠다. 요컨대 불교 경전상의 정(情)적인 요소는 장엄의 세계를 나타내고 있는 것이라 해도 과언이 아니다. 선종은 지적(知的) 종교라 하지만 여기에도 정적요소가 있어 선적표현이 있게 되는 것이다.

한국불교미술은 정토교적 장엄, 밀교적 장엄, 선종적 장엄 등이 기본이 되어 이들이 상호작용하여 오늘에 이르고 있는 것으로 판단된다. 따라서 이들 장엄에 대한 종합적인 연구가 한국불교미술의 형식과 내용을 동시에 이해할 수 있게 할 것이란 기대를 가져본다.

2. 불교문화에 대한 창조적 기능

오늘날에 와서 불교문화에 대한 관심이 높아지고 있음을 본다. 그것은 우리문화의 우수성을 전통문화에서 찾으려는 노력의 일단으로 생각한다. 이와 같은 현상은 사회적 관심사에서 인식되고 있기 때문이다. 이 같은 문화적 사회적 현상을 좀 더 객관적으로 파악하고 거기서 새로운 창조적 문화 콘텐츠를 개발하기 위해 언론기관과 대담한 기사를 다음에 소개하며 새로운 문제의식으로 접근해 보기로 한다.

불모지를 개척하는 사람들의 여적은 험난하다. 한 치 앞도 내다볼 수 없는 그 길을 '희망'이라는 등불에 의지한 채 나아갈 뿐이다. 때론 실패의 늪에 빠져 허우적대고, 생각지도 못했던 난관에 부딪혀 좌절하기도 한다. 대다수의 개척자들은 실패와 난관을 극복하지 못해 결국 포기하게 된다. 결코 포기하지 않은 일부 선각자들은 목표했던 결과와 마주하게 되고, 그들에 의해 역사는 바뀌곤 한다. 또한 그 지난한 노력의 여정은 많은 이들의 지남(指南)이 된다. 홍윤식 교수의 삶은 꼭 그러했다. 홍 교수의 지난 80여년은 한국의 불교문화가 국내를 넘어 세계의 문화유산으로 평가되기까지 궤를 함께해 왔다.

유형문화재의 한 부분이었던 불상과 불탑, 전각 등에 성보(聖宝)의 개념을 접목해 새 생명을 불어넣었는가 하면, 아무도 관심을 기울이지 않았던 영산재와 연등회, 수륙재 등 불교의례가 문화재로 평가받게 하기 위한 주춧돌을 세웠다. 불모지나 다름없던 분야를 반석에 올려놓기까지 홍 교수가 겪어야 했을 난관과 좌절은 이루 말할 수 없었을 터, 그러나 부처님이 맺어준 지극한 인연으로 받아들이고 물러섬이 없었기에 지금 수많은 후학들이 그가 걸었던 발자취를 따르고 있다. "유무형의 불교문화가 지금과 같은 평가를 받기까지는 홍윤식 교수의 공이 지대하다. 특히 불교미술공모전과 고려불화전을 기획해 개최하고 동국대 불교미술학과가 설치될 수 있도록 노력하는 등 한국불교문화가 뿌리를 내리고 시대에 맞게 발전할 수 있는 토대를 마련했다." 동산반야회 법주 법산 스님의 평가다. 김형우 안양대 교수는 "거시적 안목으로 논지를 전개하는 안목이 탁월하다"고 말했다. 김 교수는 "성보문화재를 연구하는데 있어 양식과 기법은 물론 그 속에 담긴 의미까지 찾아내 종합적으로 분석한다"며 "아무도 주목하지 않았던 불교음악, 불교미술, 불교의례 등 무형의 불교문화가 지금의 평가를 받도록 길을 열어주었다"고 설명했다. 홍 교수는 경남 산청 사람이다. 집 앞에 솟은 황매산은 골골이 토굴 수행터라 할 만큼 친 불교적이었다. 바라만 보면 마음이 청정해지고 꿈은 충만했다. 어린 그는 조선을 세운 이성계의 스승 무학대사가 수행한 곳으로 전해지는 황매산의 정기를 받아 반드시 훌륭한 선생(先生)이 되고 싶었다. 불심 돈독한 부모님은 그런 아들을 진주 해인고등학교로 진학시켰다. 법보종찰 해인사가 운영하던 해인고등학교에서 3년간 불교성전을 공부했으니 그의 몸은 어렸을 때 불자(佛子)였으리라. 인연이 그러했으니 조계종립 동국대를 선택한 것은 필연이었을 터, "그때만 해도 저와 불교의 인연이 이토록 지중해지리라고는 생각지 못했습니다. 그도 그럴 것이 어릴 적 꿈대로 사학과를 졸업해 국악예술고등학교 역사 담당교사로 사회의 첫발을 내디뎠기 때문이지요. 당시 국악예술고등학교는 학생들의 교육을 담당하는 교육기관이자 판소리, 민요, 승무, 살풀이 등 무형문화재의 지정과 육성을 담당하던 곳이었습니다. 자연스레 여러 분야의 문화재에 관심을 갖게 됐고, 관심을 갖고 살피다보니 전통문화의 상당수가 불교문화의 소산임을 깨달았지요. 결국 전통문화의 원형이 범패(梵唄)에 있음을 알게 됐고, 이에 불교의식에 대한 연구를 결심하게 됐습니다."시작은 그렇게 당차고 야무졌으나 과정은 녹록치 않았다. 국악예술고등학교에 적을 두고 불교문화를 조사·연구한다는 것도 쉬운 일이 아니었지만 의식을 할 줄 아는 스님을 찾는 일은 더욱 그랬다. 당시는 불교정화 직후로 범패와 같은 의식은 무당들이나 하는 짓거리라며 금기시하던 때다. 여기에 일제강점기 사찰령에 의해 범패와 의식무용이 금지돼 거의 사라지다시피한 절망적인 상황이었다. 사비를 털어 관련 자료를 수집하고 범패하는 스님이 있다는 소식을 들으면 천리 길도 마다하지 않았다. 불교의식에 대한 연구가 깊어지자 자연스레 의식의 대상이 되는 불상, 탱화, 번 등으로 눈과 마음이 움직였다. 무형문화재로 싹튼 불교문화에 대한 관심이 이젠 유형문화재로 초점이 옮겨졌다. 조사하고 연구해야 할 대상은 어느새 태산처럼 쌓여갔으나 언제나 돈이 연구의 발목을 낚아챘다. 세상사 지극하고도 간절한 기도에 이끌린다고 했던가. 그의 간절함이 통했다. 반가운 소식이 연이어 찾아왔다. 문화재전문위원으로 위촉됐고, 조계종으로부터 불교문화재 현황 파악 요청이 들어왔다. 또 당시 전통불교문화에 많은 관심을 가졌던 총무원장 영암 큰스님께서 그를 사회부 문화과장으로 임명했다. 펼치고 싶었던 멍석이 불연으로 펼쳐졌으니 크게 한판 놀아보고 싶었다. 그동안 품어왔던 사찰 단청문양 조사를 국책사업으로 추진했다. 불상과 불화, 불탑, 건조물 등은 나름의 연구 성과가 축적돼 있었으나 단청문양에 대한 조사는 전무한 상태였기 때문이다. 그러나 처음 진행하는 국책사업이다 보니 예산과 시간 등을 잘못 배정해 조사 자체가 부실해졌다. 온갖 비난이 그에게 쏟아졌다. 부실조사에 대한 책임 추궁이 쇄도했다. 사업 책임자로서 재조사를 진행해야 하는데 예산이 없어 사채를 얻어 재조사를 진행했다. 눈덩이처럼 빚이 늘어났다. 책임은 온전히 그의 몫이었다. "가뜩이나 어려운 형편에 빚까지 지게 되니 살림살이가 말이 아니었습니다. 그러나 얻은 것도 많았지요. 단청문양을 조사하다보니 단청은 물론 불화를 보는 안목을 갖게 되었습니다. 후일 문화재연구소가 실시한 전국 불화조사에서 제가 책임연구원으로 동참할 수 있는 바탕과 능력을 갖추게 해 주었습니다. 불화를 중심으로 한 불교미술 전문학자가 될 수 있는 계기가 된 셈이었죠."단청문양조사의 실패는 반면교사가 되었다. 이젠 불교문화를 창조적으로 발전시킬 수 있는 일이 무엇인지 고민하기에 이르렀다. 성보의 의미를 되살리면서 문화적 가치를 주체적으로 활용할 방안을 찾을 수 있게 됐다. '불교문화의 창조적 발전'을 화두삼아 문화계 인사와 수없이 접촉하고 수시로 스님들을 만났다. 각고의 노력 끝에 그가 내린 결론은 '불교미술공모전' 개최였다. 올해로 44회째인 불교미술공모전, 명실상부한 불교미술인의 등용문으로 자리매김했지만 출발은 순탄치 않았다. 또 재정이 문제였다. 당장 공모전 주최인 조계종마저 많은 비용을 이유로 손사래를 쳤다. 첫 불교미술공모전을 기획했던 1969년은 국민 대다수가 하루하루 끼니를 걱정했을 정도로 극빈한 상황이었다. 피폐한 경제상황으로 문화사업과 기부에 대한 인식이 매우 낮았기에 공모전은 불가능해 보였다. 그러나 불교문화의 미래를 위해 결코 포기할 수 없는 일, 문화재관리국과 사찰, 불자기업인들을 일일이 찾아다니며 불교미술공모전의 필요성을 설명했다. 그리고 도움도 요청했다. 지극한 정성이면 하늘도 움직인다고 했던가. 1970년 드디어 첫 불교미술공모전을 열게 됐다. 작품성과 예술성을 갖춘 수작들이 공모전에 밀려들자 불교예술에 대한 사회적 관심이 치솟았다. 이러한 관심은 후일 불교미술공모전이 지속될 수 있었던 동력이 됐다. 불교미술공모전의 성공적 개최는 또 다른 도전으로 이어졌다. 불교예술 분야의 장기적 발전을 위해서는 전문교육기관이 필요하다고 판단한 그는 동국대에 불교미술학과를 설치하겠다고 발원했다. 내친김에 문교부에 불교문화재의 효율적 보전관리와 활용을 위해 학과 설치를 요청했다. 문교부 역시 그의 제안에 긍정적으로 반응했다. 그러나 일이 잘 진행되자 시기와 질투가 잇따랐다. 화가 곧 복이 되고 복이 곧 화가 된다는 새옹지마(塞翁之馬)를 증명이라도 하듯 불교미술학과 설치가 확실시되자 흉흉한 소문이 돌기 시작했다. 자격 없는 사람이 교수가 되려고 한다는 것이었다. "총무원 문화과장으로서 불교미술공모전을 기획하고 이를 기반으로 불교미술학과 설치를 추진했는데 돌아온 건 자신의 욕심을 채우려 한다는 예기치 않은 비방이었죠. 한편으론 섭섭하기도 했습니다. 그러나 총무원과의 인연은 여기까지라고 생각했지요. 40을 바라보는 나이에 불교공부를 결심하고 일본으로 유학을 떠났습니다." 일본유학은 불교사와 불교문화사, 불교사상사를 체계적으로 공부하면서 학문의 깊이를 채우고 폭을 넓히는 시간이었다. 또 일본 불교계 학자들과의 폭넓은 교류는 훗날 일본에 있는 고려불화가 한국에서 전시될 수 있게 한 배경이 됐다. 1993년 호암미술관에서 개최된 '고려불화특별전'은 홍 교수의 노력과 인맥이 없었다면 결코 불가능한 일이었다. 고려불화전은 정부조차 몇 차례 추진하다가 결국 포기한 사업이었다. 일본에서 돌아온 그는 원광대 교수로 다시 교단에 섰다. 또한 마한·백제문화연구소의 책임 있는 일을 맡아 미륵사지 발굴조사와 왕궁리 유적발굴조사 등을 지휘했다. 이후 동국대 국사교육과 교수로 자리를 옮겨서는 동국대박물관장 소임을 맡아 불교문화재와 불교문화사에 대한 연구에 박차를 가했다. 그는 50대 초반에 문화재위원으로 위촉되는 등 연구성과에서도 학계에 인정을 받았다. 만 65세 되던

2000년 2월 홍 교수는 동국대를 정년퇴직했다. 그러나 그의 도전에는 마침표가 없었다. 사회생활의 첫 시작이었던 국악예술고등학교가 그를 교장으로 모셨다. 4년간 학교장으로 일하며 중국과 일본, 몽골의 전통문화학교와 결연을 맺어 국악예고의 위상을 제고하는데 매진했다. 국악예고를 떠나서는 동국대 일본학연구소장으로, 규슈대학 특임교수로 한일 양국이 갈등과 미움을 넘어 화해와 협력으로 나갈 수 있는 디딤돌 구축을 위해 헌신했다. 지금도 불교민속학회장, 동방대학원대 석좌교수, 한국전통예술학회장, 진단전통예술보존회 이사장 등을 맡으며 왕성한 활동을 펼치고 있다. 물론 불교문화에 대한 연구는 일과 중 가장 중요한 부분이다. "사람이 사는 과정을 곰곰이 생각해보면 늘 배우면서 살아야 하고, 받으면서 살아야 하지만 그에 감사하는 마음은 항상 부족합니다. 언제나 부족한 스스로를 깨닫고 조금이나마 도움이 되기 위해 노력하는 사람이 되어야 합니다. 하심하고 실천하는 삶이 나와 이웃, 그리고 사회를 맑고 향기롭게 행복하게 합니다. 밀림의 성자로 세계인의 존경을 받는 알버트 슈바이처는 "내 안에 빛이 있으면 스스로 밖이 빛나는 법이다. 가장 중요한 것은 나의 내부에서 빛이 꺼지지 않도록 노력하는 일"이라고 했다. 쉼 없이 달려온 80 평생, 지금도 하심을 방편으로 불교문화의 창조적 발전을 화두로 정진하기에 홍 교수의 하루는 언제나 밝게 빛난다.

—『법보신문』

3. 유무형의 불교문화에 대한 총체적 인식

1월 25일 동해 삼화사에서는 1,000여 명이 참석한 대형 기념법회가 열렸다. 지난해 삼화사 수륙재의 중요무형문화재 등재를 기념한 축하 법회였다. 각계의 수많은 이들 사이에서 흐뭇하게 법회를 바라보는 반백의 신사가 있었다.

바로 홍윤식 동국대 교수다. 홍윤식 동국대 명예교수는 역사교사를 지내던 1960년대부터 불교문화재 전반에서 활약해왔다. 전문학자가 아니라 학생들을 가르치는 선생님이었던 홍 교수를 지금의 자리에 있게 한 원력은 바로 불교문화에 대한 사랑이었다.

1) 서른 초반 학교 선생님의 불교사랑

1960년대 초반까지만 해도 문화재에 대한 관심은 극히 희박한 상태로, 사적지나 문화유물에 대한 관리는 정부에서도 과단위에서 관리할 뿐이었다. 동국대 사학과를 나와 1960년 국악예술학교에서 역사교사로 있던 홍 교수는 문화유산을 조사하는 보조자로 참여하게 된다.

"당시 국악예술학교는 음악과 예능 전반의 무형문화재 발굴에 관심을 쏟았습니다. 사라져가고 있던 민속예술을 되살리는 그 노력이 지금도 눈에 선하게 떠오릅니다. 당시 박헌봉 교장선생님의 배려로 문화재 조사 보조자로 참여하게 됐는데 이 참여가 이후 저의 한평생을 문화재와 더불어 살게 된 계기가 되었죠."

홍 교수는 불교문화재에 대한 관심은 우리 전통문화를 사랑하는 사람 입장에서 당연한 과정이었다고 설명했다. "승무나 탈춤, 각종 민요 등 민속예술의 대부분은 불교적 소재를 하고 있어요. 문제는 억불숭유 시대를 거치며 이러한 것들이 상당히 왜곡된 상황이었단 점이었어요."

홍 교수는 "당시 황수영 박사를 비롯한 수많은 학자들이 불교문화재의 위상을 높이는데 앞장섰어요. 하지만 유형문화재에 국한되어 있었죠. 무형문화재의 기능은 기생이나 광대 등 천한 신분에 의해 전승된 것으로 잘못 인식되고 있었다"고 말하며 '무형문화재의 가치인식'과 '천인들에 의한 전승'이란 화두가 계속됐다고 밝혔다.

홍 교수는 학교 선생님으로서 승무의 마지막 부분을 파계승의 행각이란 불교에 대한 풍자로 해석하는 통념을 뒤집는다. 승무가 파계승의 춤이 아니라 법열을 느낀 선정에서 우러나오는 몸짓이란 새로운 해석이었다.

2) 잊혀진 불교문화재 '범패'를 조명하다

홍 교수의 이러한 행보는 자연스럽게 당시 규정되지 않았던 불교음악인 '범패'에 대한 관심으로 이어졌다.

"불교정화 이후 범패와 같은 소리를 하며 재의식을 하는 것은 무당들이 하는 것과 같다고 하여 이를 금기시 하고 있었습니다. 일제의 사찰령에 의해 절에서 범패와 의식무용을 하는 것도 금지돼 이미 인멸돼 가고 있었죠. 후에 불교신문 주필을 한 유엽 선생을 만나 신촌 봉원사에서 송암 스님을 만났습니다. 이렇게 범패와의 만남은 시작됐죠."

홍 교수는 송암 스님에게 직접 범패를 듣고 대화를 하며 범패에 대한 중요성을 더욱 느끼게 됐다고 말했다. 홍 교수는 "매일 같이 전국을 다니며 소리를 녹음채록하고 한편으로 범패와 불교의식의 작법에 대한 자료를 구술로 채록해 자료화해 나가는 작업을 계속했다"며 "이 같은 내용이 1964년 불교신문을 통해 발표되기 시작하며 세상에 널리 알려지게 됐다"고 소개했다. 이를 통해 범패는 마침내 한국전통음악에서 판소리, 가곡과 함께 성악의 3대 요소로 완연히 자리 잡게 된다.

홍 교수의 이러한 활동은 상당한 제약이 있었다. 범패가 우리 전통문화에 차지하는 비중이 큰 것이 학계에 알려지며 관심이 쏟아졌지만 학문에 초년병인 홍 교수는 이를 감당하기 힘들게 된 것이다.

"서울대 이혜구 교수, 한만영 교수, 국립국악원 성경린 원장 등이 범패의 무형문화재 지정과 연구에 본격 참여합니다. 교사 신분인 나 한사람으로서는 범패를 무형문화재로 지정할 의견을 낼 형편이 못됐어요."

하지만 홍 교수의 범패에 대한 정열은 멈추지 않았다. 홍 교수는 범패가 종합예술이기에 음악적 연구뿐만 아니라 종합적 연구를 진행해야 한다고 주장했다. 이는 서울대와 국립국악원 측 입장과 견해가 달랐기에 방법론 등에서 큰 차이를 보였다. 홍 교수는 TV 등의 토론회 등에 나서며 활발한 활동을 이어간다. 그 중 영남지방을 중심으로 전승돼 온 팔공산 소리의 발견은 문화재계의 큰 성과였다.

"조사를 활발히 진행하며 금정산 국청사에 갔을 때였습니다. 김운공 스님이셨는데 단숨에 몇 소리를 유연하게 뽑아내시는 것이었습니다. 아! 이것이라는 느낌을 받았어요. 경산조가 경쾌하다면 이 소리는 은은한 감정을 자아내는 것이었습니다."

이 성과는 주요일간지에 크게 보도됐다. 원력을 가진 활동은 홍 교수에게 큰 영광을 안겨 주었다. 바로 32세에 문화재 전문위원이란 중책을 맡게 된 것이었다. 당시 불교계에서는 봉원사를 중심으로 옥천범음연구회가 구성돼 활발한 연구 활동이 진행되고 있었다. 홍 교수는 운학 스님등과 불교문화예술원을 창립해 이러한 활동에 불을 지폈다.

3) 조계종 총무원 과장…성보보존위 기획

범패조사에서 시작된 불교문화에 대한 홍 교수의 관심은 불교의식 전분야로 옮겨갔고, 다시 불교의식의 대상이 되는 불교미술로, 다시 이를 종합하는 종교학과 종교사회학으로까지 넓혀졌다. 이런 홍 교수의 학문태도를 두고 학계의 비판소리도 높아져가고 있었다.

"학문이 주전공이 없는 잡학이라는 것이었죠. (웃음) 그러나 지금 와서 보면 요즘은 학계가 요구하고 있는 학제적 방법론을 일찍 터득하고 있었던 것

같습니다. 이런 연구방법론은 대학교수가 되고 난 이후에도 계속됐어요."

학계의 비판과 달리 홍 교수는 문화재전문위원으로는 다양한 방면에서 활용되는 인물이 되고 있었다. 무형문화재 분야뿐만 아니라 유형문화재에 대한 조사도 함께 진행하게 됐다. 여기에 당시 조계종 총무원 사회국장을 맡던 김운학 스님이 홍 교수를 천거해 총무원 문화과장을 겸직하게 된다.

"문제는 시간이었는데 조사연구를 휴일이나 방학 때를 이용할 수밖에 없었어요. 겸직하는 일도 상당히 큰 난관이었습니다."

홍 교수는 여러 스님들과 함께 전국 사찰의 유형문화재를 조사하는 사업을 진행한다. 이어 성보보존위원회 구성을 기획했다. 불교문화재란 사회통념을 성보문화재란 불교적 개념 하에 수용하자는 것이었다.

4) 단청문양 조사의 시련, 학자의 길 다져

홍 교수의 유형문화재에 대한 관심은 전국 중요사찰의 단청문양을 조사 정리하는 데로 이어진다. 문제는 재정과 시간이었다.

"촉박한 기간을 독촉해 조사를 기간 내에 완료할 수 있었어요. 이 같은 조사사업은 처음이라 언론기관에서 무척 흥미를 갖고 있었습니다. 이미 보고서를 문화재관리국에 제출했는데 책임조사연구원이었기에 날짜를 정해 기자회견을 했어요. 당시 주요일간지에 소개가 됐습니다."

기쁨은 잠깐이었다. 조사가 부실하다는 중앙일보의 지적이 일간지 보도 다음날 보도된 것이었다.

"일일이 모사해야 하는데 밑에서 스케치하였다는 것이었습니다. 시간에 쫓긴 일부 조사원들이 모사보다 스케치를 택한 것이었어요. 이를 확인하지 못한 잘못이었습니다. 당시 배정받은 예산으로는 3개 사찰 정도가 적당했고 기간을 길게 잡았어야만 했음에도 처음 진행하는 일이었기에 시행착오가 있었어요. 부득이 받은 임금을 내놓고 나머지는 사재로 충당해 재조사를 진행했습니다."

홍 교수는 "하지만 이 조사에서 얻은 것이 많았다"며 "단청뿐만 아니라 많은 불화를 보는 안목을 갖게 해줬으며 불화를 중심으로 한 불교미술 학자가 될 수 있는 좋은 계기가 됐다"고 말했다.

5) 불교미술가 등용문, 불교미술공모전의 탄생

단청문양조사사업의 실패 이후 홍 교수는 대내적으로 불교문화를 창조적으로 발전시킬 수 있는 일이 무엇인가를 고민한다. 그 결과 나온 것이 바로 현재 불교계 미술인의 등용문인 '불교미술공모전'의 개최였다.

"기획 이후 역시 문제는 재정문제였어요. 1969년대 우리나라 경제사정은 문화사업에 기부하는 인사는 극히 한정돼 있었어요. 더군다나 스님도 아니고 총무원의 양복쟁이가 기부를 받는다는 것은 어불성설이었죠. 마침 조계종 신도단체로 '관음클럽'이 있었습니다. 불교신도로 정치계와 경제계 인사의 부인들로 구성된 모임이었어요. 이런 인연을 살려 故 김성곤 쌍용회장 등을 찾아서 도움을 받았습니다."

심사위원 선정과 기준 등을 마련해 마침내 불교미술공모전이 열리게 됐으니 1970년 여름의 일이었다. 홍 교수의 행보는 여기에 그치지 않고 동국대 사범대에 미술교육학과 설치 추진을 불교대학 내에 미술학과 설립으로 이끈다. 동국대 미술학과에 불교미술 전공의 탄생이었다. 문화재관리국의 인맥과 영향이 큰 홍 교수의 역할이 컸다.

6) 인드라망의 세계, 보현행원으로 풀 것

"당시 이런 경위로 설치되고 나니 자격도 없는 사람이 교수가 되려한다는 소문이 돌았어요. 불교미술공모전과 불교미술학과 설치에 심혈을 기울였지만 돌아온 것은 자기 욕심을 채우려한다는 비방이었습니다. 인연이 여러모로 다 되었구나 하고 생각을 바꾸어 품지 않을 수 없었어요."

홍 교수는 그 것이 일본 유학을 결심하게 될 줄을 꿈에도 생각하지 못했다고 말했다.

"1970년대만 하더라도 일본 유학은 여간 어려운 일이 아니었습니다. 하지만 여러 사람의 도움으로 36세의 나이에 교토불교대학 대학원에 입학했습니다."

홍 교수는 불교사와 불교문화사, 불교사상사를 공부하고 문학석사와 박사를 취득해 돌아왔다.

"일본은 실제 생활을 바탕에 두고 불교의례와 의식이 발달해 있었습니다. 사람들의 의식 속에 불교가 하나의 문화로 완연히 자리 잡고 있었기에 한국에서도 불교문화가 사람들의 의식에 자리 잡고자 하겠다는 원력이 컸어요."

홍 교수는 귀국해 원광대에서 미륵사지를 연구하는 '마한백제문화연구소'를 설립해 국내활동을 전개하며 교수로의 길을 걷는다. 1987년 동국대 교수로 자리를 옮긴 홍 교수는 같은 해 4월 문화재위원회 개편에 맞춰 문화재위원으로 위촉된다. 전문위원 20여년을 거쳐 50대 초반의 나이였다. 홍 교수와 '범패'와의 인연은 여기서 다시 이어진다. 바로 '영산재'를 무형문화재로 지정하는 일이었다.

"가장 중요한 것은 기능보유자를 어떻게 발굴하느냐의 문제였습니다. 대체로 태고종 측이 많이 보유하고 있었으며 조계종은 장엄 기능을 지닌 정지광 스님이 있었어요. 영산재의 무형문화재 지정으로 영산재가 지닌 문화요소가 새롭게 주목받았다고 생각합니다."

홍 교수는 1989년 동국대 박물관장을 맡아 고려불화전을 개최하고 강화

선원사 대장경 판각지 조사를 진행하는 등 활발한 활동을 이어갔다. 1999년 퇴임한 홍 교수는 2000년 서울 국악예술고등학교에 교장으로 4년간 활동했으며 일본 수학의 인연으로 동국대에 일본학연구소 소장직을 맡아 한일관계 개선 등에도 앞장섰다.

홍 교수는 "부처님 가르침은 우리가 시시각각 고통과 역경이 다가올 때 반드시 이를 극복할 수 있다는 힘을 얻게 합니다. 큰 원력을 세우고 그에 맞춰 끊임없이 정진하다보면 그 것이 힘이 되어 인연이 닿아 이뤄지게 돼 있어요. 스스로 원력을 세우는 것이 가장 중요하죠"라고 말했다.

홍 교수는 이러한 삶을 보현행원으로 회향하겠다고 다짐했다.

"부족한 역량으로 학문을 펼칠 수 있게 된 것은 조명기, 안계현, 황수영 선생님을 비롯해 에다니 류가이(惠谷隆戒), 마키다 타이료(牧田諦亮) 선생님 등 수많은 사람들의 도움과 은혜가 있었습니다. 뒤돌아보면 모든 것이 하나의 인드라망으로 이어져있음을 알 수 있어요. 저는 남은 인생은 보현행원에 의한 삶을 살고자 합니다. 나 스스로 부족함을 깨닫고 조금이나마 사회에 도움이 되는 사람이 됐으면 해요."

—『현대불교』

二. 불교와 민속

1. 불교민속의 범위와 성격

불교와 민속과의 상관관계는 불교민속(佛敎民俗) 또는 민속불교(民俗佛敎)라는 두 가지 개념으로 설정될 수 있다.

불교민속이 불교가 민간신앙적 요소 또는 민간전승의 습속(習俗)을 수용한 신앙양식 또는 생활양식을 지칭하는 것이라면, 민속불교란 민간신앙 또는 민간전승의 습속 속에 불교가 수용되어 있는 신앙양식 또는 생활양식을 말하는 것이라 하겠다. 이와 같이 이들 양자가 구분되는 까닭은 전자가 불교적 교리체계 속에 또는 교리체계에 의하여 민간신앙적 요소와 그 습속 등을 수용하고 있는 것이라면, 후자는 민간신앙의 체계 속에 불교를 제대로 수용하고 있지 못하다는 데 차이점이 발견되기 때문이다. 따라서 불교민속도 그 수용체계가 허물어지면 민속불교의 개념을 지니게 되는 것이라 할 수 있다. 본고에서는 불교민속의 입장에서 민속불교와의 상관관계를 규명해보려 한다.

1) 불교민속 발생의 연원(淵源)

불교는 석가의 자내증(自內證), 혹은 종교체험에 의하여 형성된 교학사상을 중심으로 한 종교이다. 그러나 초기의 불교는 절대자에 대한 신앙을 역설한 종교가 아니고, 오히려 인간의 삶의 방법을 논한 것이다. 이런 점에서 보면 초기의 불교는 고대 희랍이나 중국의 철학사상에 통하는 바가 있다. 그리하여 석가는 스스로를 절대자로 자인한 것이 없고 스스로가 도달한 깨달음의 경지로서 만인공통의 보편적 진리를 삼아 불법(佛法) 자체를 중요시하게 되었으며 그가 도달한 깨달은 내용을 상대의 지위, 소질, 능력 등에 따라 그에 알맞은 자세한 설법을 하게 되었다. 그러나 초기의 이와 같은 불교는 부파불교시대를 거치면서 초기불교의 보편적 불법에 기초하여 본생담, 불전(佛傳) 등을 형성시키면서 과거불, 현재불, 미래불이라고 하는 시간상의 종적계열을 형성하게 되었다.

한편 부파불교시대의 대중부는 이와 같은 불(佛)의 종적계열에서 공간적 횡적계열로 발전시켜 나갔다고 하는 특징을 지닌다. 그것은 불법이라고 하는 보편적 진리를 바탕으로 하여 실유불성(悉有佛性), 즉 누구나 부처가 될 수 있는 가능성을 지닌다는 여래장(如來藏) 사상을 발전시키면서 대승불교로 발전해 나간다. 여기에서는 석가여래의 구제적 기능이 강조되고, 그 기능이 다시 분화하여 아미타여래, 약사여래, 미륵여래 등의 공간적 분화를 보게 되는데 여기에서 석가의 구제적 기능은 신앙의 대상이 된다. 한편 그 같은 석가의 구제적 기능을 분화해 나감에 의하여 중생의 구제를 구체적이고 다양한 방법으로 전개시켜 나간 데서 부파불교시대의 개인수행 위주의 불교를 사회구제, 중생구제를 강조하는 대승불교로 발전시켜 나갔다.

그리고 이와 같은 대승불교시대에 이르러 불교의 종교적 성격이 강해지고, 다른 한편 불교민속을 발생시킬 수 있는 문화적, 사회적 기반이 마련될 수 있었던 것에 관심을 갖지 않으면 안 된다. 사회 중생구제를 목표로 한 대승불교의 발전은 급기야 밀교(密教)의 전개를 낳게 되는데, 이 같은 밀교에 의하여 불교민속의 발전을 촉진시키게 되었다는 사실을 주목할 필요가 있다. 즉, 밀교란 불교가 여타의 민속신앙적 요소를 수용하여 새로운 불교적 사상 체계를 구성한 것이기 때문이다.

2) 불교민속의 성격

불교와 관련하여 다음과 같은 몇 가지 불교적 유형을 생각할 수 있다. 즉 불교사상, 불교문화, 불교신앙, 불교민속 등이 그와 같은 것이다. 그런데 이와 같은 유형들은 불교사상을 기본으로 하고 있지 않으면 성립될 수 없다는 사실을 주목해야 한다.

이상을 대별하면 다시 불교사상과 불교문화로 나눌 수 있겠는데, 이는 불교의 체(體)와 상(相)으로 말함직하다. 왜냐하면 불교사상이 근본이 되는 것이라면 불교문화란 불교사상을 바탕으로 하여 불교적 생활을 영위하는 데 필요한 제반활동을 가능케 하는 능력 전체를 말하는 것이기 때문이다.

그러나 여기서 다시 주의를 기울이지 않을 수 없는 것은 이상에서 말한 다양한 분야의 불교적 생활능력도 여러 가지 다른 생활요소, 문화요소의 구성에서 이루어진다는 점이다. 한편 여러 구성요소들의 기능의 절충과 조절을 통하여 불교적 문화 기반이 마련되는 것이어서 불교민속이라는 것도 이상에서 말한 불교적 삶의 능력의 복합체 속에 포함된다는 대전제를 갖지 않으면 불교민속의 분야에 접근해나갈 수 없게 된다. 왜냐하면 얼핏 생각하면 불교민속이란 불교와 민속이 상호융합 또는 습합되어 이루어진 문화현상이란 생각을 갖게 되는데, 그렇다면 이 같은 경우는 불교에만 있는 것이 아니라 무속신앙이나 다른 민간신앙에서도 얼마든지 찾아볼 수 있기 때문이다.

그러면 불교민속의 성격은 어떻게 규정지을 수 있을 것인가? 이상에서 살핀 바와 같이 불교는 공간적, 시간적 여건에 따라 한편으로는 불교사상 자체의 발전을 기하게 되고, 다른 한편으로는 불교의 민중적, 사회적 수용에 따른 변천을 가져오게 되었다. 그것은 불교도 하나의 유기체이므로 환경순응이라고 하는 생명유지를 위한 불가결의 원리에 따라 시간적, 공간적 조건에 불가분의 관계를 갖게 되었기 때문이다. 공간적 조건이란 풍토적 조건과 사회적 조건 등을 생각할 수 있게 되는데, 불교가 그와 같은 공간적 조건에 따라서 전파되고 다른 한편 시간적, 역사적 조건에 따라 수용됨에 따라 본체로서의 불교사상이 생활능력으로 활용되는 문화현상이 달라짐을 알 수 있다. 불교민속이란 이 같은 성격을 지닌 불교를 말하는 것이라 하겠다.

3) 불교민속의 범위와 의의

불교의 교학체계는 부파불교시대까지에는 수행자 중심의 불교로서 서민사회에 전승되는 기층문화를 토대로 하여 형성된 불교민속은 존재하지 않았다. 그런데 대승불교시대가 되면 민중들에 의하여 전승되어 온 전통적인 문화요소들이 불교에 많이 수용되게 되나 곧 그와 같은 대승불교가 불교민속의 대상을 낳게 하지는 않았다. 왜냐하면 대승불교는 전통적인 기층문화를 수용하였으나 그를 수용함에 의하여 오히려 고도의 불교사상을 발전시켜 나갔기 때문이다. 그리하여 대승불교에 있어서의 중생구제는 보살행의 실천이라는 고도의 수행력에 의하여 가능하게 된다는 교학체계를 성립시켰다.

그렇다면 여기에도 불교민속이 생겨날 수 있는 소지는 적어진다. 대승불교 다음에 전개된 밀교는 보다 철저하게 기층문화적 요소를 수용하였으나 밀교 자체를 불교민속이라 할 수 없다. 왜냐하면 밀교의 전개는 불교사상의 발전적 결과로 나타난 것이기 때문이다. 그러면 불교민속이란 어떤 범주에 속하는 불교를 지칭하는 것인가?

대승불교나 밀교의 신행자는 그들의 목표인 성불을 위한 수행력을 중생의 구제를 다함에서 가능하게 된다고 믿는 출가자 중심의 불교이다. 한편 기층문화의 전승자인 일반 민중의 대승불교나 밀교에 대한 신앙행위는 자신들의 수행력으로는 불가능하다고 믿고, 출가자들의 수행력을 빌려 그 공덕을 회향받는 것으로 신앙의 목표에 도달할 수 있다고 믿게 되는 신앙형태로서 불교민속이 형성되는 것이라 생각된다.

왜냐하면 이때의 민중은 기층문화의 전통적 신앙이 지니고 있는 구체적 관심의 대상을 불교적 출가자의 수행력을 빌려 해결하려는 데서 새로운 신앙형태를 낳게 되었기 때문이다. 이를 출가자의 입장에서는 방편불교(方便佛敎)라 하고 있으나, 실은 이 같은 행태의 불교를 불교민속이라 할 수 있다. 다만 기층문화에 기초한 전통적인 신앙형태를 불교가 수용하여 이것을 불교적으로 전개하려는 농도가 짙으면 발전된 불교신앙형태가 유지되고, 반대로 그 농도가 옅어지면 불교민속이 성행하게 되는 것이라 할 수 있다. 따라서 순수불교(純粹佛敎)와 불교민속의 문화기반은 세 가지 유형을 생각할 수 있게 된다. 그 하나는 순수불교의 문화기반이요, 그 둘째는 순수불교와 불교민속이 병행하는 문화기반이며, 셋째는 순수불교가 쇠퇴하면 불교민속이 성행하게 된다는 문화기반을 생각할 수 있다. 따라서 불교민속의 대상과 그 성격은 두 번째의 문화기반과 세 번째의 문화기반에서 규명되어야 할 성질의 것이다.

한국불교에서 생각하면 신라시대에는 첫 번째의 문화기반에서 불교민속을 잉태하고 있었던 것이라 하겠으며, 고려시대는 두 번째 문화기반에서의 불교민속을, 조선시대에는 세 번째 문화기반에서의 불교민속을 생각할 수 있다. 따라서 오늘의 불교민속은 조선시대 불교의 문화구조에서 형성된 민속적 불교가 오늘에 전승되고 있는 것이라 하겠다.

4) 불교민속의 대상

불교민속의 대상을 설정하기 위해서는 불교민속과 민속불교의 개념설정이 필요하다고 생각한다. 왜냐하면 그렇지 아니하면 불교민속의 성격이 뚜렷해지지 않기 때문이다. 불교민속이 불교를 주체로 하여 민중에 의해 전승된 민속의 수용, 융합된 형태의 것이라면 민속불교는 재래의 민속이 불교와 습합 내지 혼합되어 있는 것이라 하겠다. 예컨대 무속이 불교의례적 요소를 많이 수용하고 있는 것 등이 그와 같은 것이라 하겠는데, 이상과 같은 두 가지 유형의 문화형태가 얼핏 보면 흡사한 것으로 보이나 결코 그렇지 아니하다는 데 불교민속의 특성을 살필 수 있게 된다.

즉 불교가 주체가 되어 재래의 민속을 수용한 경우에는 삼단분단법(三壇分壇法)과 같은 체계에 의하여 불교의 기본 신앙인 연기법, 인연법, 인과법 등의 기본 틀을 벗어나지 않고 있다는 것이다. 그리하여 불교민속은 불교에 수용되어 있는 민속적 요소만을 대상으로 할 것이 아니라 이상과 같은 문화구조에서 파악되지 않으면 안 되는 것이라 하겠다. 그러면 좀 더 구체적인 불교민속의 대상은 어떤 것인가를 살펴보자.

(1) 신앙의례적인 면

불교의 신앙의례는 자행의례(自行儀禮)와 타행의례(他行儀禮)로 구분된다. 여기 자행의례는 수행을 목적으로 스스로 행하는 신앙의례를 말하고, 타행의례는 불교의 신앙인이 민속신앙적 관심사를 불교의 출가자에게 의뢰하여 행하게 하여 그 공덕을 회향 받음으로써 신앙의 목표를 달성할 수 있다는 신앙형태이다. 따라서 신앙의례적인 면에서 보면 타행의례가 불교민속의 대상이 된다. 그것은 불교와 민속이 유기적 복합체를 이루고 있기 때문이다.

(2) 구비전승의 면

전술한 타행의례에 의한 신앙행위의 결과로 성취되었다고 하는 신앙 영험담이 많이 전승되고 있는데, 관음영험, 지장영험, 칠성영험, 독성영험, 산신영험 등 신앙의 대상을 신앙한 결과로 얻어졌다고 전하는 영험담과 법화경영험, 천수경영험, 아미타경영험, 지장경영험, 고왕경영험 등 경전 자체의 영험이나 경전을 독송한 영험 등을 전하는 영험담이 그 대상이 된다.

(3) 예능적인 면

불교민속은 불교가 민속의 여러 분야를 수용하여 불교에 의한 민중적 환희심을 일으키는 방편불교의 의미를 지니게 됨으로써 다음과 같은 예능적 요소를 많이 전승하여 왔다. 불교민속극, 불교민속음악, 불교민속무용 등이 그와 같은 것이다. 이상의 불교민속 예능은 신앙의례의 구조에서 전승된다는 특징을 지닌다.

(4) 사회구조적인 면

불교민속에 의한 동신공동체(同信共同體)로서 염불계, 지장계, 관음계 등과 같은 신앙인 공동체를 조직하여 그에 필요한 조직과 신앙행위를 해나가는 신앙공동체가 전승되어 온다.

5) 맺음말

이상에서 불교민속의 범위와 성격에 대하여 그 연원과 전개, 발생, 범위, 대상 등을 살펴봄으로써 불교민속의 개념을 설정하고, 그 범위를 좀 더 정확하게 설정해보려 하였으나 이 일은 쉬운 일이 아니어서 많은 연구를 기다려야 되리라 생각한다. 그러나 불교민속과 민속불교의 개념은 분명히 달리 설정되어야 한다는 사실만은 밝혀두고 싶다.

여기 불교민속은 아무리 재래적인 민속을 다양하게 수용하였어도 그를 체계적으로 수용함으로써 선인선과 인과법이라는 불교적 핵심은 결여되지 않고 있는데 반하여 민속불교는 그와 같은 체계와 신앙의 핵심을 찾아볼 수 없다는 데 차이점이 있는 것이라 하겠다. 따라서 불교민속도 민속을 수용하는 불교적 주체가 상실되면 민속불교가 되고 만다는 사실을 주목해야 할 것이다. 예컨대 불교에 있어 밀교는 재래의 민속(힌두교)을 다양하게 수용하여 고도의 밀교철학과 그에 따른 신앙형태를 형성하게 되었으나 13세기경에 이르러 밀교를 지탱하는 불교적 밀교철학이 무너진 이후 인도에서는 불교는 소멸하고 힌두교만 남게 되었다는 사실이 그것을 잘 전해주고 있기 때문이다. 그러면 여기서 불교민속과 민속불교와의 상관관계가 어떤 것인가를 살피지 않을 수 없게 된다.

민속불교는 민간신앙이 불교를 수용함에 의하여 더욱 그 격을 높이고 내용을 풍부하게 할 뿐 아니라 신비성을 더하게 한다는 데 그 문화적 의의를 살필 수 있겠고, 불교민속이란 입장에서 보면 불교적 대중화 또는 민중화라는 데 그 사회적·문화적 의미를 살필 수 있게 된다.

요컨대 여기 전자는 문화의 상향성(上向性), 후자는 문화의 하향성(下向性)을 지적할 수 있겠으나 문화의 상향성이 문화의 후진성이란 성격을 지니는 것이라면 하향성은 목적성·의식성·방향성이란 성격을 지닌다는 차이점을 알 수 있게 된다. 따라서 문화의 하향성이 이론과 교의체계(教義體系) 등에 중점을 두는 것이라면 상향성은 생활감정, 실감 등의 감성에 치중되는 경향이 강한 것이라 하겠다. 그리고 양자의 상관관계는 문화의 하향성 없는 상향성은 맹목적인 것이 되고, 상향성 없는 하향성은 공허한 것이 되고 만다는 사실을 주목할 필요가 있다.

2. 한국불교와 민속학

1) 서언

한국불교와 민속학은 밀접한 관계를 지니고 있다. 그것은 한국불교에서 불교민속학이 중요한 위치를 차지하고 있기 때문이다. 불교민속 연원은 『삼국유사』 등의 사서에서 그 실마리를 찾을 수 있고 조선시대 불교가 세속화되면서 불교민속은 더욱 확산된 것이라고 믿고 있다. 그러나 이와 같은 불교민속은 전통 불교학에서는 이단시 되어왔고 일반학계에서도 속신 또는 미신의 세계라 백안시 되어 왔기 때문에 그 체계적인 연구가 아직 미진한 상태에 놓여 있다. 그런가하면 한국의 민속학을 논할 때 불교민속학을 제외하면 그 구체적 양상을 접하기 어려울 때가 있다. 그것은 불교가 오랜 역사를 통하여 민중사회에 뿌리를 깊이 내리고 있었기 때문이라 생각한다. 그러면 한국불교민속학의 현상이 오늘에 어떻게 전승되고 있으며 그것이 갖는 의미는 어떤 것인가 살펴보기로 한다.

2) 한국불교민속의 현황

한국불교민속의 현상을 살피기 위해서는 몇 가지 방법론이 필요하다. 그 예를 아래에서 들어보기로 한다.

첫째, 한국전통불교사원의 분류이다 이 분류법도 여러 가지가 있을 수 있으나 우선 여기서는 수행사찰, 학문사찰, 기도 기원사찰 등으로 나눌 수 있다.

수행사찰은 대체로 산중에 있으며 선승 등이 수행하는 곳이다. 해인사, 봉암사 등이 그 대표적인 예이다 그리고 이 같은 사원에서는 수행승이 중추적인 역할을 한다. 학문사찰은 수행사찰을 겸비하고 있는 사찰도 있으나 그렇지 않은 곳도 있다. 이 학문사찰에는 강원(불교대학)이 있어 불교경전 등을 출가자에게 가르치는 역할을 한다. 기도 기원사찰은 영험이 있는 절이라는 전제가 있다. 관세음보살, 지장보살 등의 보살신앙의 영험이 있거나 아니면 산신 칠성신앙 또는 독신신앙 등의 영험이 있다고 신앙하고 그렇게 전해지는 절이다. 관음신앙으로는 강화 보문사, 남해 보리암, 양양 낙산사 등이 있고 지장신앙으로는 선산 영명사, 연천 심원사 등이 이름나 있다 그 외의 영험사찰은 영천 갓바위(선본사) 등이 많은 신도들의 깊은 신앙심을 이끌고 있다.

이상에서 보면 수행사찰 학문사찰 등은 출가자를 중심한 사찰이라면 기도 기원사찰은 일반신도를 중심한 사찰이라 할 수 있다. 즉 출가자가 재가 신도들의 신앙적 요청에 의해 기원 등의 의례행위를 행하는 곳이다. 그리고 이 같은 사찰에서 불교민속의 현상을 살필 수 있다.

둘째, 한국불교의 불단은 다음과 같이 구성되어 있다. 본전의 중앙에는 불보살상을 모시고 예배를 드리는데 이 불단을 상단이라 한다. 그리고 그 왼쪽에는 불법수호신들, 즉 신중들을 모시고 예배행위를 하는데 이를 중단이라 한다. 그리고 그 왼쪽에 칠성이나 산신 또는 독성 등을 봉안하고 예배한다. 그리고 이와 같은 불단을 하단이라 한다. 하단의 신앙대상은 중단의 복수신중에서 각자 신앙의 기능을 분화하여 설단한 것이다.

이상 3단 체계에서 보면 중단과 하단의 신앙적 기능은 불교민속적인 성격을 지니고 있는 것이라고 할 수 있다. 그러나 이들 3단이 각각 독립적으로 신앙의 기능을 다 하는 것이 아니라 상호연관관계를 이루고 있다. 즉 상의상자의 만다라적 성격을 이루고 있다는 것이다.

불교민속학이란 불교와 민속신앙이 융합되어 있는 현상을 말하는 것이나 이 경우에도 두 가지 유형이 있다. 하나는 불교가 중심이 되어 민간신앙과 융합하는 경우이고 다른 하나는 민간신앙이 중심이 되어 불교를 융합하고 있는 것이다. 불교가 민간신앙을 융합할 때는 불교의식에서 칠성신앙이나 산신

신앙 등의 민간신앙적 요소를 수용하는 경우이고, 민간신앙이 불교와 융합할 때는 민간신앙의 중추적 기능을 다하고 있는 무속신앙에서 불상을 봉안하고 불교경전을 독송하고 있는 것 등이 그와 같은 것이다

3) 불교의례와 불교민속

최근 불교의례에 대한 관심이 높아지고 있음을 본다. 영산재, 수륙재, 연등회 등을 무형문화재로 지정하고 또한 예수재를 지정하고 있음이 그와 같은 것이다. 이상에서 영산재는 불교의례를 행하는 양식적인 면을 칭하는 것이라면 수륙재와 예수재 등은 불교의례의 내용적인 면을 칭하는 것이라 할 수 있다. 한편 연등회는 축제적 기능을 칭하는 것이다. 그런데 이들 불교의례는 오랜 역사를 지니고 일반 민중들의 신앙적 욕구에 대응해 옴으로서 민속화된 불교민속의 대표적인 사례인 것이라 할 수 있다. 이상의 불교의례를 무속의례와 비교해봄으로써 불교의례의 민속적 요소를 살필 수 있을 것이다.

무속의 의례가 그 규모에 따라 굿과 비손으로 나누어지듯 같은 목적을 가진 불교의례라 할지라도 그 규모와 구성요소에 따라 재와 불공으로 나누어진다. 여기 무속에 있어 굿이 여러 면의 무와 무악반주를 전문으로 하는 잽이가 합동이 되어 가무와 실연을 위주로 제의를 진행하고 비손은 한 사람의 무당이 축원을 위주로 하는 약식 제의인 것이다.

한편 불교의식에 있어 재와 불공의 경우에도 유사성을 지닌다. 즉 재는 전문적인 의식 승으로서 범패승과 법주가 요령을 흔들면서 거대한 재식을 행한다. 다른 한편 무속제의와 불교의식의 진행절차의 구성을 보면 여기서도 상호유사성이 발견된다. 즉 재의 절차의 구조적 성격이 영신, 권공, 발원, 송신 등으로 되어 있음이 그와 같은 것이다.

4) 불교민속의 문화적 의미

한국불교에서의 민속학적 성격을 지닌 여러 사례들을 몇 가지 방법론에 의해 분류해보았으나 이제 이들 불교민속학이 지니는 문화적 의미가 어떤 것인가를 살펴보기로 한다. 그것은 한국 전통문화를 이해하는데 큰 도움을 줄 것이라 기대되기 때문이다.

우선 불교의 수용과 변용은 토속신앙의 바탕 위에 이루어졌다는데 주목할 필요가 있다. 즉 전통적인 민속은 시대에 따라 혹은 나라에 따라 그 시대 그 나라의 불교를 성격 지워 나간다는 것이다. 오늘날에 전하는 한국불교 일본불교 중국불교가 각각 다른 성격을 지닌다는 것은 민속적 기반이 다르기 때문이다. 한편 이와 같은 민속적 기반은 불교문화의 발전에도 영향을 미친다.

둘째 불교민속은 전통문화의 보고라 할 수 있다. 예컨대 불교신앙에서의 영험은 많은 영험담을 낳고 그것이 설화문학의 발전을 가져왔다. 다른 한편 불교신앙의 신앙심을 고조시키기 위한 불교예능이나 불교미술의 발전에 많은 영향을 미치게 된다. 가곡은 범패의 영향이고 승무나 바라춤 등은 불교의 식무용에 기원을 두고 있음이 그와 같은 것이며 그 외에도 농악놀이 탑돌이 회심곡 같은 것도 불교민속의 소산이라 할 수 있다.

본 연구는 한국불교와 민속학의 상관관계를 밝히려 하는 것이지만 그것을 논의하기에는 너무 범위가 넓고 다양한 성격을 지니고 있어서 이 같은 문제를 불교민속이란 문제의식으로 풀이해 보았다. 그렇다면 불교민속이란 어떻게 규정해볼 수 있을 것인가 말할 것도 없이 불교민속이란 민중에 의해 전승된 불교를 말한다. 따라서 이는 민중에 의해 수용되고 신앙된 불교인 것이다. 그리하여 우리들은 불교를 통해 민중의 불교에 의한 삶의 인식방법을 알 수 있고 신앙생활의 양상을 보다 구체적으로 살필 수 있다. 이를 통해 불교의 본질적이고도 깊은 사상체계까지 도달할 수 없다 하더라도 불교가 민중의 구체적 관심사와 어떻게 결합하고 있는가를 잘 전해주고 있는 것이다. 그리하여 이 같은 불교민속에서는 지혜나 반야와 같은 고차원적인 경지에 이를 수 없는 것이라 하겠으나 관념 위주의 불교가 아니라 실천을 통한 생활불교라는데 의미를 발견할 수 있게 되는 것이다.

5) 결언

한국불교를 담고 있는 한국의 사원은 본래 석가의 가르침을 깨닫고 그 세계에 이르고자 하는 시설이지만 오늘에 정하는 사원은 사회에 작용하기 위해 있는 것이다. 즉 한국사원의 구도는 불교와 사회에 대한 작용을 구체적인 자세로 나타내고 있다. 여기서 현실사회 속에서 작용하고 있는 불교의 실상을 알 수 있는 것이다. 즉 불교와 민속은 서로 융합하고 공생하는 지혜를 현실사회 속에 잘 나타내고 있다는 것이다. 그러나 본 연구는 한국불교와 민속학의 상관관계를 규명할 수 있는 방법론을 제시하는데 끝나고 구체적인 사례까지는 논의하지 못하였음을 밝혀 둔다.

3. 한국불교의 의례와 의식

1) 불교의례의 의미

불교의례는 일정한 형식을 지닌 행위인 것이다. 그 형식은 종교집단의 공적인 재산인 것이다. 즉 그 행위가 반복됨에 의하여 정형화(定型化)되어 전승되어 왔기 때문이다. 그런데 이와 같은 불교의례는 단순한 형식만의 것은 아니다. 그것은 종교행위의 의미의 체계로서 상징적 성격을 지니고 있다. 다시 말하면 불교의 교의를 행위적으로 표현한 것이 불교의례라고 한다면 불교의례를 행함에 의하여 불교교의를 체득할 수 있게 된다는 것이다.

불교는 경전을 통해 이해됨과 더불어 경전의 교의를 행위화한 의례를 행함에 의해 경전이 전하고 있는 신앙체험을 추체험(追體驗)하게 될 것을 가능하게 하는 것이 의례라 할 수 있다.

다른 한편 불교를 구성하는 요소로 빠뜨릴 수 없는 것이 교단(敎團)이다. 사원(寺院)이 단위 단체라고 한다면 이들 사원을 포괄하는 것이 교단이다. 따라서 교단은 교의를 정하고 의례행위를 체계화하여 교단성원의 자격을 한정하여 단위단체인 사원을 통합하는 역할을 다하는 조직적 집단을 지칭하는 것이다. 즉 교단을 종교에 참가하는 사람들의 공동체로 당대 종교의 신도 간의 연대를 강화·유지하는 기능을 다 하게 된다.

이상을 보면 이념으로써의 교의(敎義), 행위로써의 의례, 형태로써의 교단이라고 하는 세 기둥의 상호작용에서 전체를 볼 수 있다. 이와 같은 도식(圖式)을 당해 종교의 지속 전개라는 동적 측면에서 살펴보면 교의, 의례의 두 기둥은 교단이라는 집합체에 수렴된다는 구조를 지닌다.

2) 불교의례의 구조와 분류

여기서 먼저 불교의례와 의식의 차이점이 어떤 것인가를 밝혀 놓을 필요가 있다. 불교의례라고 하면 불교교의의 행위적인 면의 총괄적 의미를 지니는 것이라면 의식은 행위적인 면의 체계화를 지니는 것이라고 할 수 있다. 불교의식 용구는 그 시대의 문화적 척도가 된다. 그것은 불교의식의 시대와 사회의 요구에 대응한 불교의 생활양식이며 그 같은 생활양식을 영위하는데 필요한 용구가 불교의식 용구라는 문화양식을 낳게 되었기 때문이다.

오늘의 시대가 어떤 불교적 생활양식을 요구하고 있느냐에 따라 불교의식의 형태가 달라진다. 그러므로 불교의식구는 불교문화의 변천을 가늠하는 척도가 된다. 다른 한편 불교의식은 부처와 보살에 귀의하여 불교적 삶을 영위함으로써 안심입명을 얻으려는데 목적이 있다고 할 수 있다. 즉 살아가면서 생기는 문제 해결을 위해 만든 것이라 할 수 있다. 따라서 불교의식은 인간과 상황과의 대화이며 여기서 문화의 발생과 발전을 가져오게 한다는데 중요성이 있다.

불교의식은 종교적 객체인 부처와 보살, 종교적 주체인 인간과의 상호관계에서 파악된다. 그런데 그 양식이 강청적(强請的), 공리적(功利的) 의도에서 물리적 기계적 양식을 취하게 되면 주술적 의식이 되고 이해심보다는 순수하고 경건한 귀의의 태도로서 양식을 취하게 되면 종교의식이 된다. 그러나 이 두 가지 가운데 하나도 갖추지 못할 때는 형식주의가 되어버리고 만다는 사실에도 주의를 기울여야 한다. 왜냐하면 똑같은 불교의식이라 할지라도 시대에 따라 그 유형이 달라져 왔고 또 사회적 계층에 따라 그 문화양상도 다양하게 전개되어 온 것이기 때문이다.

또한 불교의식은 문화발전의 계기를 마련하게 된다는 사실에 주목해야 한다. 그것은 종래의 관습적이고 형식적인 의식으로서 우리들에게 납득되지 않으며 새로운 문화도 발생하지 않는다는 사실을 충분히 인식할 수 있게 되기 때문이다. 따라서 불교문화를 발전시킬 수 있는 불교의식은 경건함에 의하여 타의 모범이 되어야 하고 또한 간절한 발원이 포함되어야 한다.

한편 불교의식을 분류하고자 할 때는 정토교형 의식, 밀교형 의식, 선정형 의식과 같은 유형의 불교의식을 생각할 수 있다. 그것은 오늘에 전하는 한국의 불교의식이 이 같은 3대 요소를 모두 지니고 있기 때문이다.

먼저 정토교형 의식은 예배와 염불 발원문의 독송 등 3대 요소에 의해 행해진다. 여기서 필요한 의식구는 예배대상으로 아미타여래상의 조각이나 불화를 봉안하고 염불에 필요한 범종, 목탁, 굉쇠, 법고 등이 갖추어져야 하고 발원문을 낭독하고 불전에 올려놓는 소통에 발원문을 보관한다. 그런데 이상과 같은 의식구로 행해지는 정토교형 의식은 "나무아미타불"하는 염불로 의식을 마무리하게 된다. 이러한 정토교의 간결한 의식은 불교의 대중화를 가져오게 하고 한편 여섯 자의 염불로 전체를 아우르는 종교의식은 의식 용구의 정밀한 기법을 낳게 한다. 그리고 문화적 기능은 사회구성원 전체의 문화역량이 총집결한다는 특징을 지닌다.

두 번째, 밀교형 의식은 한마디로 말하면 통일적 다신교의 형태를 지닌다고 할 수 있다. 이는 중생구제의 대자바심을 바탕으로 중생의 요청을 통찰하며 부처와 보살 외에 제석, 배범, 사천왕, 산신, 칠성 등이 신앙의 대상이 된다. 신을 모시는데 필요한 의식은 기원으로 일관되고 그 기원은 다신교적 신앙의 대상을 일원화하는데 신앙의 목적을 달성하게 된다. 그리고 밀교의식은 다양한 의식구를 필요로 하게 되는데 그것은 밀교형 의식의 상징성과 신비성을 중요시하기 때문이다. 금강저, 금강령, 육환장 등이 대표적인 밀교형 의식 용구이며 통일적 원리에 입각한 가람 구성의 만다라적 요소도 밀교의식의 소산이다. 의식도량을 청정하게 하고 장엄하게 하는데 필요한 12가지 신상, 금강상과 기타의 호법신중 등의 불화도 밀교형 의식 용구의 범주에 속한다.

불보살을 의식 도량에 모셔오는 시련의식에 필요한 각종 번류와 인로왕보살 등의 기치 류는 정토교형 의식 용구가 되기도 하지만 그 기능에 있어서는 밀교형 용구의 성격이 강한 것이라 할 수 있다. 밀교형 의식 용구는 다신교적 신앙의 대상들을 종합하는 문화역량과 상징성이 강하게 표출 되었을 때와 그렇지 못했을 때의 문화적 소산이 차이를 나타낸다. 고려시대에는 전자의 의식 용구가 발달하여 오늘에 전하는 우수한 금강저, 금강령 등이 그것이다. 반면 도량장엄이라고 볼 수 있는 각종 번과 기치 류 등은 후자의 경우에 속하는 것이라 할 수 있는데 그것은 조선후기 밀교형 의식 용구의 한 특징적 요소를 나타내고 있는 것이라 할 수 있다. 요컨대 밀교의식은 철저한 긍정주의에 입각하여 우주 자체를 불보살로 인식하여 찬란한 채색이나 다양한 형상에 의하여 상징성이 강조되는 장엄문화를 발전시킨 것이라 할 수 있다.

세 번째, 선정형 의식은 일상생활이 곧 의식이라는 특징을 지닌다. 이는 정토교형 의식이나 밀교형의식이 일상생활과는 구분되는 의식의 형태를 지니는 것과는 좋은 대조를 이룬다. 선정형 의식은 일상생활 그대로가 의식행위이며 의식의 집합이다. 그리하여 선종에서는 의식행위를 부정하는 것으로 인식되고 있지만 선정삼매의 수행으로 종교의식의 본질에 직접 몰입하여 그 실체를 파악 실증하여 무상지견(無上知見)을 계발한다는 선종 본연의 입장에서 보면 일상생활 그대로가 최고의 문화가치를 지닌다. 존귀무상(尊貴無上)의 생명이며 그 스스로에 조직이 있고 체계가 있어 그대로가 최고의 불교의식이 되는 것이다. 그러나 아무렇게나 영위하는 일상생활이 불교의식이 될 수는 없는 것이다. 선종의 일상생활은 청정한 규칙 청규(淸規)와 같은 엄한 규제가 있어야 한다는 사실을 잊어서는 안 된다. 선정형 의식에서 발우와 가사 등이 중요시 된다. 『전등록』 등에서 가사와 발우로 법맥을 전하고 있음은 이러한 이유에서이다.

앞에서 살핀 세 가지 유형의 의식형태는 다시 자행의식과 타행의식으로 구분된다. 자행의식은 스스로의 향상을 기하는 수행의식이라 할 수 있고 타행의식은 출가자가 재가자의 의뢰를 받아 기원을 행하여 재가자에게 회향하는 의식이다. 그런데 이들 양자는 대승불교가 지향하는 상구보리 하화중생의 교의적 뒷받침을 지니고 있으며 이상 세 가지 유형의 의식은 다시 상구보리 하화중생의 의식형태를 지니게 된다. 그런데 이 세 가지 유형의 의식을 자행의식으로 행하면 의식 용구가 간결하고 타행의식으로 행하면 의식 용구가 복잡해진다. 예컨대 정토교형 의식을 자행의식으로 행하면 "나무아미타불"한 구절의 염불을 행하여 기원하는 것으로 족하나 타행의식으로 행할 때는 범종, 목탁, 법고 등이 필요하고 경우에 따라서는 의식무용도 필요하게 된다.

밀교형 의식을 자행으로 행할 때는 신(身)・구(口)・의(意)의 삼밀(三密)이 불보살과 상응하여 일치함을 목적으로 하는 수행의식이 행해진다. 이때 금강저와 금강령 등의 밀교의식구와만다라 등의 관법(灌法) 등을 필요로 하게 된다. 타행의식으로 행할 경우에는 불보살이 의식도량에 오고 가는 것을 형상화하는 행렬의식과 도량을 청정하게 하는 각종 장엄구가 상징적 의미를 나타내기 위하여 필요하게 된다. 선정형 의식에서 보면 자행의식과 타행의식이 구분되지 않는다. 선종수행자의 일상생활과 구분되지 않는다는 선정형 의식의 특질이 자행의식과 타행의식의 구분도 없게 한 것이라 할 수 있다.

신라시대에는 정토교형 의식이 성행했다면 고려시대에는 세 유형의 의식이 다 같이 성행했고 정토교형 의식과 밀교형 의식은 자행 타행의식의 두 형태가 모두 성행하였다. 오늘날 전하고 있는 금강저, 금강령 등의 밀교의식구와 사리용구, 불구로서의 고려청자, 사경, 불화 등은 모두가 자행의식에 의한 수행법으로 불교적 바탕을 튼튼히 다진 다음에 대중화되는 타행의식을 성하게 행한데서 나온 문화적 소산이다. 그것은 고려사회가 요구하는 총체적 문화욕구를 불교가 충족시킬 수 있었기 때문에 가능했던 것으로 믿어진다.

조선시대가 되면 자행의식은 일부 선승(禪僧)에 의해 명맥이 유지되고 정토교형 의식과 밀교형 의식은 타행의식 중심으로 행해지게 되었다. 그것은 조선시대의 불교적 문화인식이 상류층에서는 소외되고 주로 일반 민중에 의해 요구되었기 때문이다. 상류층에서 불교적 기반을 불교교단이 일반 민중에게 불교적 문화작용을 하게 되자 새로운 불교의식의 구성체계가 필요하였던 것이다. 그리하여 18세기에 『범음집』 등의 각종 의식집의 재정비가 이루어진 것은 주목할 만한 일이다.

三. 한국불교의식의 구성

1. 불교의식의 기능과 의미

1) 불교의식의 기능

전통적인 사찰 배치 양식을 보면 부처와 보살을 모신 불전(佛殿)이 중앙에 있고 그 전후좌우에서는 불전을 옹호하는 사천왕문 등의 전각과 신중신앙(神衆信仰)에서 분화된 산신각 등이 위치한다. 이처럼 불전을 중심으로 정연한 질서에 의해 이루어지고 있는 가람배치체계상에서의 각 전각들이 불교 건축물이다. 각 전각에서는 그들 전각의 기능과 성격에 알맞은 불상이나 보살상을 조각하여 봉안하고 그들 조각상의 기능을 좀 더 쉽게 이해할 수 있도록 후불탱화를 그려서 조각상의 뒤에 걸어 놓는다. 그리고 조각이나 회화로 모신 불격(佛格)에 따라 그에 알맞은 문양으로 단청하여 부처나 보살 또는 신중상(神衆像)을 입체적으로 전각에 나타내려 하였다.

이와 같은 문화유산을 일반 예술과 비교하여 불교조각 혹은 불교회화 등으로 지칭하고 있다. 그런가 하면 정연한 가람배치체계에 의한 건축양식에 걸맞은 각 전각 내에 불·보살상들의 조각이나 불화 등을 봉안하고 단청을 하는 것은 모두가 불교의 이상세계를 입체적으로 나타내기 위한 것이라 할 수 있다. 그러나 불교의 이상세계를 단순한 입체감만으로 제대로 구현할 수는 없다. 여기에 의식행위를 더하여 더욱 생동감 있는 이상세계를 구현해 나가지 않으면 아무리 훌륭한 건축양식에, 훌륭한 불·보살상을 모신 사찰이라 할지라도 그것은 새로운 문화 창조의 원동력으로써 우리에게 인식되기는 어렵다. 그리하여 불교의 이상세계인 정토를 표현한 각 경전들은 정토 장엄의 모습을 전각과 그 정토의 부처와 보살 및 성문(聲聞)들, 그리고 자연환경으로서의 수림(樹林)과 연못 등을 묘사하고 있다.

이와 같은 시각적 대상과 더불어 이들이 움직여서 내는 소리와 동작이 조화되어 정토의 장엄은 극에 달한다. 그리하여 정토의 관경(觀境)을 그린 〈관경변상도(觀境變相圖)〉 등에서는 불교의식에 사용되는 각종 악기를 묘사하여 이들 악기들이 스스로 연주되는 것임을 나타내고 있다. 감로탱화 등에서는 의식을 행하는 장면을 직접 묘사하여 교화와 중생구제에는 반드시 의식행위가 수반되어야 하는 것임을 나타내고 있다. 이처럼 형체를 갖지 않고 있는 불교의 관념적 의식이 공간의 의장에 의하여 형상화되고, 형상화됨에 따라 의식화되는 것임을 알 수 있다. 즉 설명에 의하지 않고 뜻을 전달하는 기능을 갖는 것이 의식행위라 할 수 있다. 여기서의 의식은 그것을 행하는 자와 의식공안이 일치되었을 때 또는 의식을 행하는 자가 의식공간에 몰입하는 귀의의 상태에 있을 때 비로소 의식이 성립된다고 할 수 있다. 따라서 이와 같은 불교의식의 성립으로 불교신앙에 있어 종교적 주체와 객체의 합일 또는 합의가 이루어지는 것이다. 불교의 근본은 마음(心學)에 있지만 그것이 사회와 상관관계를 가질 때 사원이 생기고 그에 따른 각종 불교문화가 형성된다.

의식행위는 불교의식에서만 필요한 것이 아니라 인간이 물질을 지배하고, 물질이 인간을 지배하는 현대문명의 고민을 해결하기 위해서도 필요하다. 다시 말해 오늘의 사회는 탈공업화·정보화 사회를 지향하므로 현재의 사회생활에 가치를 부여하는 수단으로 또는 문화 창조의 원동력으로 의식행위를 필요로 하는 것이다. 탈공업화란 인간 활동의 목적의식이 공업에서 그를 움직이는 인간에게 되돌아옴을 의미하고, 정보화란 인간의 문명적 활동이 문화라는 형상으로 환원됨을 의미하는 것이다. 그리하여 만일 사물을 의장하는 의식행위가 없어진다면 오늘의 사회는 문화성을 잃어 기계 문명만 존재하게 된다. 곧 오늘날 기계문명이 특정한 의미를 갖고 존재하기 위해서나 기계문명과 인간과의 대립을 벗어난 상호교류가 이루어지기 위해서는 일정한 의식행위가 필요하다는 사실을 명심할 필요가 있다.

2) 불교의식의 의미

불교의식의 종교적 기능은 신앙의 대상에 대한 실재감을 고양시키는 데 있으며 그 사회적 기능은 집단과 사회를 재확인하는 것에 있다. 이러한 확인을 통해 사회 집단의 공통 감정을 상징화하거나 심화하여 집단의 결합력을 강화한다. 다른 한편 전통과 보수적인 성격 그리고 사회의 승인이라는 기능을 지녀 종교의식으로서의 불교의식이 애당초에는 신앙대상의 실재감을 고양시킨다는 목적에서 출발했지만 차츰 민족감정을 상징화하고 결합을 강화시키는 매개로 작용하여 우리 전통문화의 형성, 발전에 기여했다는 사실을 주목해야 한다. 왜냐하면 전통사회에서는 경건함으로 대표되는 불교의식이 종교의식의 주류를 이루고 왔으며, 불교의식은 경건한 종교적 정서를 내포하게 되었다. 또 일반 행위도 종교적 의미를 갖게 되었다.

한편 종교의식의 특질은 초월적 존재와 유한적 존재와의 상호관계라는 의미를 지닌다. 유한적 존재는 어떠한 의미에서건 무한적 존재에 접근하려 하고 초월적 존재는 유한한 존재에 응답을 주는 것을 원칙으로 하고 있다. 그런데 이와 같은 양자의 노력은 각 종교의 실수(實修) 내지 의식과 의례에 대하여 하나의 기본 양식을 부여하게 된다. 이것은 인간의 성화(聖化)임과 동시에 초월적 존재의 유한화라고 할 수 있다. 이를 불교의식의 예에서 보면 불도(佛道)를 수행하여 득오(得悟)의 경지에 도달하고, 다른 한편 세속을 위하여 원리적 존재인 불법(佛法)이 눈으로 직접 볼 수 있는 여러 가지 형상으로 나타나고 있는 것 등이 그와 같은 것이라 할 수 있다. 기독교에서는 성찬(聖餐)과 계시(啓示)의 형태로 나타난다.

이러한 종교의식의 일반적 특질을 성격적으로 보면 종교의식이 밖으로 표현된 것이라 할 수 있고, 기능적으로 보면 종교적 대상과 하나 되는 상징 작용이라 할 수 있다. 그러므로 인간을 초월적 존재에 이르게 하고 또한 초월적 존재를 세속에의 길로 이끄는 것이 종교의식이라 할 수 있다. 이와 같은 전제 아래 조선시대의 불교문화와 유교 문화를 위의관계(威儀關係)의 예로 비교하여 보면 매우 흥미롭다.

사찰 법당의 건축양식과 단청 문양 등을 조선시대 궁전의 정전 건축양식이나 단청 문양과 너무도 흡사하다. 예전에는 임금을 하늘같이 여겨 임금이 나랏일을 보는 궁전은 운상(雲上)에 떠 있는 모양으로 화엄 미려(華嚴美麗)하게 꾸몄다. 그러므로 부처님과 보살 등의 불격을 모시는 법당은 더 말할 나위도 없다.

또 조선시대 불교의식의 시련행렬(侍輦行列)과 그에 사용되는 의구 등이 조선시대 능행도(陵行圖)에서 보이는 그것과 유사하다는 데 놀라게 된다. 특히 시련 행렬과 어가 행렬의 기치들은 그 사용처를 구별하게 어려운 것들이 많다. 다른 점이 있다면 불전(佛殿)에는 불상이나 불화가 안치되는 불단이 마련되는데 반해 조선시대의 궁전에는 대신 용상(龍床)이 마련된다. 그리고 불교의식의 시련 행렬에서는 가마에 부처와 보살을 모시고 승려가 법계나 소임에 따라 위의를 갖추고 배열하며 그 뒤에 일반 신도가 따른다. 그런데 능행도를 보면 연에는 임금이 타고 각 품계의 백관들이 위의를 갖추고 배열하며 그 뒤에 일반 백성이 따르도록 되어 있음이 다를 뿐이다. 이를 통해 불교의식과 유교 의식이 서로 교류가 있었다는 것을 알 수 있다. 또 경건함을 본질로 하는 종교의식이 일반 의식의 표본이 되었음을 알 수 있다.

2. 불교의식의 구성

1) 유나소(維那所) 설치

유나소란 각 사찰을 대표하는 스님으로 구성된 재의식을 총지휘하는 기구이다. 유나(維那)의 유(維)는 사찰의 대소사를 관장하고 불사를 관리하는 직임(職任)인 강유(綱維)를 나타내고, 나(那)는 범어 갈마다나(Karmadana, 羯磨陀那)의 준말로 부처와 보살의 형상과 위의를 만드는 것을 뜻한다. 이는 의식의 원만하고 뜻 있는 진행을 위하여 엄격한 심사를 거친 다음에 선정된 의식승으로 구성된다. 그 강령에서 말해주듯이 유나소의 설치는 의식 절차에서 중요한 의미를 지닌다.

> 길가는법 열조목을 자세히 만들어서
> 너희들을 명령하여 경계함을 정하노니
> 반드시 믿고지켜 한가지도 어김없이
> 간결하게 빌고빈다 어리석은 마음갖고
> 배우고자 아니한즉 교만함은 늘어가고
> 어리석은 생각으로 닦지아니 하울진대

제한몸안 키우도다 실속없이 높은체는
주린범과 일반이요 지식없이 방자함은
업들어진 원숭일다 요사한말 못된말은
즐겁게 받아들고 성인교훈 현인글은
지성으로 듣지않네 선한길에 좇잖으니
너를 누가 건져주리 악도중에 영영빠져
모든고에 얽히도다

만일 유나소의 강령을 지키지 않으면 법회의 선악을 관찰하는 법사(法師)인 증명사(證明師)에 의하여 지적당하고 심하면 퇴장 당하기도 한다.

2) 절차와 의식 용구

불교의식은 유형이 다양하지만 불교민속 의식구와 관련된 의식은 영가 천도재가 주류를 이룬다. 천도재에는 상주권공재 · 영산재 · 각배재 등이 있으나 여기서는 이들 의식의 근본을 이루는 상주권공재를 중심으로 그 구성 절차를 살펴보면 영가를 맞이하여 불단에 공양드리고 법식(法食)을 베풀어 받도록 한 다음 다시 영가를 대접하여 보내는 내용으로 구성되어 있는데 그 진행 절차는 다음과 같다.

(1) 시련

절 입구에서 영가나 부처와 보살을 맞이하는 의식을 말한다. 원래는 부처와 보살을 맞이하는 상단시련, 호법 신중을 맞이하는 중단시련, 천도 받을 영가를 맞이하는 하단시련 등이 있었으나 오늘날에는 하단시련만이 남아 있다. 『범음집』 등의 옛 문헌에 의하면 이들 세 가지 시련의식이 있다고 했으나 그 '의위도(儀威圖)'를 보면 시련의 대상을 위패 등으로 다르게 하여 의미부여만 상단·중단·하단시련으로 나누었을 뿐 형식이나 절차 등은 대동소이한 것을 알 수 있다.

이 시련의식은 절 입구에 마련된 시련단(侍輦壇)에서 시련대상을 맞이한 다음 부처와 보살을 모실 절 안으로 모셔 들이는데 의식의 목적이 있다. 그러므로 행렬에 필요한 가마와 인로왕보살번기를 비롯한 각종 기치 등의 장엄 용구가 필요하게 된다. 그리고 스님들을 비롯한 많은 선도들이 뒤따르는 행렬의식이 주가 된다. 시련의식의 주지(主旨)는 '옹호게(擁護偈)'를 중심으로 무사히 시련대상을 절 안으로 모셔오게 하는데 있다.

(2) 대령(對靈)

시련 절차에 의해 절 안으로 모셔진 부처와 보살, 천도 받을 영가에게, 오시느라 수고하셨다는 의미로 잠깐 휴식을 취하게 한다. 이것은 영가에게 부처와 보살을 만나게 될 차비를 갖추도록 하는 의식이다. 간단한 대령단이 마련되고 대령의식에 따라 의식문을 독송하며 의식을 진행한다. 대령의식은 영가 천도를 주도할 아미타불과 그 협시로서의 관세음보살과 대세지보살(大勢至菩薩), 인로왕보살에 대한 귀의의 마음을 일게 하는데 의식의 뜻이 담겨 있다.

(3) 관욕(灌浴)

관욕에 필요한 의식 용구로는 욕실을 상징하는 병풍, 그 안의 영가상, 세숫대야, 물을 뿌리는 버들가지, 양치질, 수건 등이다. 범부 중생은 원래 심신이 더렵혀져 있으므로 부처와 보살을 만나 뵙기 전에 천도 받을 영가는 목욕을 상징하는 의식을 행하는데 이를 '관욕(灌浴)'이라 한다. 관욕 의식은 영가가 옷을 벗고 욕실에 들어가서 양치와 세수를 하고, 온몸을 씻는 목욕의 절차를 밀교의 수인으로 상징화하여 행한다.

(4) 신중작법(神衆作法)

부처와 보살을 맞이하여 영가를 천도하기 위해서는 의식 도량이 청정해야 한다. 모든 불법 수호를 서원한 수호 선신(善神)들을 청하여 이들로 하여금 청정한 의식 도량을 수호하게 하는 의식행위이다. 신중 작법은 크게 행할 때는 104위의 신중을 의식 도량에 초청하고, 작게 행할 때는 39위의 신중을 초청하는데 이들은 모두가 『화엄경』에 의한 불법 수호신들이다. 의식의 절차는 바라춤을 추는 가운데 이들 신중들의 명호를 하나하나 봉청하는 형식을 취한다. 신중을 봉청하는 소리는 범패로 하거나 태징을 치기도 하여 대단히 요란한 의식의 분위기를 만들어 악귀를 내쫓는다는 상징적 의미도 있다.

(5) 상단권공(上壇勸供)

시련・대령・관욕・신중 작법의 선행 의식이 모두 끝나면 천도 받을 영가는 비로소 불단에 나아가 부처와 보살께 예배와 공양을 드리고 극락왕생을 발원하는 의식을 행하는데 이를 상단권공이라 한다. 이때 불단에는 향・등・꽃・차・과일・쌀 등의 육법 공양(六法供養)에 필요한 공양 의식구가 놓이고, 의식을 집행하는 데는 범종, 요령, 목탁, 굉쇠 등의 의식구가 필요하다. 이 상단권공이 불교의식의 절정이 되고 이때 법상 위에서 영가를 위한 영가 법문이 있게 되는데, 이는 의식을 행하는 의식승의 법문이 아니라 부처님의 대신 말씀이라는 상징적 의미를 지닌다. 이러한 연극적 성격에 더욱 감화력(感化力)을 지니게 되는 것이라 할 수 있다.

(6) 관음시식(觀音施食)

상단권공이 부처와 보살께 공양하고 예배와 기원을 드리는 의식행위라면 관음시식은 영가에게 음식을 베푸는 일반 제사의 의미를 지니는 불교의식이다. 이 관음시식은 시식단을 별도로 마련하고 사진이나, 위패를 모신 뒤 의식승이 요령을 흔들면서 시식문(施食文)을 낭송하는 형식을 취한다.

(7) 봉송의식(奉送儀式)

봉송의식은 시련의식으로 모셔 왔던 부처와 보살, 영가를 다시 잘 가시도록 하는 의식이다. 이때의 봉송은 부처와 보살을 먼저 봉송하고 그 다음에 영가를 보내는 절차를 행한다. 봉송 절차는 봉송의식문을 법주(法主)가 독송하고 나면, 의식에 참여했던 대중은 법주의 뒤를 따라 법성게(法性偈)를 독송하면서 10바라밀의 방향으로 행렬을 지어 돈다. 보례게(普禮偈), 행보게(行步偈) 등을 독송하면서 예배드리고 꽃을 흩날려 산화락(散花落)하면서 모든 의식은 대단원의 막을 내린다.

봉송의식의 특징은 의식에 참여한 모든 대중이 다함께 한다는 데 있다. 다른 의식이 주로 의식승에 의해 행해지는 것과는 대조적이다. 또 이 의식은 자득자수(自得自修)라는 수행의례에서 한걸음 더 나아가 기원 · 회향 · 추선 공양(追善供養)이라고 하는 교리적인 변천과 함께 발전된 의식이며 민간신앙까지도 많이 수용하고 있다.

3. 불교의식의 신앙적 구조

여러 가지 불교의식 가운데 천도재를 통해 불교의식의 신앙적 구조를 살펴볼 수 있다. 그 구조는 불교 본연의 신앙의례가 어떤 것인가 하는 것과, 불교적 의미를 어떻게 부여하느냐 하는 두 가지 측면에서 살필 수 있다. 우선 불교의식은 자행과 타행의 두 부분으로 나누어서 생각할 수 있다. 이것은 대승불교의 '상구보리(上求菩提) 하화중생(下化衆生)'의 이념이 의식의 기본이 되어 있음을 말하여 주는 것이다.

자행의식은 수도를 위한 수행의례와 보은의례(報恩儀禮)로 구분된다. 수행의례는 자기신앙의 발전과 심화를 꾀하기 위한 의례로, 일상권행(日常勸行)과 수양회(修養會) 등이 특히 출가자에게 중요하며, 보은의례는 불조(佛祖)와 조사(祖師)의 은덕에 보은의 덕을 표하며 행하는 의례이다. 그런데 오늘날의 사원에서 가장 큰 비중을 차지하는 것은 타행의식이다. 이 타행의식은 출가자가 재가자의 의뢰에 의하여 기도하는 기원의례(祈願儀禮)와 선근공덕(善根功德)을 사자(死者) 혹은 일체 중생에게 회행하는 회향의례(回向儀禮)로 다시 나누어진다.

다음에는 이를 영혼천도의례를 통해 구체적으로 살펴보자. 영혼천도의례는 향등공양(香燈供養), 예경개계(禮敬開啓), 참회, 청법(請法), 계청(啓請), 거불(擧佛), 유치청사(由致請詞), 예찬(禮讚), 정례(頂禮), 헌공(獻供), 발원, 회향, 축원 등으로 상단권공의 절차를 이룬다. 불보살단의 신앙의례이자 본연의 불교의례라 할 수 있는 상단권공을 다시 청법 이전과 청법 이후로 나누어 살펴보면 각기 다른 구조적 성격을 지니고 있음을 알 수 있다. 즉 창법 이전은 자행의식의 구조를 지니고 있음을 살필 수 있다는 것이다.

이를 다시 말하면 청법 이전은 자행의식의 기본 요건이라 할 수 있는 향등, 공양, 정례, 참회, 수경(收經) 등으로 자기신앙의 정진에 치중한다. 청법 이후는 자행의식의 기본 위에 상단소(上壇疎), 유치 청사, 거불 등에서 보는 바와 같이 기원과 회향의 소재를 삽입하여 타행의식화한다. 따라서 이 자행의식을 불교 본연의 신앙의례라고 말한다. 불교 본래의 신앙의례에 재래의 민간신앙적 요소가 어떻게 수용되어 불교적 의미를 부여받게 되었을까, 우선 그 바탕은 불교의식의 타행화에서 찾을 수 있다. 불교의식으로서의 자행의식이 타행의식화 되면서 불교는 민간신앙화 되고 민간신앙은 불교화 되었다는 데 주목할 필요가 있다.

불교가 민간신앙화 하는 형태는 두 가지가 있다. 그 하나는 불교신앙 자체가 민간신앙화 하는 것이요, 다른 하나는 불교가 다른 민간신앙적 요소를 수용하여 민간신앙화 하는 것이다. 전자는 자행의식에 기원과 회향의 소재를 삽입한 상단권공이 그 좋은 예라 할 것이다. 그리고 후자는 불교가 민간신앙을 수용하여 거기에 자행의식의 공덕을 회향하여 기원하는 형태로서 시왕단, 칠성단, 산신단, 영단 등 각종 민간신앙적 자행의식의 공덕을 회향하여 불교적 의미를 부여하는 경우이다. 이렇게 보면 민간신앙이 불교에 수용된다는 것은 회향이라는 기연(機緣)으로 이루어지고 그렇게 함으로써 수용된 민간신앙은 독자적인 존립의 기능을 잃고 불교와의 상관관계에서 비로소 그 의미를 찾을 수 있게 되는 것이다.

영혼천도의례의 전반적인 구성 절차가 각종의 민간신앙적 요소를 수용하면서도 전체 구조에서 보면 결국 불교신앙 의식으로서의 성격을 잃지 않고 정연한 신앙체계를 지니고 있다. 시련, 대령, 신중 작법은 부처와 보살 및 신중, 영혼 등을 영접하고 불가와 인연을 맺어 자기 정화와 도량을 정화하는 의례이다. 그런데 이는 상단권공의 제1단계라 할 수 있는 할향(喝香)에서 참회까지의 공양정례, 도량정화, 자기정화, 참회와 같은 성격의 의식이다. 여기까지를 의례의 서분(序分)이라 할 수 있다. 그리고 상단권공의 정재게(頂載偈), 개법게(開法偈)에서 준제공덕취(準提功德聚)까지는 자행의식이고 그 위에 결회(結會)의 취지를 아뢰고 의례를 행하게 된 공덕을 영가에게 회향하고 발원함으로써 타행의식화 한다. 여기서 영가에게 회향한다는 의미가 더욱 강조되고 조상 숭배 신앙과 습합되어 영가에게 법회를 베푸는 시식의례가 행해진다. 이는 불교가 민간신앙 또는 수용자 측의 요구에 부응해 가는 과정에서 얼마든지 새로운 불교의식의 전개를 가능하게 하는 것이라 할 수 있다. 각배재에 있어 중단 권공과 전시식(奠施食)은 그 좋은 예의 하나이다.

다음 단계로 봉송 의례가 행해지는데 그 앞 단계까지의 구조를 정리해 보면 상단권공 의례만으로 부처와 보살을 봉청하여 공양 정례, 도량 청정, 참회, 발원하는 서분, 영가에게 법문을 베풀며 그 공덕을 영가에게 회향하는 정종분(正宗分), 다시 회향하고 보은의 정례를 마친 다음 부처와 보살을 봉송하는 유통분(流通分)의 절차를 거치게 된다. 이것으로도 영가천도의례의 의의를 충분히 지니게 된다. 이 같은 의식이 형상화되고 민간신앙과 습합하는 과정에서 다른 요소들이 삽입되었다. 상단권공의 제1단계인 서분의 전방에 시련, 대령, 관욕, 신중 작법 등이 삽입되고 제2단계인 정종분의 후반에 시식, 전시식 등이 삽입되어 제1단계와 제2단계를 이룬다. 이어 제 3단계로 대승불교로서의 서원으로 보회향(普廻向)을 하고 부처와 보살의 호념(護念)으로 재회(齋會)를 엄수하게 된 데 대한 보은의 정례를 한 다음 봉송하고 끝낸다. 이상에서 불교의식의 3단계 구조를 살펴보았는데 이는 묘하게도 경전의 3단계 구조와 상응한다.

경전의 전통적인 구조를 보면 서분・정종분・유통분 3단계로 되어 있음을 알 수 있다. 즉 서분에서는 경전의 연기(緣起)와 설하고자 하는 교설(敎說)에 존중의 마음을 일으키고, 정종분에서는 그 경전에 있어 설하고자 하는 경전의 핵심을 서술하며, 유통분에서는 교설을 유포시키기 위해 그 공덕과 제천의 가호(加護)를 서술하고 있다. 앞서 말했듯 애당초 불교의식의 자득자수의 수행의례였으나 기원, 회향, 추선공양이라고 하는 교리의 변천과 더불어 불교가 민간에 정착하게 된다. 그러면서 부처와 보살을 도량에 봉청하여 공덕을 쌓아 회향하고 봉송하게 되는 타행의식으로 발전함에 있어 민간신앙을 많이 수용하였으나 그 신앙체계는 경전구조의 3단계 양식을 취해 불교의식으로서의 성격을 지니게 되었다고 할 수 있다.

4. 불교의식의 용구와 불교공예

원래 불교는 구상적(具象的)인 숭배대상을 부정하는 것에서부터 출발했지만 교리가 변천하면서 구상적인 숭배의 대상을 수행의 장소에 모셔오는 시련 등의 의례 행위를 낳게 되었다. 처음에는 불교의식행위가 스스로 수행하고 스스로 터득하는(自修自得) 단계에 있었다. 그러나 그 수행의례에 공덕을 인정하고 모두 함께 수행하는(自他共修) 형식을 취하는 단계를 거쳐 이윽고 그 공덕을 다른 사람에게 회향한다는 교리적 모티브를 바탕으로 하여 구체적인 타행의식(他行儀式)의 성립을 보게 되었다. 이러한 과정을 거쳐 성립된 타행적인 불교의식은 종교적 주체와 객체와의 상호체계 위에 인간의 부처와 보살에 대한 심정과 그에 따른 행위와의 구체적이고 조직적인 표현으로 나타난다. 여기에는 불상과 불화 등을 신앙의 대상으로 하는 각종 의식 용구의 종합적 기능이 필요하다는데 주의를 기울여야 한다. 왜냐하면 타행적인 불교의식의 실제적인 면은 객체인 부처와 보살을 대상으로 하는 예배와 찬탄, 참회 등과 음식물, 향화(香花) 등의 제물을 올리고 기원하는 바를 적은 발원문의 낭독이 있게 되는데 다음과 같은 구체적 사항들이 따르게 되기 때문이다.

1) 불교의식의 선행 조건

앞에서 말한 불교의식 절차를 좀 더 구체적으로 전개해 보면 인간의 부처와 보살에 대한 봉사의 심정과 태도 행위에 따른 의(衣)・식(食)・주(住)의 세 가지에 의해서 의식행위가 행해진다.

(1) 의

가사 등의 법의에 의한 위의(威儀)를 필요로 하게 된다. 이때의 가사는 제작한 뒤 점안(点眼)을 거쳐 정대의식(頂戴儀式)을 행하고 그 가사를 준 의식승(儀式僧)이 의식행위를 행한다. 그럼으로써 의식공간이 의장된다.

(2) 식
육법 공양(향·등·꽃·차·과일·쌀) 등의 공양물과 그를 수용하는 용기를 필요로 하게 된다. 그리고 여기에는 현화·헌향·기도문의 상주(上奏)·예배 등이 따르고 음악과 무용 등으로 의식공간이 의장된다.

(3) 주
정연한 가람배치를 갖춘 불전을 중심으로 하는 전각은 단청으로 의장되고 여기에 불상과 불화 등을 봉안한 환경은 부처와 보살의 이상세계를 상징하게 된다.

그런데 의·식·주 모두가 불교의식의 선행조건이다. 실제 의례의 실행은 신앙대상을 모셔오고 보내는 의식·예배·찬탄과 음악·무용·기도문의 상주 등이 주가 된다. 여기에 각종 불교의식 용구가 수반되어 의식공간을 더욱 장엄하게 하는 효과를 주며 이상과 같은 불교의식의 의례 행위는 부처와 보살에 대한 구제의 감정이며 환희·희열·자비·감사의 감정으로 표현된다.

2) 불교미술품과 의식 용구

지금까지 살펴본 바에 의하면 불교란 원래 내재적이고 초월적인 종교로 현상이나 모습이 있는 것이 아니나, 부처의 자비가 근본지(根本智: 분별을 여의고 일체 현상의 본질이 평등하여 차별이 없음을 아는 지혜)를 주체로 하여 인연에 따라 형체가 있는 것을 나타내게 되었다. 이를 오늘날의 개념으로 보면 불교미술 등의 유형적인 것과 불교음악과 무용 등의 무형적인 것, 그리고 불교적인 내용의 문학, 전각을 장식하는 단청 등이라 할 수 있다. 이러한 것들 모두가 불교의식의 소산이라는 점이 흥미를 끈다.

그렇다면 오늘에 전하는 유형의 문화유산은 모두 의식에 사용되는 장식 용구라 할 수 있지만 이는 다시 불상과 불화 등의 의식 대상과 그를 수용하는 전각 등 정적인 것과 동적인 의식 용구로 나뉜다. 그리고 정적인 것을 대상으로 하여 종교적 대상과 하나가 되는 상징작용을 하는 데는 동적인 의식 용구가 필요하다. 그런데 여기서 주목되는 것은 동적인 의식 용구의 작용력에 의해 정적인 신앙의 대상에서 환희와 희열, 자비와 감사의 감정이 일어나며 종교적 이상세계를 눈앞에 나타내준다는 데서 의식 용구의 예술사적 위상을 살필 수 있다는 점이다.

앞에서 말했던 능행도의 의식 용구와 불교의식 가운데 하나인 시련의식 행렬의 의식 용구가 거의 같으며, 사철 단청과 궁궐 단청도 구분이 안 될 정도로 그 문양구조가 같은 것 등이 그와 같은 것이다. 전통적인 불교의식의 문화적 작용은 배불사회(排佛社會)인 조선시대의 유교적인 의례와도 궤를 같이하고 있다.

정적인 숭배대상으로서의 불교미술품과 그에서 응답을 얻기 위해 작용력을 행사하는 의식 용구의 상관관계를 통해 그 종합적 문화 역량을 이해해야 한다. 불교의식의 본질적 의미는 보살이 위로는 자기를 위하여 부처의 지혜를 구하고(自利), 아래로는 중생을 교화하는(利他) 것이다. 즉 범부(凡夫)는 부처와 보살에 가까워지려 하고 원리적 존재로서의 불법은 범부를 위하여 인간세계에 가시적 형상을 갖는 여러 가지 불격으로 나타나는 불범(佛凡)의 상관관계를 나타내고 있는 것이라 하겠다. 여기서 범부와 불법이 만나는 자리가 어디냐에 따라 그 불격은 여래일 수고 있고, 보살일 수도 있다. 뿐만 아니라 경우에 따라서는 천부중(天部衆)일 수도 있다. 한편 같은 여래일지라도 석가모니불 · 미륵보살 · 약사불 · 미륵불 · 비로자나불 등으로 달라질 수 있고 이들이 공존할 수도 있다. 보살의 경우도 마찬가지로 관음보살 · 지장보살 · 미륵보살 · 보현보살 등으로 달라진다. 그것은 그 시대 사회구성원들의 인연 성숙이 어떻게 되어 있었느냐에 따라 달라진다. 이를 달리 말하면 당시의 사회적 · 불교적 문화 역량이 어떤 것이었으냐에 따라 다르게 나타난다는 것이다.

우리는 이상(理想)을 신앙의 대상으로 삼고 불상을 조각하거나 불화를 그리기도 한다. 그러나 이와 같은 불격은 언제나 유동적이다. 서로 가까워지려는 노력이 어떤 것이냐에 따라 불격도 달라지고 그 불격을 나타내는 양식도 달라진다.

5. 불교의식 용구의 구성체계

불교의식 용구는 부처와 범부가 서로 만나려 노력할 때 그것이 가능하도록 도움을 주는 종교적 기능을 하게 된다. 이 둘이 만난 지점과 만난 결과만을 놓고 보면 이는 불상이나 불화 등이 정적인 신앙의 대상이 되고 한편 만나고자 계속 노력하는 적응력을 우리는 의식 용구의 장식에서 살릴 수 있게 된다. 부처와 범부가 만나고자 하는 작용력은 언제나 유동적이지만 작용력을 행사하게 하는 의식 용구 그 자체는 고정적인 것이다. 물론 그 행사의식과 양식의 변화는 유동적이다. 그리하여 불상이나 불화가 정적인 개념으로 인식되는 것이라면 의식 용구는 동적인 개념으로 인식되어야 한다. 다른 한편 오늘에 전하는 조선 후기의 의식 용구를 중심으로 그를 행한 불교의식의 적응력이 어떠한 것이었나를 살펴보자. 원래 부처와 범부가 만나고자 하는 원초적 양식은 스스로 수행하여 스스로 터득하는 것(소승불교)이었으나 후세가 되면 수행에 공덕을 인정하여 상구보리 하화중생 등에서 볼 수 있는 모두 함께 수행하는(대승불교) 양식이 된다.

조선 후기의 불교의식 용구에서 보면 수행의 공덕을 다른 사람에게 회향한다는 의미가 강조되고 있다. 그러면서 원래 구상적인 것을 부정하는 데서 출발한 불교가 가시적인 불격을 양식화하고, 가시화된 불격을 의식 도량에 모셔오고 보내드리는 구체적인 양식으로 표현하게 되었다. 조선 후기 자주 사용되었던 불교의식 용구는 다음과 같은 유형으로 구분된다.

첫째, 부처와 보살을 의식 도량에 모셔오고 보내드리는 시련 등의 행렬에 가마・나팔・산개・각종 번(幡)과 봉(棒) 등이 필요하다.

둘째, 부처와 보살을 의식 도량에 청하여 공경과 찬탄을 바치는 동시에 참회하고 발원하는 데 종・요령・북・굉쇠 등과 정병・등잔・촛대 등의 공양 도구가 필요하게 된다.

셋째, 의식을 행하는 의식승이 수행을 하거나 위의를 갖추는 데 필요한 신앙생활용구로 가사・장삼・발우 등과 그에 따라 각종 의식 용구 등이 필요하게 된다.

이러한 세 유형의 상호관계는 상구보리 하화중생 한다는 대승불교의 교리체계를 반영하고 있으나 그 양면이 어떻게 달라지는 것임을 알 수 있다. 그리고 이 같은 불교의식 용구의 양식적 변천과 작용력의 변천이 불교미술의 양식 변천과 관계가 있는 것으로 생각된다. 어떻든 오늘날 전하는 불교문화유산은 모두 신앙생활과 직결되어 있으며 모두가 불교의식과 의례의 소산이라는 점을 잊어서는 안 된다. 그리고 이들 의식과 의례의 독특한 표현형식이나 방식이 불교문화적 양식을 규정하게 된다는 사실에 주목해야 한다.

불교예술은 불교 교리 그대로 연기(緣起)의 소산(所産)이다. 따라서 상호의존적인 관계에서 규명되어야 하며 종합적 이해가 필요하다. 그런데 불교의식 용구는 불교문화의 상호의존관계에서 더욱 다양하게 전개하는 한편 이를 하나의 체계로 일원화시키는 기능을 다하고 있다는데 주의를 기울여야 한다. 예컨대 불교의식 용구는 재료면에서 보면 금속·나무·종이·섬유 등 가능한 모든 재료를 다 사용하여 의식에 필요한 용구를 만들고 있다. 또한 그 용도에 따라 음악·무용·회화·장식 등 다양한 형식으로 시공을 넘나들며 정연한 조화의 체계를 이루고 있는 것 등이 그와 같은 것이다.

앞서 살핀 것처럼 불교의식 용구는 불교미술의 한 분야인 불교공예품에 지나지 않는다. 그러나 이들 불교의식 용구는 중생의 세속세계를 부처와 보살의 이상세계로 장엄하는 불교의식에 사용되어 모든 불교미술품을 정적인 것에서 동적인 것으로, 평면적인 것에서 입체적인 것으로, 공간적인 것에서 시각적인 것으로 감지하게 한다는 특징을 지닌다. 불교의식 용구가 세속을 극락정토로 만드는 상징이라는 강한 신앙심을 바탕으로 정성을 다하여 제작한 의식 용구는 그 양식이 정교하고, 의식적 기능을 수행하는 데 최고의 기능을 다할 수 있도록 되어 있다는 사실에도 주목해야 한다. 이런 이유로 전하는 의식 용구는 거의 타행의식의 용구이며, 타행의식의 거행은 그 사회의 최고의 문화 능력으로 신앙의 대상에 봉사한다는 의미를 지니고 있다.

전통적인 불교문화는 정연한 체계로 배치된 가람과 그에 수용된 불상 등의 조각품, 각종 탱화와 벽화 등이 불교회화류로 이루어지고 있다. 이들은 모두가 불교의식을 통해 생동감을 얻는데 불교의식은 각종 의식 용구에 의해서 행해진다. 다른 한편 건축·조각·회화·의식 용구 등의 불교문화는 각기 다르지만 서로간의 절충과 조절을 통하여 나타나는 문화 복합체라는 사실에 주목해야 하며 그 조절 기능을 다함으로써 불교의식의 종합적 의미를 파악할 수 있다.

6. 불교의식 용구

1) 유형 구조

불교의식 용구는 불교적 신앙생활을 영위하는 데 필요한 신앙생활용구이다. 따라서 여기에 사용되는 용구는 일상적인 생활용구와는 다른 개념으로 접근해야 한다. 불교신앙생활은 부처와 보살께 공양과 예배를 드리고 찬탄, 참회하고 발원하여 그로부터 구제의 회답을 얻으려 하는 것이다. 이러한 신앙행위에는 각종 용구가 필요하게 되며, 이 의식 용구를 사용한 신앙행위를 불교의식이라 한다. 불교의식은 스스로 행하여 구제 받고자 하는 출가자에 의한 자행의식(自行儀式)과 재가자가 출가자에게 의뢰하여 행하고 그 공덕을 돌려받아 구제 받고자 하는 타행의식(他行儀式)으로 구분된다. 자행의식을 행하는 것을 '상구보리'라 하고 타행의식을 행하는 것을 '하화중생'이라고 한다. 그리고 이 두 가지를 다 같이 행하는 것을 '보살행'이라고 한다. 그러므로 불교의식 용구도 자행의식 용구와 타행의식 용구로 구분된다.

자행의식 용구로는 출가자의 수행생활에 필요한 가사, 장삼, 발우, 석장 등이 있다. 타행의식 용구는 시련의식 용구와 공양 용구로 세분된다. 시련의식에는 부처와 보살을 의식 도량에 모셔와 보내드리는 데 필요한 가마와 행렬에 필요한 나팔, 각종 번 및 기치류가 있다. 공양 용구로는 모셔 온 부처와 보살께 공양하는 데 필요한 각종 공양구와 불교음악기 및 의식 무용에 필요한 의상 그리고 의식을 행하는 취지와 발원문을 낭독하고 그를 불전에 올리는 데 필요한 소통 등이 있다. 요컨대 불교의식 용구는 스스로의 향상을 구하는 자행의식과 그로부터 얻은 수행력을 바탕으로 타행의식을 행하는 데 필요한 것이다. 그러므로 불교의식 용구는 중생구제를 목표로 한 대승불교 사상에 그 바탕을 두고 있다고 하겠다.

2) 시련의식 용구

시련의식 용구는 신앙의 대상인 부처와 보살, 구제를 받아야 될 영가 등을 가마에 모시고 여러 가지 위의를 갖추어 법회 장소까지 행렬에 지어 오는 의식에 필요한 용구들이다.

자행의식에서 보면 원래 불교에서 말하는 부처와 보살이란 구상적인 것이 아니고 마음자리 자체를 말하는 것이어서 오고 가는 행렬의식을 필요로 하지는 않는다. 반면에 중생구제를 목표로 하는 타행의식에서 보면 중생은 부처와 보살을 구상적인 것으로 인식하고 있으므로 부득이 방편상 일시적으로 부처와 보살 내지 영가 등을 구상적인 것으로 가상하여 이들을 모셔오고 보내는 의식을 행하게 된다. 따라서 이 의식공간을 보다 장엄하게 위하여 각종 시련의식 용구가 필요하게 되는 것이다.

3) 연(輦)

연은 속세에서는 임금이 주로 탔으며 일반인들에게는 혼례와 장례 때만 예외적으로 허용되는 등 제한이 있었다. 그러므로 가마를 사용한다는 것 자체에 의미를 부여하였다. 불교에서는 재의식(齋儀式)에서 사용된다. 이를 시련이라고 하는데 절 문 밖까지 가마를 메고 나가 신앙의 대상과 재를 받을 대상을 도량으로 모셔오는 것이다. 상단시련(上壇侍輦) · 중단시련(中壇侍輦) · 하단시련(下壇侍輦)이 있었으나 지금은 주로 하단시련만이 행해지고 있다.

가마의 행태는 임금이 사용하던 것과 유사하며 전체적으로 조그만 집 모양으로 생겼다. 안에 사람이 앉을 수 있는 공간이 있고 앞뒤에서 네 사람이 가마채를 손으로 들거나 끈으로 매어서 운반하게 되어 있다. 가마뚜껑은 둥글고 장식적이며 좌우와 옆에 구슬을 꿰어 꾸민 주렴이나 끝을 삼각형으로 모은 작은 조각 천을 달아서 장엄하기도 한다.

4) 산개(傘蓋)

부처와 보살의 위덕을 나타내는 장엄구 중에 산개, 보개(寶蓋), 화개(花蓋), 천개(天蓋) 같은 것이 있다. 천개는 원래 고대 인도에서 햇빛이나 비를 막기 위한 우산에서 출발하여 귀인의 상징으로 사용되다가 점차 부처와 보살상의 머리 위를 장엄하거나 사원의 천장을 장식하는 장식물로 변했다. 산개 안쪽 산(傘)의 형태를 구성하는 것은 목재이고, 표면을 감싸서 해를 가려 주는 것은 주로 직물로 만드는 것이 일반적이다.

형태는 산을 지탱하는 가지의 수를 몇 개로 하느냐에 따라 4각, 6각 8각, 원형 등 여러 가지가 있으나 전체적으로는 현재의 우산이나 양산의 형태와 유사하다.

5) 번(幡)

번은 부처와 보살의 위덕과 무량한 공덕을 나타내는 것으로 깃발과 비슷한 형태를 하고 있다. 불전을 장엄하기 위해 불전 내의 기둥이나 법회가 진행될 때 당간(幢竿)에 매달아 뜰 가운데 세우거나 혹은 천개나 탑의 상륜부에 매달아 높은 곳에서 나부껴 사람들을 불교에 귀의하게 하는 효능을 지닌다.

현재 남아 있는 유물은 조선 후기의 직물제가 대부분인데, 중국에서 제작된 일반적인 번의 형태보다 간략화되면서 한국적인 조형감이 추가된 것이 특징이다. 즉 번신(幡身)은 상하가 긴 직사각형이고 번두(幡頭)는 이등변삼각형이 변형되어 꼭짓점 부분의 모소리가 모죽임되어 번신까지 내려왔다. 그리고 번수(幡手)와 번미(幡尾)는 간략화되어 번신과 분리되지 않으며 마치 선(線)을 돌린 것처럼 되어 있다. 전체적으로 단순하면서도 세부 표현에는 한국적인 장식성이 가미된 것이 특징이다. 번두는 검은 색으로 처리하며 그 위에 오색 천으로 깁고 오색실로 수놓은 복장 주머니 두 개가 매달려 있다.

(1) 인로왕번(引路王幡)

인로왕번은 죽은 사람의 영혼을 극락세계로 인도하기 위해 맞으러 오는 인로왕보살을 의식장소에 모신다는 상징으로 사용한다. 전체적으로 한국적인 번의 형식을 준수하고 있으며, 폭이 40~50센티미터에 길이는 190~250센티미터이다. 검은색 변형 이등변 삼각형 번두에는 두 개의 오색 다라니 주머니가 매달려 있고 번신과 번수의 색상 대비가 강하며 번미에는 연화가 수 놓여 있다. 번신의 좌우에는 각각 1개씩 오색 방석 매듭이 일렬로 매달려 있다.

한국의 번에는 몇 가지 미묘한 미적 특질이 보인다. 전체적으로는 기본형태가 지닌 정적인 평면성에 복장 주머니가 매듭과 같은 부조물들을 부가함으로써 동적인 입체를 이끌어가고 있는 것이 그 하나이다. 또 번신에 사용된 오방색(五方色: 동 · 서 · 남 · 북 · 중앙 등 다섯 방향을 의미하는 청 · 백 · 적 · 흑 · 황색을 말한다)과 절제된 번두의 검은색이 절묘하게 조화되어 있고, 번미에는 오정색(五正色)에 해당하는 녹색의 바탕천과 빨간 연꽃 문양으로 대비되어 있어 전체 색상이 지닌 장중함을 깨뜨리는 파격의 미를 연출하고 있다.

(2) 오방불번(五方佛幡)

방위에 따라 중앙의 비로자나불(毘盧遮那佛), 동방의 약사불(藥師佛), 서방의 아미타불(阿彌陀佛), 남방의 보생여래(寶生如來), 북방의 불공성취여래(不空成就如來)를 오불(五佛)이라 한다. 각 방위에 따라 여러 부처들이 출현하는 이유는 세계는 무수하고 시방(十方)에 펴내해 있으므로 각각의 인연에 따라 동시에 출현하기 때문이라 한다. 『아미타경(阿彌陀經)』에 의하면 아미타불은 서방 극락세계에 현존하며, 『약사여래본원경(藥師如來本願經)』에서는 동방 유리광 세계에 약사불이 있다고 하는데 이러한 사상이 바탕이 되어 각각의 방위를 주재하는 오방불 사상이 성립되었을 것이다.

(3) 중방비로자나불번(中方毘盧遮那佛幡)

전체적으로 한국의 전형적인 번 형식을 고수하고 있다. 오방 중에서 중앙을 상징하는 황색 바탕의 번신에 '나무중방화엄세계비로자나불(南無中方華嚴世界毘盧遮那佛)'이라는 글자가 붉은 색실로 수놓고 있어서 전통적인 오방색에 의해 상징화되었음을 알 수 있다. 그런데 시대가 내려가면 흰색 바탕에 청색이 수놓이고 있어 원래의 전통에서 멀어진 것을 알 수 있다. 검은색의 변두에 오색 다라니가 매달리고 적색의 번수에는 오방색으로 엮은 다섯 개의 매듭이 좌우에 각각 1개씩 일렬로 매달리는 전통적인 형식을 고수하고 있다.

(4) 동방약사여래불번(東方藥師如來佛幡)

동방약사여래불번(東方藥師如來佛幡) 또한 전통적인 번 형식을 따르고 있으며, 동방을 상징하는 청색(혹은 자주색)으로 번신의 바탕을 삼고 명문은 황색으로 수놓았다. 시대가 올라가는 전통적인 번의 경우 번두와 번수에 오색 매듭을 늘어뜨렸으나, 시대가 내려가면 간략화 되어 단지 범자(梵字)만을 수놓게 되고 매듭은 없어지고 봉술만 달리게 된다. 전체적으로 형태는 단순해지는 반면 번신과 대비되는 붉은 바탕에 화려한 연꽃을 수놓아서 번미를 강조하는 경향이 있다.

(5) 아미타불번(阿彌陀佛幡)

아미타불은 고통이 전혀 없는 서방의 극락세계를 주재하는 부처로서 염불수행을 통해서도 극락왕생이 가능하다고 믿었기 때문에 왕실에서 민간에 이르기까지 우리나라에서는 그 어떤 부처보다도 신앙의 대상으로 삼는 경우가 많다. 아미타불번은 한국적 번의 형식을 준수함과 동시에 서방을 상징하는 흰 바탕천에 검정색으로 '남무서방극락세계아미타불(南無西方極樂世界阿彌陀佛)'

이라는 명문이 수 놓여 있다. 번두와 번수도 전형적인 예를 그대로 따르고 있다. 『금광명경(金光明經)』과 『관불삼매경(觀佛三昧經)』을 보면 남방에 보승불(寶勝佛 혹은 寶聖佛, 寶相佛, 寶生佛)을 모신다고 밝히고 있다.

(6) 남방보성불번(南方寶聖佛幡)

전체적인 형태와 세부 장식 등에서 한국적 번의 형식을 준수하고 있으며 남방을 상징하는 붉은색 바탕천 위에 '나무남방환희세계보승여래불(南無南方歡喜世界寶勝如來佛)'이라는 명문이 흰색 실이나 청색 실로 수놓아져 있다. 번미의 경우 번신의 바탕색인 붉은색과 대비를 이루는 자주색이나 녹색 그리고 청색 등이 사용되었다. 특히 시대가 내려올수록 번미의 연꽃 자수가 두드러지게 장식되고 있다.

(7) 북방부동존불번(北方不動尊佛幡)

전체적으로 전형적인 한국의 번 형식을 준수하고 있다. 번신이 북방을 상징하는 검은색 바탕인 점이 다르다. 검은 바탕에 대비가 강한 흰색이나 황색으로 '나무북방무우세계부동존불(南無北方無憂世界不動尊佛)'이라는 명문을 수놓고 있다. 번수 부분의 바탕천은 흰색인데, 역시 시대가 내려가는 북방번의 경우 변미의 연화 자수가 두드러지게 장식전인 것이 특징이다.

6) 깃발(旗)

시련의식에는 여러 깃발들이 사용되어 의례를 장엄한다. 1개의 인로왕보살번을 선두로 해서 2개의 청도기(淸道旗)와 2개의 영기(令旗), 2개의 순기기(巡視旗) 등을 가마 앞에 배열하여 신앙의 대상이나 재를 받을 대상을 맞아들인다. 이때 전체 깃발의 배열과 순서 및 장엄의 의미 등은 왕실 행사의 장엄과 비슷하다.

시련의식에서 맨 앞에 배치되는 인로왕보살은 죽은 이의 영혼을 접인(接引)하여 극락세계로 인도하는 보살이라고 알려져 있다. 따라서 생전에 인로왕보살에게 들인 공덕으로 영가는 비로소 불법 도량에 들어올 수 있는 것이기 때문에 이러한 법회를 인도하기 위해 인로왕보살 깃발이 가장 먼저 들어온다. 그 밖에도 각 방위를 수호하는 신의 깃발이라든지, 법회의식에 부처와 보살이 가피력을 내리기를 염원하기 위한 각종 깃발들의 도량의 분위기를 장엄하게 된다.

(1) 사명기(司命旗)

원래 사명기는 조선시대 군대의 각 영(營)에서 절도사나 통제사 등이 휘하에 있는 군대를 지휘할 때 쓰던 깃발로 사용되는 것이다. 민간에서는 무당들이 신이 내리기를 빌 때 쓰기도 했으며 불가에서는 영산재나 수륙재와 같은 대규모 법회 때 의식이 행해지는 사찰을 표시하거나 장엄한 분위기를 연출하기 위해 사용했다. 군기(軍旗)에 사용될 경우 바탕천은 각 지역의 방위에 따라 그 상징하는 청, 백, 적, 흑, 황 등으로 달라지며 각 진영의 이름을 사명 앞에 붙여서 '○○司命'이라고 큰 글씨로 써서 지휘관의 신분을 나타내었다. 불가에서도 이와 같은 세속의 의례를 받아들여 의식을 장엄한 것으로 생각된다.

나무석가여래 사명기는 전체적으로 한국적 번의 형식을 따르고 있으며, 군대나 왕실 의례에 사용되는 의장기 형태와 다르다. 전체 형태는 이등변 삼각형의 번두 부분과 상하가 긴 장방형의 번신 양쪽에 번수가 매달려 있는 모습이다. 따라서 나무석가여래 사명기는 일반 사명기의 형태와 달리 번이라고 보아도 무방한 형태적 특성을 지니고 있으며, 번신의 붉은 바탕천에 황색 글씨로 '나무석가여래사명(南無釋迦如來司命)'이라고 수놓아져 있다.

통도사 사명기(通度寺司命旗)나 백양사 사명기(白楊寺司命旗)의 형태를 보면 군대나 왕실 등 의례에 사용되는 의장기와 흡사하다. 조선시대 의궤도(儀軌圖)에 그려져 있는 의장기를 살펴보면 전체 형태는 번에서 볼 수 있는 이등변 삼각형의 번두 부분이 생략되었으며, 번신은 기본적으로 상하가 긴 장방향이고 번수에 해당되는 부분이 두세 번 절개되어 있는 형태이다.

통도사 사명기는 북방을 의미하는 검은색 번신 바탕에 흰색의 번수와 흰색의 '통도사사명(通度寺司命)'이라는 명문이 수 놓여 있다. 그리고 통도사의 말사인 백양사 사명기는 남쪽을 상징하는 청색 번신에 적색의 '백양사사명(白楊寺司命)'이라는 명문이 수 놓여 있으며 번수 역시 적색이다. 두 사명기의 예로 보아 사명기 바탕색은 사찰이 위치한 방위를 상징한다고 하겠다.

7) 부채(扇)

불교의식용 부채는 부처님을 모셔오는 시련 행렬 때 사용된다. 전체적인 형태는 대나무와 목제류로 자루를 만들고 그 끝 부분에 좌우 대칭되는 둥근 형태로 제작하는데 철제로 테를 두른다. 부채의 양면은 붉은 비단을 배접하거나 붉은 칠을 한 다음 수를 놓거나 그림을 그려 넣는데 그려진 형상에 따라 이름이 다르다.

예를 들어 용이 그려지면 용선(龍扇), 봉황이 그려지면 봉선(鳳扇)이라 부른다. 일월선(日月扇)은 흰 달과 붉은 해가 자루를 사이에 두고 좌우를 대칭하게 그려진 것으로 해와 달을 꼬리가 긴 여의두형 구름이 아래에서 위쪽으로 떠받치고 있다. 봉황선은 전체적으로는 좌우 대칭이지만 형태가 조금 다르게 그려져 있다. 수컷인 봉과 암컷인 황을 상징적으로 나타낸 것으로 봉황의 위쪽 중앙에는 여의형 구름이 좌우로 뻗쳐 있다.

8) 당(幢)

당은 절의 문 앞에 긴 장대(간주)를 세우고 그 끝에 용두의 모양을 만든 다음 깃발을 달아서 부처와 보살의 위신과 공덕을 표시하는 장엄구이다.

당번(幢幡)은 항상 달아 두는 것이 아니고 기도나 법회 등 의식이 있을 때만 불전이나 불당 앞에 세우는데 중생을 지휘하고 마군(魔軍)을 굴복시키기 위한 표시이다. 당은 긴 막대기에 여러 가지 비단을 단 것으로 원래는 각종 왕실 의례에서 왕을 따르는 호위병이나 장군이 병졸을 통솔할 때 사용했던 군기의 일종이다. 그러나 불교에 수용되면서 부처는 법왕(法王)이기 때문에 불교의례에 적극 수용되어 모든 번뇌를 파괴한다고 하는 상징적인 의미를 담게 되었다. 보통 막대기의 끝이 용머리 모양을 하고 있으면 여의두당(如意頭幢) 혹은 마니당(摩尼幢)이라고 한다. 우리나라에는 현재 당간 지주가 많이 남아 있어서 일찍부터 번으로 불전을 장엄하였을 것으로 추정된다.

9) 깃대-대둑(大纛)

의례 때 깃대로 사용되는 의물(儀物) 가운데 하나이다. 깃대는 범어로 Khadgah라 부르는 상징물인 지검(智劍) 혹은 금강검(金剛劍)의 형태를 지니고 있는데 번뇌를 기르고 지덕을 표식하는 검을 형상화한 듯하다. 검에는 이검(理劍)과 보검(寶劍)의 두 종류가 있는데, 이 검은 끝부분이 뾰족하고 예리한 형태이며 보검은 보주(寶珠)처럼 둥글다. 이때의 이검은 마귀의 항복을 유도하기 때문에 항마검이라고 부르기도 한다. 왕실의 행사 등에 사용된 이와 같은 의물은 대둑이라고 부르며, 『악학궤범(樂學軌範)』에 의하면 정대업 정재(定大業呈才)에 사용되었다고 기재되어 있다.

자루의 길이에 따라 대둑과 소둑으로 나누어진다. 현재 통도사에 소장된 대둑은 조선시대 왕실 의례용 의물과 형태와 길이 등이 비슷하다. 그러나 문헌에 기재된 상모가 보이지 않는데 상모의 재질이 섬유여서 부식되었거나 삭아 없어졌을 가능성도 있다.

10) 나발(喇叭)

나발은 금속으로 만든 관악기의 하나로 소리가 나는 관(管) 부분이 넓게 벌어져 있고 손잡이는 두세 도막으로 길게 구분되며 입에 대고 부는 취부(吹部)가 좁아지는 형태이다. 『악학궤범』에 의하면 정대업 정재의 의장(儀仗)에 쓰는 악기는 대각(大角)이라 하여 끝이 원통형 모양을 하고 있는데 비해, 현재 사용되고 있는 나발은 태평소(太平簫)의 동팔랑(同八郞) 같이 끝이 넓게 퍼져 있는 모양이다. 1920년대까지는 이 악기가 동네 이장이 사람을 불러 모을 때 신호용으로 사용되기도 했다. 대취타(大吹打)에서 사용되다가 어느 때부터인가 불교의례에도 사용되었다.

11) 법라(法螺)

절에서 의식을 행할 때 사용되는 관악기의 하나로, 재료는 자연에서 채취한 비교적 큰 소라 껍데기를 사용하며 소라의 끝 부분에 작은 구멍을 뚫고 금속제 피리를 붙여서 불게 만든 것이다. 승려가 좌선을 할 때 졸음을 막기 위해 또는 병을 치료하기 위해 가볍게 운동을 하는 등 경행(經行)을 할 때도 사용된다.

『고려사』에 보면 왕실 해사인 법가 위장(法駕衛仗) 때 임금의 수레 뒤에 취나군(吹螺軍)이 자연에서 채취한 이 악기를 불었다고 기재되어 있다. 또 『악학궤범』에 의하면 조선시대 성종 때에는 정댕버 정재의 의장 악기로 사용하였다고 하며 현재는 일반적인 대취타에 편성해 사용하고 있다.

12) 법회의식 용구

법회의식 용구는 부처와 보살을 의식 도량에 모셔 와서 공양과 예배를 드리고 찬탄하고 발원하며 설법을 듣고 구제를 받는 의식공간이 불세계(佛世界)임을 상징화하는 데 필요한 장식구들이다. 의식 도량에는 불상과 불화를 봉안하고 그 주위에 각종 불패(不牌)와 원패(願牌)등을 놓는다. 그리고 의식에 필요한 향로와 촛대 등의 공양구, 요령과 꽹쇠, 법라 등의 법악기, 의식 무용의 복식, 발원문을 올리는 데 필요한 소통 등이 수반된다. 한편 법회의 의식공간은 신중들의 수호에 의한 청정 도량임을 상징화하기 위하여 12지신장・4보살・8금강 등의 불화를 의식 도량에 공중에 줄을 쳐서 메어 단다.

13) 패(牌)

패란 부처와 보살의 명호나 발원 내용 등을 적어 놓은 나무패를 말한다. 여러 가지 형태가 있으나 단순히 패의 아래쪽에 연화대만을 붙이는 경우도 있고, 그 위에 구름 문양 등을 조각하여 비석이나 탑 등의 옥개석(屋蓋石)처럼 나타내는 경우도 있다. 또는 위패의 양쪽에 작은 문을 설치하는 것도 있고 당초문과 같은 문양을 배치하기도 한다. 죽은 사람의 이름과 죽은 날짜를 적은 위패는 시련의식에서 상의 뒤쪽 중앙에 놓고 그 좌우에는 각각 향로와 다기를 놓고 1쌍의 촛대를 세운다. 의식에 사용되는 위패는 죽은 사람의 혼을 대신하는 것으로 여겨서 단(壇)이나 묘(廟), 원(院), 절 등에 모시며 목주(木柱), 영위(靈位), 위판(位版), 신주(神主)라고 부르기도 한다.

14) 구룡장식관불기(九龍長息灌佛器)

불상을 관욕할 때 사용하는 그릇이다. 부처님 탄생 후 아홉 마리의 용이 물을 뿜어 부처님을 목욕시켰다는 설에서 그릇 테두리를 구룡(九龍)으로 장식한다. 관불회(灌佛會)는 탄생불을 관정(灌頂)하여 석가모니의 탄생을 기념하는 의식으로 사월 초파일 부처님 오신 날을 맞아 이 날을 축하하는 의미로 행해진다. 탄생불을 불단에 모셔 놓고 그 불상에 물을 부으면서 부처님 탄생을 축하하는 의미로 의식을 행한다.

『보요경(普曜經)』에 의하면 석가모니가 탄생했을 때 용왕이 공중에서 향수를 솟아나게 하여 그 신체를 세욕(洗浴)시켰다고 한다. 이를 근거로 하여 관불회 때에 탄생불에 감로다(甘露茶)를 붓는 의식을 집행하는 것이다. 관불회를 줄여서 관불 또는 욕불이라고도 하는데 이것은 부처님을 목욕하게 한다는 뜻이 담겨 있기 때문이다. 뿐만 아니라 감로다를 뿌리는 것은 곧 향수를 뿌리는 것이나 다름이 없고 불상을 씻는 그 공덕이 한량없다고 믿는다. 또한 관불에 쓰인 감로다는 공덕이 있는 것이라 하여 집에 가져가서 하루 동안 마시는 습속이 있다고 한다.

15) 소통(疏通)

의식에 발원문을 읽고 나서 그것을 말아 넣는 통으로 불단 좌우에 놓는다. 대개 나무로 만든 긴 직사각형 통으로 좌대와 몸통에 화려한 문양을 넣어 장식하였다.

16) 공양구(供養具)

정병(淨甁) 정병은 맑은 물을 담아 두는 병으로, 범어로는 Kundi 혹은 kundika라 부른다. Amrtakundali는 감로병이라는 의미로 깨끗한 물이나 감로수를 담는 병을 말한다. 『법화경』에 의하면 원래는 승려가 지녀야 할 18가지 물의 하나였으나 점차 불전에 바치는 깨끗한 물을 담는 그릇으로 사용하게 되었다고 한다. 이 정병은 부처님 앞에 바치는 공양구일 뿐만 아니라 관음보살을 상징하는 지물로서의 역할도 한다. 불교의식이 진행될 때는 쇄수게(灑水偈)를 행하면서 의식을 인도하는 승려가 솔가지로 감로수를 뿌림으로써 모든 마귀와 번뇌를 물리치도록 할 때 사용된다.

정병은 주로 청동이나 점토로 만들어지나 금이나 은을 사용하여 만들기도 하였다. 고려시대에는 불교의 융성과 함께 특히 많이 제작되었는데 은입사 기법을 이용하여 포류수금문이나 유로수금문 등 회화적인 소재들로 시문된 뛰어난 작품들이 많이 남아 있다. 이러한 은입사 기법은 고려시대의 상감청자 시원(始原) 문제와도 깊은 관련이 있을 뿐만 아니라 조형상으로도 고려시대의 우수한 금속 공예의 한 단면을 보여주는 것이다.

우리나라 정병의 형태에 대해서는 『고려도경(高麗圖經)』에 가늘고 긴 목에 테두리가 둘러져 있고 넓은 어깨 부분에는 뚜껑이 부착된 주둥이가 나와 있는 독특한 형태라고 자세히 설명되어 있다. 현재 통도사에 소장되어 있는 청동제 정병은 표면에 녹이 파랗게 피어 유구한 세월의 흔적이 감지되며 단아하고 균형 있는 형태미를 보여주는 고려시대의 전형적인 정병이다.

17) 향로(香爐)

향로는 향을 사르는 데 사용하는 기물이다. 향은 원래 나쁜 냄새를 제거하기 위하여 사용되었다. 이후 향이 마음의 때까지 깔끔하게 씻어 준다는 의미를 가지게 되면서 불전 앞에 향로를 안치하고 향을 공양하게 되었다. 형태는 손잡이가 있는 병향로와 손잡이가 없는 거향로로 나눌 수 있으며 이외에 조향로, 상로 등이 있다. 금속이나 점토로 만드는 것이 보통이나 드물게 상아, 유리로 된 예도 있다.

중국에서는 한대에 청동과 점토로 만들어진 박산로가 성행했으며 남북조시대에 이르러서 병향로가 나타나기 시작하여 많은 사찰에서 불교의식 때 사용하였다. 우리나라는 불교의 전래와 함께 향을 가져왔다는 기록이 있어 일찍부터 향 공양을 위한 그릇으로 향로가 만들어졌을 것으로 생각된다. 삼국시대와 통일신라시대의 향로는 거의 남아 있지 않으나 고구려 고분 벽화인 쌍영총의 부인행렬도나 신라 단석산 신선사 마애불 공양상, 성덕대왕 신종의 비천상 등을 통해 당시에는 주로 청동으로 만들어진 병향로가 사용되었음을 알 수 있다.

고려시대에는 청동제에 은입사 기법을 사용한 향로가 크게 유행하였는데 그릇 모양의 몸체에 나팔처럼 생긴 높은 받침대가 있는 특이한 형태 때문에 향완(香垸)이라고 불린다. 조선시대에도 향완의 전통이 이어져 사찰의 고양구로 사용되었으나, 동물형 다리를 지닌 세발 솥(鼎)의 형태로 된 향로가 많이 제작되었다.

18) 촛대

양초를 세우는 데 사용하는 받침대로 불전에 올릴 때는 향로, 화병(花瓶)과 함께 자리 잡게 된다. 주로 금속으로 만들어지지만 간혹 점토, 나무로 만든 예도 있다. 그 형식은 일정하지 않으나 여러 개의 잘록한 목 부분이 있는 막대기 모양의 받침대가 있고 그 위 꼭대기 부분에는 촛농이 떨어지는 것을 방지하기 위해 구연부(口緣部)의 진이 넓게 되어 있는 것이 일반적이다.

우리나라에서는 제작된 촛대 중 오래된 것으로는 통일신라시대의 금동 수정 상감 촛대 한 쌍이 전해지며, 고려시대의 청동 쌍사자 촛대도 전하고 있다.

19) 금강령(金剛鈴)

금강령은 흔들어서 소리를 내는 것으로 불교의식 때 부처와 보살들을 기쁘게 해주고 중생들을 성불(成佛)의 길로 이끌어주는 불구이다. 종신(鐘身) 부분, 손잡이 부분, 금강저(金剛杵) 부분으로 이루어져 있다. 금강저 부분은 종교 수행 중의 번뇌를 없애준다는 의미를 갖고 있다. 금강저 가지가 하나이면 독고령이라 하고 그 개수에 따라 3고령, 5고령, 9고령으로 구분하는데 우리나라의 금강령은 3고령과 5고령이 주류를 이루고 있다. 종의 몸체에는 주로 불법을 수호하는 오대 명왕을 비롯하여 범천왕, 제석천왕, 사천왕, 팔부중 등 호법신장상이 표현된다. 흔히 '요령(搖鈴)'이라고 부르기도 한다.

금강령은 범천(梵天), 제석천(帝釋天)과 사천왕(四天王)이 각 면마다 비교적 고부조로 조식되어 있고 상징성이 강한 금강저 부분은 삼고로 되어 있다. 고부의 형태는 좌우의 협고가 중심고를 향해 뻗어 나와 서로 맞대고 있어 무기로서의 예리함이 남아 있으며, 손잡이와 연결된 부분은 입을 벌린 용두의 형태가 간략하게 표현되어 있다. 어깨 부분은 천개 형식의 문양 위에 작은 연판이 입체적으로 표현되어 2중의 단을 이루고 있다.

그 옆의 것은 밑이 벌어진 종형으로 고부는 중심고를 향해 사방에서 협저가 안으로 모인 5고령의 청동제 금강령이다. 협고의 아래에 장식된 용구(龍口)가 받침대 모양의 작은 돌기로 간략화 되어 있다. 손잡이 부분과 종신 부분은 돌림대로 처리되었다. 종신에는 조각이 없고 구연부는 치마처럼 벌어지게 표현되어 있다.

20) 법고(法鼓)

아침, 저녁의 예불 때나 수행의 정진을 위해 치는 불구의 하나로서『법화경』,『서품(序品)』에 따르면 번뇌와 망상 또는 집착과 오욕의 마군을 없애는 설법을 할 때 북을 친다고 한다. 북을 범어로는 bheri라 하고 고(鼓), 법고(法鼓)로 불리며 크기에 따라 대고(大鼓), 소고(小鼓), 세요고(細要鼓), 제고(齊鼓) 등으로 불리며 모타라(牟墮羅), 규루고(奎樓鼓)라고도 한다.

우리나라의 북은 나무나 쇠붙이 따위로 기본 형태를 만들고 양쪽 마구리에 가죽을 팽팽하게 씌우고 여러 가지 그림으로 장식한다. 크기에 따라 대·중·소로 나눌 수 있는데 일반적으로 법고라 하면 큰 북을 가리킨다. 목조해태 고대에 놓인 큰북은 왕실의 궁전 연회 때 사용된 북의 형상과 유사하다.

21) 경자(磬子)

경(磬)은 불경을 읽을 때나 범패를 할 때 사용되는 불구의 하나이다. 주로 선반에 걸어 두거나 법당 안의 스님 곁에 있는 책상 위에 두고 치는 것이 일반적이다. 그 모양은 판으로 되고 한가운데가 굽어 두 끝이 아래로 드리워져 있으며 두 개의 끈으로 틀(懸架)에 매달게 되어 있으며, 당목(撞木)으로 친다. 크기는 보통 길이 약 50센티미터에 넓이 약 35센티미터 정도로 돌이나 옥, 구리, 철 등으로 만든다. 재료나 용도에 따라 옥경, 동경, 철경, 편경, 생경, 송경, 가경, 특경 등으로 다양하게 부른다.

이 경을 치는 목적은 제존을 경각시키고 아래로는 중생들을 무명의 긴 잠으로부터 깨우려는 데 있다. 또 다른 설에 의하면 처음 치는 것은 제존천들을 경각시키는 것이고 다음에 치는 것은 집회에 모인 승속(僧俗)과 시주자들을 일깨우려는 데 있다고 한다.

22) 바라(鉢羅)

사찰에서 법회 때 쓰는 금속 악기로 발자(鉢子), 동반(銅盤)이라고도 한다. 전체적인 형태는 심벌즈 혹은 갓과 비슷한 타악기의 일종으로 구리로 만든 두 개의 평경판 접시 모양 원반인데 각각 그 중앙의 움푹 들어간 부분에 구멍을 내고 끈을 달아서 좌우 손에 한 개씩 들고 서로 비비치면서 소리를 내는 것이다. 『백장청규(百丈淸規)』에 따르면 불전에 향을 올릴 때라든지 설법을 하거나 큰 집회를 행할 때 그리고 장례 의식을 하거나 새로운 주지를 맞아들이는 불교의식 때 수행자가 울렸다고 한다. 통도사 소장 바라의 표면에는 묵서명으로 '통도사상고바라. . . (通度寺上庫鉢羅. . .)'라고 안팎에 표시되어 있다.

23) 장엄구(莊嚴具)

각종 의식을 행하는 도량은 여러 가지 기물로 장엄된다. 도량의 장엄은 불세계를 현실세계에 입체적으로 표현한 것이다. 즉 도량을 부처가 상주하는 정토에 비견하여 좋고 아름다운 것으로 꾸민다는 뜻이 있다.

의식을 행하는 도량의 사방과 공중에는 각종 번, 괘번(掛幡), 등(燈), 당 등을 걸어 장엄한다. 번에는 삼신번(三神幡), 보고번(普告幡), 항마번(降魔幡), 시주번(施主幡), 오방번(五方幡), 23불번(二十三佛幡), 시왕번(十王幡), 산화락번(散花落幡), 괘금은전(掛金銀錢), 보상괘번(寶上掛幡), 화초괘번(花草掛幡), 인물괘번(人物掛幡), 보시괘(布施掛), 진언집(眞言集) 등이 있다. 삼신번, 보고번, 항마번, 오방번, 괘금은전은 보통 법당 앞의 서까래 끝에 달아 아래로 내리고, 23불번은 부연(附椽) 끝에 달아 아래로 내린다. 도량의 사방에는 공중에 줄을 쳐 각종 번과 등을 달아매고, 이렇게 자엄한 도량의 외곽에는 법당 뒷면까지 사방에 줄을 치고 진언집을 달아매 장엄한다.

진언(眞言)이란 불교의 불미스러운 주문을 말하는 것이다. 밀교에서 말하는 삼밀(三密) 중 어밀(語密)에 해당하는데 부처와 보살의 서원이나 덕(德), 그 별호(別號)나 가르침을 간직한 비밀의 어구이다. 진언은 그 뜻을 번역하지 않고 범어 그대로 읽고 외운다. 이렇게 외우고 그 문자를 보면 그 진언에 응하는 여러 가지 공덕이 생겨나고, 세속적인 소원의 성취는 물론 성불도 할 수 있다고 한다. 우리나라에서 유통되고 있는 불교의식집에서 진언이 차지하는 비중은 매우 크다. 그것으로 도량을 장엄하는 데 사방을 에워싸듯이 진언집을 매다는 큰 뜻을 헤아릴 수 있다.

24) 수행의식 용구

수행의식 용구는 자행의례 용구라 할 수 있는 것으로 이는 출가자가 자신의 향상(向上)을 위하여 수행을 하는데 필요한 의식 용구이다. 여기에는 스스로가 출가자임을 상징하는 장삼 등의 승복(僧服)과 출가자로서의 수행의 정도를 상징하는 가사 등이 있다. 한편 발우・염주・수계패 등도 출가자의 수행에 필수적인 생활용구이다. 이들 자행의식의 용구는 타행의례의 규범이 되고 그 시대의 사회와 문화의 척도가 된다는 데서 주목된다. 오늘에 전하는 고승(高僧)의 금란가사와 수행생활을 상징하는 발우 등이 이를 잘 말해주고 있다.

25) 가사(袈裟)

가사는 인도의 불교 복식인 가사야(Kasaya)에서 나온 말로 수행승이 입는 법의의 하나이다. 흔히 시주를 받은 헝겊을 활용하여 만들되 조각조각 베어서 다시 꿰매어 만들기 때문에 기웠다는 의미를 지닌 납(衲) 자와 결합시켜 납가사(衲袈裟)라고도 부른다.

가사를 구성하는 하나의 단위가 되는 조각천이 수(修)이며, 사방둘레에 난(欄)이라고 하는 단을 붙여서 튼튼하게 만든다. 그리고 사방의 네 귀퉁이에는 각첩(角帖)이라는 사각 천을 붙이고 착용할 때 각천으로 제작하는 것이 원칙이므로 호화스러운 것을 금지하였으나 간혹 금색실로 짜서 만든 금루직성 가사(金縷織成袈裟)도 있는데 시중 공덕의 장엄을 나타낸 것이다.

유물로는 고려시대 대각국사가 입었다고 전하는 금란가사와 선덕여왕이 자장법사에게 내린 금란가사, 조선시대 유정대사의 금란가사 등이 대표적이다. 현재에도 해(日光)를 상징하는 삼족오(三足烏)와 달(月光)을 의미하는 옥토

끼를 수놓은 가사나 '옴' 혹은 '남' 자의 범어(梵語)를 수놓은 금란가사가 있다.

26) 낙자(絡子)

승려들이 일을 할 때나 평상시에 사용하기 편하게 목에 걸어서 매는 약식 형의 가사를 낙자(絡子)라 하는데, '낙'은 '괘락(掛絡)'의 준말이다. 범어로는 Antaravasa라고 하며 안다가사(安多架裟), 안타발살(安陀跋薩), 안타라발살(安陀羅跋薩), 안다회(安多會)라고도 부른다. 또 내의(內衣 또는 裏衣, 中宿衣)로 착용하는 5조 가사를 의미하며 속에 입는 옷이기 때문에 친체의(親體衣)라고도 한다. 그 유래는 중국 당나라 때의 측천무후가 법의를 축소시켜서 선승들에게 내려준 후 주로 장삼 위에 입게 되었다고 한다. 하나는 길고 하나는 짧은 1장(長) 1단(短) 구조의 5조 가사이고, 전체적으로 가사의 형태를 간략하게 한 다음 여러 개의 끈을 연결해서 목을 걸어 가슴에 드리워지게 했다.

27) 직철(直綴)

스님이 입는 옷으로 옛날의 편삼(偏衫)과 군자(裙子)를 합하여 실용적으로 꿰맨 옷이다. 아래는 많은 주름을 잡아 허리에서 모아붙이며 우리나라의 장삼과 형태가 같다. 『육서정(六書政)』에는 신체의 상하를 관철하여 옷의 봉재를 동쪽의 중앙에서 위아래로 꿰매기 때문에 직철이라 쓴다고 했다.

28) 좌구(坐具)-방석(方席)

바닥에 깔고 앉는 방석을 범어로는 Nisidana라고 하며 니사단(尼師壇), 니사단나(尼師壇那)라고 음역하는데 수좌의(隨坐衣), 좌와구(坐臥具)라는 뜻이다. 방석은 공양 받은 천을 조각내는 전통을 계승하여 삼의(三衣)와 같은 방법으로 만든다. 중앙에는 오래된 옷을 배접하고 옷감을 조각내어 붙이며 가장자리는 선을 두르는데, 네 귀퉁이는 보강을 위해 한 겹 더 꿰맨다. 통도사에는 자수로 제작된 방석과 왕골로 짠 등메석이 소장되어 있다. 등메석은 신라시대 이후 중국에 조공을 보내던 대표적인 특산품으로 성가가 높았다.

29) 궤(櫃)

궤는 나무로 짜서 물건을 넣어 두는 장방형의 기구인데, 그 원류는 상자나 함으로 쓰인 버들고리와 기능상 관련이 있다. 현재 통도사에 소장되어 있는 궤는 나무와 거명쇠를 재료로 사용하여 기능 위주로 제작된 것이다. 향을 넣어 두던 궤는 명문에 의하면 1663에 제작된 것인데 조선시대 목가구로는 흔치 않게 연대가 밝혀져 있어 사료적 가치가 대단히 높다. 한편 의복을 넣어두면 궤에는 작은 종이에 먹으로 '탁의 관욕 침장등 대령의 제고품(卓衣灌浴枕帳等對靈外諸古品)'이라 쓴 것으로 보아 '관욕례(灌浴禮)', '대령례(對靈禮)'와 같은 불교의례에 사용한 탁자보(卓衣) 혹은 장막(帳幕) 등과 같은 공예품들을 수납하던 가구임을 밝히고 있다. 특히 의궤(衣櫃)에 의해 이미 구비된 공예품들은 잘 간수했다가 필요할 때마다 꺼내어 사용했던 사실도 확인할 수 있다.

30) 석장(錫杖)

스님이 필수적으로 지녀야 하는 지팡이로 비구 18지물 가운데 하나이다. 범어로는 Khakkhara이며 성장(聲杖), 명장(鳴杖), 지장(智杖), 덕장(德杖) 등으로 불린다. 이 석장은 생활용구이기도 하지만 지장보살의 상징물, 천수관음보살의 지물로 표현되기도 하였다. 석장의 형태는 전체적으로 긴 막대기 모양에 끝에 쇠고리가 걸려 있는데, 이들의 개수에 따라 4환장·6환장·12환장 등으로 부른다. 재료를 쓸 때 상부는 주석으로 하고 중부는 나무이며 하부는 뿔이나 상아를 사용하여 만든다. 보통 석장의 여의(如意) 형태 부분은 동으로 만들어져 있고 그 아래 받침대는 나무나 철로 되어 있는 것이 일반적이다. 하여 발(鉢), 응기(應器), 응량기(應量器)라고도 한다.

석존이 열반한 뒤에는 여러 나라로 전해지게 되어 승려들이 발우를 가지고 돌아다니며 탁발을 하는데, 수행중인 비구들의 식사량은 이 한 그릇으로 제한된다. 만드는 재료나 색에 따라 여러 가지 종류가 있는데 나무로 만들어 옻칠을 한 목제 발우가 있고, 도자기나 청동으로 된 발우 그리고 천으로 가볍게 만들고 옻칠을 한 협저 발우 등이 있다. 목제 발우는 크기가 조금씩 작아지는 바리때를 순서대로 포개고 겹칠 수 있기 때문에 혹시 통일신라시대의 유물 가운데 금속으로 제작했던 가반(加盤)과의 관련도 생각할 수 있겠다.

사용하지 않을 때는 겹으로 포개고 뚜껑을 닫아서 운반하거나 보관하기 편하도록 되어 있다. 그렇기 때문에 탁발 수행을 하는 스님들의 발우로 사용되었다. 이와 같은 목제 발우를 제작할 때 목공용 물레의 일종인 선차(旋車)를 사용하여 통나무의 안쪽을 둥글게 파냈을 것이다. 전체 그릇 형태는 단순하고 기능적인 것이 특징이다.

7. 전통불교의식 용구의 전통문화적 의미

1) 불교문화 발전의 척도

불교의식 용구는 그 시대의 문화적 척도가 된다. 그것은 불교의식이 시대와 사회의 요구에 대응한 불교 생활양식이며, 그와 같은 생활양식을 영위하는 데 필요한 용구가 불교의식 용구라는 문화 양식을 낳게 되었기 때문이다.

오늘의 시대가 어떤 불교적 생활양식을 요구하고 있느냐에 따라 불교의식의 형태가 달라진다. 그러므로 불교의식구는 불교문화의 변천을 가늠하는 척도가 되는 것이다. 다른 한편 불교의식은 부처와 보살에 귀의하여 불교적 삶을 영위함으로써 안심입명을 얻으려는데 그 목적이 있다고 할 수 있다. 즉 살아가면서 생기는 문제 해결을 원해 만든 것이라 할 수 있다. 따라서 의식은 인간과 상황과의 대화이며 여기서 문화의 발생과 발전을 가져오게 한다는 데 중요성이 있다. 불교의식은 종교적 객체인 부처와 보살, 종교적 주체인 인간과의 상호관계에서 파악된다. 그런데 양식이 강청적(强請的)·공리적(功理的) 의도에서 물리적·기계적 양식을 취하게 되면 주술적(呪術的) 의식이 되고, 이해심보다는 순수하고 경거한 귀의의 태도로서의 양식을 취하게 되면 종교의식이 된다. 그러나 이 두 가지 가운데 하나도 갖추지 못할 때는 형식주의가 되고 만다는 사실에도 주의를 기울여야 한다. 왜냐하면 똑같은 불교의식이라 할지라도 시대에 따라서 유형이 달라져 왔고, 또 사회적 계층에 따라 그 문화 양상도 다양하게 전개되어 온 것이라 믿기 때문이다.

한편 불교의식은 문화 발전의 계기를 마련하게 된다는 사실을 주목해야 한다. 그것은 종래의 관급적이고 형식적인 의식으로서는 우리들에게 납득되지 않으며 새로운 문화도 발생하지 않는다는 사실을 충분히 인식할 수 있게 되기 때문이다. 따라서 불교문화를 발전시킬 수 있는 불교의식은 경건함에 의하여 타의 모범이 되어야 하고, 또한 간절한 발원이 포함되어 있어야 한다.

2) 불교의식의 유형화로서의 의식 용구

불교의식은 정토교형(淨土敎型) 의식·밀교형(密敎型) 의식·선정형(禪定型) 의식 등으로 구분된다.

정토교형 의식은 예배와 염불, 발원문의 독송 등 3대 요소에 의해서 행해진다. 여기에 필요한 의식구는 예배의 대상으로 아미타여래상의 조각이나 불화를 봉안하고 염불에 필요한 범종·목탁·굉쇠·법고 등이 갖추어져야 하며, 발원문을 낭독하고 불전에 올려놓는 용구인 소통 등이 있다. 그런데 이상과 같은 의식 용구로 행하는 정토교형 의식은 '나무아미타불' 하는 염불로 의식을 마무리하게 된다. 이러한 정토교의 간결한 의식은 불교의 대중화를 가져오게 하고, 한편 여섯 자의 염불로 전체를 아우르는 종교의식은 용구의 정밀한 기법을 낳게 한다. 그리고 문화적 기능은 사회 구성원 전체의 문화 역량이 총집결한다는 특징을 지니다. 그 좋은 예의 하나로 신라시대의 사리 용구와 범종을 손꼽을 수 있을 것이다.

밀교형 의식은 통일적 다신교의 형태를 지닌다. 이는 중생구제의 대자비심을 바탕으로 중생의 요청을 통찰하며 부처와 보살 외에 제석・대범・사천왕・산신(山神)・칠성(七星) 등이 신앙의 대상이 된다. 신을 모시는 데 필요한 의식은 기원으로 일관되고 그 기원은 다신교적 신앙의 대상을 일원화하는 데서 신앙의 목적을 달성하게 된다. 밀교의식은 다향한 의식구를 필요로 하게 되는데 그것은 밀교형 의식이 상징성과 신비성을 중요시하기 때문이다.

금강저・금강령・육환장 등이 대표적인 밀교형 의식 용구이며, 통일적 원리에 입각한 가람 구성의 만다라적 요소도 밀교의식의 소산이다. 의식 도량을 청정하게 하고 장엄하게 하는 데 필요한 12지신상・금강상과 기타의 호법신중 등의 불화도 밀교형 의식 용구의 범주에 속한다. 한편 부처와 보살을 의식 도량에 모셔오는 시련의식에 필요한 각종 번류와 인로왕보살번 등의 기치류는 정토교형 의식 용구의 의미도 지니지만 기능에 있어서는 밀교형 의식 용구의 성격이 강하다고 할 수 있다.

밀교형 의식 용구는 다신교적 신앙의 대상들을 종합하는 문화 역량과 상징성이 강하게 표출되었을 때와 그렇지 못하였을 때의 문화적 소산이 차이를 나타낸다. 고려시대에는 전자의 밀교형 의식구가 발달하여 오늘에 전하는 우수한 금강저・금강령 등이 그것을 말해준다. 반면에 도량 장엄용이라고 볼 수 있는 각종 번과 기치류 등은 후자의 경우에 속하는데 조선 후기 밀교형 의식 용구의 한 특징적 요소를 나타낸다고 할 수 있다. 요컨대 밀교의식은 철저한 긍정주의에 입각하여 우주 자체를 부처와 보살로 인식하여 찬란한 채색이나 다양한 형상에 의하여 상징성이 강조되는 장엄 문화를 발달시켰다.

선정형 의식은 일상생활이 곧 의식이라는 특징을 지닌다. 이는 정토교형 의식이나 밀교형 의식이 일상생활 그대로가 의식행위이며 의식의 집행이다. 그리하여 선종에서는 의식행위를 부정하는 것으로 인식되고 있지만 선정 삼매의 수행으로 종교의식의 본질에 직접 몰입하여 그 실체를 파악, 실증하여 무상지견(無上知見)을 계발한다는 선종 본연의 입장에서 보면 일상생활 그대로가 최고의 문화 가치를 지닌다. 존귀무상(尊貴無上)의 생명이며 그 스스로에 조직이 있고 체계가 있어 그대로가 최고의 불교의식이 되는 것이다. 그러나 아무렇게나 영위하는 일상생활이 불교의식이 될 수는 없는 것이다. 선종의 일상생활은 청정한 규칙(淸規)과 같은 엄한 규제가 있어야 한다는 사실을 잊어서는 안 된다. 선정형 의식에서 발우와 가사 등이 중요시 된다. 『전등록』 등에서 가사와 발우로 법맥을 전하는 것은 이런 이유에서이다.

앞에서 살핀 정토교형 의식·밀교형 의식·선정형 의식은 다시 자행의식과 타행의식으로 구분된다.

자행의식은 스스로의 향상을 기하는 수행의식이라 할 수 있고, 타행의식은 출가자와 재가자의 의뢰를 받아들여 기원을 행하여 재가자에게 회향하는 의식이다. 그런데 이들 양자는 대승불교가 지향하는 상구보리 하화중생의 교의적 뒷받침을 지니고 있으며 정토교형 의식·밀교형 의식·선정형 의식은 다시 이들 상구보리 하화중생의 의식 형태를 지니게 된다. 그런데 이 세 가지 유형의 의식을 자행의식으로 행하면 의식 용구가 간결하고, 타행의식으로 행하면 의식 용구가 복잡해진다. 예컨대 정토교형 의식을 자행의식으로 행하면 '나무아미타불' 한 구절의 염불을 행하여 기원하는 것을 족하나 타행의식을 행할 때는 범종·목탁·법고 등이 필요하고 경우에 따라서는 의식 무용도 필요하게 된다.

밀교형 의식을 자행의식으로 행하면 신(身)·구(口)·의(意)의 삼밀이 부처와 보살과 상응하여 일치함을 목적으로 하는 수행의식이 행해진다. 이때 금강저와 금강령 등의 밀교의식구와 만다라의 관법(觀法) 등을 필요로 하게 된다. 타행의식으로 행할 경우에는 부처와 보살이 의식 도량에 오고 가는 것을 형상화하는 행렬의식과 도량을 청정하게 하는 각종 장엄구가 상징적 의미를 나타내기 위하여 필요하게 된다. 선정형 의식에서 보면 자행의식과 타행의식은 구분되지 않는다. 선종 수행자의 일상생활과 구분되지 않는다는 선정형 의식의 특질이 자행의식과 타행의식이 구분도 없게 한 것이다. 그러나 선종교단이 중생구제를 위한 타행의식을 행할 경우에는 정토교형이나 밀교형의 타행의식을 빌려 대행하는 것이 한국불교교단의 또 하나의 특징이다.

3) 시대 불교문화의 소산

시대에 따라 성행한 불교의식의 형태가 달라졌다. 신라시대에는 정토교형 의식에서 자행의식과 타행의식 두 형태가 동시에 성행하였다. 정밀한 표현기법, 뛰어난 조형미와 신운(身雲)과도 같은 아름다운 소리를 내는 봉덕사의 범종 등은 정토교의 자행의식과 타행의식이 조화를 이룬 문화 역량에 의하여 조성된 대표적인 작품이라고 할 수 있다.

고려시대에는 세 가지 유형의 의식이 다 같이 성행하였고, 정토교형 의식과 밀교형 의식은 자행의식과 타행의식의 두 형태가 모두 성행하였다. 따라서 고려시대야말로 불교문화가 가장 성행했다고 볼 수 있다. 오늘날 전하고 있는 금강저·금강령 등의 밀교의식구와 사리 용구, 불구로서의 고려청자·사경·불화 등은 모두가 자행의식에 의한 수행법으로 불교적 바탕을 튼튼히 다진 다음에 대중화되는 타행의식을 성하게 행한 데서 나온 문화적 소산이다. 그것은 고려 사회가 요구하는 총체적 문화 욕구를 불교가 충족시킬 수 있었기 때문에 가능했던 것으로 믿어진다.

조선시대가 되면 자행의식은 일부 선승(禪僧)에 의해 명맥이 유지되고 정토교형 의식과 밀교형 의식은 타행의식 중심으로 행해지게 되는데, 조선시대의 불교적 문화의식이 상류층에서는 소외되고 주로 일반대중에 의해 요구되었기 때문이다. 상류층에서 불교적 기반을 잃은 불교교단이 일반 민중에게 불교적 문화작용을 하게 되자 새로운 불교의식의 구성체계가 필요했다. 그리하여 18세기에 『범음집(梵音集)』 등의 각종 의식집의 정비가 이루어진 것이다.

『범음집』 등의 정비 이후에 불교문화가 새롭게 발전했다는 데 주목하지 않으면 안 된다. 왜냐하면 18세기 이후 새로운 양식의 정립을 있게 한 불화의 발전, 범패 등의 부흥에 의하여 불교의식이 예능화 된 것을 바탕으로 조선 후기 민속예술의 발전을 보았다고 믿기 때문이다. 따라서 조선 후기의 의식 용구는 신라시대나 고려시대의 의식 도량을 장식하는 장식미를 추구하게 되었다. 다시 말해 조선시대의 의식 용구는 그 하나하나가 예술적 우수성을 지니는 것이라 할 수는 없으나 그 전체적 구성이 장엄하다는 데서 예술사적 의의를 살필 수 있게 된다. 『범음집』과 『작법귀감(作法龜鑑)』 등에 의하면 불교의식의 진행절차에 예능적 요소를 많이 삽입하고 있다.

불교의식에 사용되는 의식구는 불교적 신앙생활을 영위하는 데 필요한 구상성을 지니는 불교공예품이다. 그러나 단순한 공예품에서 끝나는 것이 아니라 거기에서 음악이 발생하고 무용이 발생한다. 뿐만 아니라 연극도 있고 문학도 있다. 이들은 모두가 한 시대, 한 사회의 총체로서 오늘에 전해지고 있다는 데서 의의를 찾을 수 있다. 따라서 오늘에 전하는 불교문화유산에 대한 총체적인 조감은 불교의식구에 대한 재조명으로 가능해진다.

4) 맺음말

앞에서 불교의식 용구를 시련의식 용구 · 법회의식 용구 · 수행의식 용구로 나누고 또 타행의식 용구와 자행의식 용구의 두 가지로 구분하여 살펴보았다. 그 결과 시련의식 용구와 법회의식 용구는 타행의식 용구이며, 수행의식 용구는 자행의식 용구라는 것을 알게 되었다. 본래 자행의식 용구가 선행하고 그에 기초한 타행의식 용구로 전이된 것이지만 타행의식 용구가 의식용구의 대부분을 차지하고 있어 불교공예품 역시 타행의식과 관련된 것이 대부분이다. 그러나 이들은 모두가 자행의식 용구를 기본으로 하면서 범부의 신앙적 요구에 응하여 민속화의 경향을 나타내고 있는 것이 타행의식 용구임을 명심할 필요가 있다. 곧 자행의식의 용구는 타행의식 용구의 근본이 된다는 말이다. 그것은 타행의식 용구는 자행의식에서 얻은 근본지가 바탕이 되어 자비행을 행하는 방편지(方便智)로 나타난 것임을 인식시키고자 하는데 목적을 두고 있기 때문이다. 이는 불교의 생활화를 의미하는 것이다. 그리하여 불교의식 용구는 불교공예품에 틀림없으나 다른 한편으로 의식구라는 성격을 갖게 된다. 따라서 이들은 단순히 불교공예품으로만 존재하지 않고, 불교회화, 불교음악, 불교 건축 등과 상관관계를 지니면서 불교의식의 동적 행위에 수반되는 모든 불교예술을 종합하고 융합하여 불교회화나 조각, 음악, 건축 등의 양식 형성에 지대한 영향을 미쳤다는 사실에 주목할 필요가 있다.

나아가 이들 의식구를 통해 불교적 생활양식을 이해할 수 있게 됨은 물론 그것이 곧 불교문화의 내용과 성격을 이해하는 중요한 자료가 되고 있다는 점도 간과할 수 없는 것이다.

四. 한국불교 재의식(齋儀式)의 유형과 성격

1. 천태종 영산대재의 전승과 현황

천태종의 역사는 멀리 신라시대로 거슬러 올라간다. 그러나 오늘의 천태종은 겨우 반백년을 조금 넘는 창종의 역사를 지니고 있을 따름이다. 그럼에도 불구하고 오늘의 천태종은 지난날 천태종의 전통을 계승하려는 노력을 꾸준히 해오고 있다. 교의의 계승을 위한 국내외의 각종 학술대회를 꾸준히 개최하여 한국 천태종의 역사성과 사상성, 종교성을 개발하여 이제 그 토대가 굳건히 다져졌다. 그 결과 금강대학교가 개교되고 그 전망은 더욱 밝아지고 있다. 그런가하면 100년도 못된 창종의 역사에도 불구하고 그 교세의 확장은 파죽지세로 나날이 늘어나고 있어 세인들의 주목을 크게 끌고 있다. 그것은 우연한 일이 아니라 한국 천태종의 전통을 확립하고 그 특색을 찾으려는 노력을 꾸준히 해온 결과로 판단된다.

한편 여기에 이르게 된 것은 단순히 교의의 확립에서뿐만 아니라 천태종이 갖는 종교의 동태적 모습을 형성하는 데도 남다른 노력을 계속해 왔기 때문이다. 종교의 동태적 모습이란 종교체험의 체계인 교의의 바탕이 있어야 되고 또한 그를 행위적 표현으로 나타내는 의식의례행위가 있어야 한다. 그리고 이와 같은 교의를 바탕으로 하고 그를 행위적으로 표현하는 의례행의를 같이 행하는 동신공동체로서의 교단이 형성되어야 한다. 그리고 이상 삼자의 관계가 원활하게 연계되어 활동할 때, 그 종교는 살아서 움직이는 생생한 모습을 지니게 되는 것이다.

오늘의 천태종은 꾸준한 천태학의 연구와 국내외의 학술대회를 통하여 고려시대이래 번성하였던 천태교의의 전통을 계승하려 노력하고 있다. 한편 그와 같은 교의를 신앙하는 동신공동체로서의 교단도 일사불란하게 잘 형성되어 있는 것으로 안다. 여기 이 같은 동신공동체의 신앙행위가 천태종의 영산재를 확립하게 된다는 사실을 주목할 필요가 있다. 애당초 천태종 의례행위의 특징은 "관세음보살"을 고성으로 칭명하는 것이었다. 오늘날에도 이와 같은 의례행위는 천태종 의례의 기조를 이루고 있다. 그러나 "관세음보살"의 칭명이 왜 천태종의례의 기본이 되어야 하는가 하는 데는 교의적 뒷받침이 있어야하고 그러기 위해서는 단순한 칭명의례에 그칠 것이 아니라 관세음보살의 신앙을 체계적으로 표현하는 하나의 의식절차를 필요로 하게 되는 것이다. 천태종이 영산재를 왜 전승 · 발전시켜야 하는가 하는 연유가 바로 여기에 있는 것이다. 즉 영산재는 법화경에 의한 관음신앙의 종합적인 의례행위이기 때문이다.

천태종이 영산재를 계승 발전시키고자 하였던 노력은 1960년대 상월조사의 종교체험에 의한 결단에서 비롯된다. 1967년 당대 영산재의 거장이었던 권수근 스님을 천태종으로 초빙하여 한국불교에 있어 범패 등의 전통적인 불교의식절차를 가르치게 한 것이 그것이다. 이때 필자도 전통적인 천태종의 의식을 재현하는 일에 동참해줄 것을 상월조사로부터 하명 받아 권수근 스님과 그 일에 착수하게 되었다.

권수근 스님은 범패와 의식의 절차 등 실제 의식행위를 전수하는 일을 구인사에 상주하면서 가르치게 되었고 필자는 그 이론적인 체계를 담당하게 되었다. 그러나 권수근 스님은 그 일에 꾸준히 심혈을 기울였으나 필자는 당시로서는 너무나 벅찬 부담감만 안겨주어 도저히 그 일을 해낼 수 없었다. 연구비도 받고 하여 이 문제는 그 후에도 계속 숙제로만 남아 있을 수밖에 없었다. 그러던 중, 다행히 1970년 필자에게 일본 유학의 길이 열렸고 당시 지도교수였던 에다니 류가이 교수가 천태학을 전공했던 대학자였던 관계로 천태학연구의 기회가 필자에게 주어져 무척 다행으로 생각하였다. 『법화현의』, 『법화문구』, 『마하지관』 등의 천태삼부를 접할 수 있게 되었던 그때의 환희를 오늘에도 잊을 수 없다.

권수근 스님은 그 후 한동안 구인사에 주석하면서 범패 등의 전통불교의식을 천태종 스님들께 열심히 전수했는데, 그때의 대표적인 첫 제자가 현재 천태종 총무원 부원장이며 관문사 주지를 맡고 있는 변춘광 스님이고 그 외에 몇 분이 더 있었던 것으로 기억한다. 그때 권수근 스님은 천태종 스님들께 불교의식의 기초인 상주권공재를 비롯하여 시왕각배재, 영산재에 이르는 재의식을 전수하였고, 그 외에 불공 시식의 예식을 천태종에 모두 전수하고자 노력함으로써 오늘의 천태종 의식 및 영산재의 토대가 뿌리를 내릴 수 있게 되었다는 점을 주목해 볼만한 일이다.

그런데 여기 특기할 만한 일은 당시(1960년대) 한국불교의 전통불교의식은 태고종이 대세를 이루면서 국가적인 무형문화재로 지정을 서두르고 있는 형편이었다. 그때 필자는 봉원사의 박송암 스님을 한국불교를 대표하는 범패의 기능보유자로 발굴하여 한편에서는 태고종을 중심으로 범패의 보존전승에 힘을 기울이고 다른 한편 조계종과 태고종은 원래 그 뿌리가 하나이므로 조계종에서도 기능보유자를 발굴해야 된다는 소신을 갖고 전국을 두루 다니면서 조사한 결과 당시 경북 안동 대원사에 주석하고 계신 권수근 스님을 만나게 되었던 것이다. 이때의 기록은 「범패자료조사기」라는 제목으로 문화재관리국이 발행하는 학술지 『문화재』의 1, 2호에 수록하였으며 범패전승의 계보를 밝혀둔 바 있다. 그런데 이때의 권수근 스님과의 만남은 의외로 큰 소득을 얻을 수 있었다. 당시 저자는 문화재전문위원의 신분으로 학술조사를 하는 형편이었기 때문에 되도록이면 불교의식과 관련된 많은 자료를 객관적으로 수집하는데 목표를 두고 있었다.

그때 조사한 범패의 계보는 크게 나누어 경산조와 팔공산조가 전승되고 있음을 알았고, 경산조는 서울지방과 호남지방에 분포되어 있고 팔공산조는 영남지방에만 전승되고 있다는 사실을 확인할 수 있었다. 그런데 영남지방의 팔공산조는 경북 동화사와 파계사를 중심으로 전승되고 그 중에도 쇳송이 유명했다는 전언에 따라 그 지방을 두루 살폈으나 그 기능보유자를 찾아내지 못했다. 그러나 다행히 조사의 발길을 경남지방으로 옮겨 부산 금전산 국청사에 이르러 경산조와 확연히 다른 팔공산조의 영남지방 범패가 국청사 김운공 주지스님에 의해 전승되고 있음을 확인할 수 있었다. 그때의 이 사실은 『조선일보』 문화면에 6단기사로 크게 보도된 바 있어 지금도 확인할 수 있을 것이다.

이렇게 하여 전국적으로 범패기능보유자를 조사한 결과 필자는 범패를 무형문화재로 지정하기 위해서는 이상과 같이 각기 다른 기능보유자를 다 같이 지정함이 가하다는 의견을 문화재전문위원 자격으로 주장하였으나 그 같은 주장은 결국 받아들여지지 않았다. 그 이유는 첫째, 당시 범패를 무형문화재로 지정 심의하는 문화재위원이 태고종 범패에만 경도되어 있었고, 다른 지방의 기능보유자를 찾는데 소홀히 하고 있었다는 점을 지적하지 않을 수 없다. 다른 한편 대원사의 주지 권수근 스님과 국청사의 김운공 주지스님은 조계종의 스님이었다는 것이 불리한 여건에 놓이게 되었다. 왜냐하면 1960년대 당시의 조계종은 불교 정화의 명분 아래 선종의 선지를 분명히 하기 위해서는 범패, 요잡과 같은 불교의식은 무당들이나 하는 것이기 때문에 이를 불식해야 된다는 종책을 세우고 있었기 때문이다. 그리하여 조계종은 범패 등의 전통적 불교의식은 폐지되어야 할 대상이지 보존할 가치가 있는 것이 아니라는 문화의식이 팽배해 있던 기억이 생생하다. 그러나 이러한 와중에서도 당시 해인사 주지를 거쳐 총무원장까지 지낸 박기종(영암) 스님께서는 조계종 비구스님으로서 범패의 기능을 보유하고 있었으므로 필자의 의견을 존중해 주며 많은 격려를 해주고 있었음은 지금도 잊을 수 없다.

그러나 이 같은 영암 스님도 불교 정화의 기치 아래 새롭게 개혁하려는 조계종의 전통적인 불교의식에 대한 부정적인 문화의식을 외면할 수 없어 조계종 소속 기능보유자의 문화재 지정에 대한 종단적 지원을 기대하기 어려웠던 것이다. 그러나 필자는 이상과 같은 조계종·태고종을 아울러 기능보유자로 지정하는 주장을 굽히지 않고 있다가 1987년 필자가 문화재위원이 되면서 범패 종목을 '영산재'라는 종합적 종목으로 바꾸어 조계종도 참여하는 무형문화재로 지정할 수 있었음은 지금 생각하면 더할 나위 없는 보람으로 생각한다. 그러나 그때는 이미 거장 권수근 스님과 김운공 스님이 세상을 하직하고 난 이후라 유감스럽기 한이 없는 일이었음을 지금도 상기하게 된다.

그런데 다행히 권수근 스님은 비록 국가가 지정하는 무형문화재 기능보유자로는 지정되지 못하였지만 천태종을 통하여 그 빼어난 기능이 오늘에 전승되고 있음은 얼마나 다행한 일이 아닌가 생각한다. 권수근 스님이 천태종에 남긴 특수한 기능은 다른 기능보유자에게서는 찾아볼 수 없는 다음과 같은 몇 가지 특징을 지닌다.

첫째, 권수근 스님은 경학에 밝아 불교의식에 대한 학문적 바탕을 지니고 있어 의식 의례를 정확하게 집행하고 전수하고 있었던 사실이다.

둘째, 영산재가 끝나고 나면 삼회향놀이라는 것이 있다고 하여 그 기능을 보유하고 그를 천태종에 전수하려 했다는 것이다. 당시 영산재의 기능을 보유하고 있는 자는 흔히 있었으나 '삼회향놀이'는 듣기는 했다고 하면서도 그 기능을 알지 못하고 있었는데, 권수근 스님은 그 기능을 정확하게 필자에게 구술하여 주었고, 이를 천태종에 전수하려 했음은 특기할 만한 일이다.

천태종이 새삼 영산재의 뒤풀이 성격을 지니면서 전통적인 민족 축제의 뿌리가 되었을 것으로 생각되는 삼회향놀이를 복원하려는 의도는 바로 이상과 같은 권수근 스님의 전통문화에 대한 기능을 오늘에 되살리려는데 목적이 있지만 다른 한편 이 같은 삼회향놀이는 천태교의와도 잘 부합되어 지금까지 춘광 스님을 중심으로 그 정신을 계속 살려왔다는 데 있다.

삼회향 또는 삼회향놀이란 영산재를 비롯한 각종 재에 참여했던 모든 대중이 각기 다른 기능을 발휘하여 조화를 이루게 한다는 데 그 축제성과 예술성의 참뜻을 찾을 수 있다. 이 같은 삼회향의 참뜻은 천태종의 핵심 교의 체계인 공·가·중의 원융삼제의 정신에 잘 합치되는 것이라 이해되어 주목을 끌게 한다. 그리하여 천태종의 춘광 스님은 한편으로는 권수근 스님의 기능을 전수하고 다른 한편 삼회향의 정신을 원융삼제의 실천으로 인식하면서 천태종의 영산재와 삼회향놀이를 확립하는 데 오랜 시일에 거려 심혈을 기울이고 있다. 그 방법으로는 전국에 산재해 있는 범패와 전통 불교의식의 기능을 모두 수용하여 그를 융합하여 천태종 영산재를 확립하려 하고 있다는 것이다. 따라서 여기에는 태고종과 조계종뿐만 아니라 지역적으로는 경인 지역을 비롯하여 전라도, 충청도, 경상도, 강원도 지방의 지역 차이에서 오는 기능까지 모두 수용 융합하면서 천태종의 영산재가 형성되고 있는 것임을 지난 2004년 9월 구인사에서 행한 『수륙영산대재 및 생전예수재』에 참가하여 그 실태를 조사하면서 알게 되었다. 이는 영산재 참여 대중의 모든 기능을 융합하여 표출되는 삼회향의 정신에 일치되어 천태종이 삼회향놀이를 복원, 전승하려는 취지가 충분히 이해되는 바라 하겠다.

이 같은 삼회향놀이의 복원은 오랜 역사를 지닌 우리나라의 민족적 축제의 기원을 되찾고 그를 복원하기 위한 계기를 마련해주고 있다는 데서도 그 역사적 의미가 큰 것이라 할 수 있다. 왜냐하면 축제란 융합을 기하는 데에 그 참뜻을 발견하게 되고 그 같은 축제는 종교적 정신을 기반으로 하고 있다는 점을 간과할 수 없게 되기 때문이다.

2. 삼화사 수륙재의 연원과 구조적 의미

1) 개요

수륙재는 아란에 의하여 시아귀회로 시작되었다고 한다. 이 같은 시아귀회는 본디 수행법이었으나 후일 영혼 천도의례를 수용하여 수륙재라고 하는 대규모의 의례구조를 형성하게 되었다. 수행법으로서의 시아귀회는 아귀도에 떨어진 생류(生類)를 구제한다고 하는 불교의 모든 생명에 자비심을 일으켜 공양한다는 보공양의 사상에 의거하고 있으나 결국 대승불교의 보살행으로서의 보시행을 실천하는 수행법인 것이다. 그러나 이와 같은 수행법으로서의 아귀회가 고통을 덜어준다는 기원의례화 하면서 수륙재의 의궤가 성립되고 그에 따른 수륙재가 오늘에 전승되고 있는 것이라 하겠다.

수륙재와 시아귀회와의 관계는 현존 각종 수륙의문에서 쉽게 찾아볼 수 있다. 즉, 하단소청의례에서 변식진언 감로수진언 일자수륜관진언 유해진언

등의 사다라니를 화창하고 나서 아귀의 본존불인 ① 보승여래 ② 묘색신여래 ③ 감로왕여래 ④ 광박신여래 ⑤ 이포외여래의 불덕을 선양하는 의례가 그와 같은 것이다. 그리고 감로탱화의 도상도, 수륙재가 시아귀회에서 비롯된 것임을 잘 일러주고 있다. 그리하여 수륙재는 법계 6도 일체의 군생을 소청하여 공양 시식하는 의례로 전개되고 모든 의례는 갈등 구조를 해소하고 화합의 장을 열어가는 패턴으로 짜여 있다. 결국 상호소통의 길을 열어준다는 것이다. 먼저 결계작법에 의하여 의식도량을 정화하고 천상 공중 육지 지옥의 성범(聖凡)의 가호를 발원하여 법계의 성스러운 도량에 보다 자유스럽고 편하게 강림할 수 있도록 사자단 의례와 오로단 의례를 행한다. 그리고 법계 6도 일체의 군생을 상단, 중단, 하단으로 나누어 소청하여 삼보를 예경하고 모두가 다 같이 불과를 성취하기 위하여 부처님의 공덕을 찬탄 참회하고 목욕 수계하여 공양하고 수희 회향 발원하여 봉송하는 의례로 끝난다.

이 상을 중국의 수륙재에서 보면 법계 6도 일체의 군생을 소청함에 있어 상당, 하당으로 소청하고 있음이 다르고 또한 내단, 외단으로 나누어 의례를 행하는데 외단의 불사는 내단에서 행하는 수륙재가 원만 성취되기를 기원하는 법회이다. 일본의 수륙재는 류안지(龍安寺)에 「무차수륙대재기」가 전하여 그에 의하면 수륙재는 원래 시아귀회의 일종으로 이해되고 시아귀회와 우란분회가 습합되어 오늘에 전하고 있다.

2) 수륙재의 연원

오늘에 전하는 각종 수륙재의 의문에는 그 첫머리에 설회인유편 이라하여 수륙재의 연원에 대하여 다음과 같이 밝히고 있다.

듣건 데 경희 아난이 그 때에 초면 귀왕을 만나 가르침을 일으키는 첫

기틀을 마련하고 양 나라 황제가 꿈속에서 신승을 만나 감명을 받고 후대 법연의 법도를 이었다고 한다. 이때부터 법연은 막힘이 없어지고 중생들은 귀의할 곳이 생겨 원수와 친한 이가 평등하게 은혜를 입고 범부와 성인이 모두 함께 이익을 얻게 되었다.

그 공훈은 가장 훌륭하였고 이로운 구제는 더욱더 많아져서 그것이 큰 일을 하는 인연이 되고 공덕 또한 그지없게 되었다. 그 공훈은 가장 훌륭하였고 이로운 구제는 더욱더 많아져서 그것이 큰일을 하는 인연이 되고 공덕 또한 그지없게 되었다.

오늘 밤 큰 시주 아무개가 삼가 어떤 일을 하기 위하여 넓고 큰 원력을 세웠으니 평등한 자비를 일으켜 수륙재가 지니는 남다른 이익을 바르게 이어받아 범부와 성인이 서로 통하는 모임이 되기를 바랍니다.

대대 삼계를 뛰어넘어 성인의 부류에 든 사람은 위에 자리를 마련하고 삼계에 얽매어 고통의 윤회 안에 있는 사람들은 아래에 자리를 설치하였다. 성인의 부류에 든 사람들은 빠짐없이 널리 공양하도록 하고 고통의 윤회 속에 있는 사람들은 모두 세상을 떠난 사람들의 명복을 기원 한다. 이리하여 삼보의 넓은 업적을 우러러보고 사생의 엷은 복에 도움이 되어 은혜를 베풀어도 낭비하지 않고 이익은 더욱 깊어질 것입니다. 처지로 따지면 나와 남의 차별이 있겠지만 마음은 미워하고 친근히 여기는 차이가 끊어질 것이니 원수와 친지가 모두 평등하고 범부와 성인이 원만하게 원융하는 수륙무차법화라 이름 지어 말할 뿐이다.

이제 의식을 거행함에 있어 특별히 뒤에 글이 있으니 오직 대성인께서는 큰 자비로 가지를 굽어 내리시어 모든 일이 다 원만하게 이루어지게 하소서. 필요로 하는 수인과 계인(契印) 등의 법구는 작은 책자에 실려 있으므로 여기에는 거듭 기록하지 않는다.

3) 수륙재의 의궤

현존하는 수륙재의 의궤는 중국에서 편찬되어 한국에 전해졌다. 중국 수륙재를 문헌에 의하여 총정리한 마끼다(牧田) 박사에 의하면 수륙재는 북송 초기 자운준식(964-1032)의 『금원집』「시식정명」의 항에 수륙(水陸)이란 명칭이 초출되고 오나라, 월나라 등에서 수륙당이 설치되었다. 수륙재는 시아귀회와 다르지 않는 시식의 일종이라 하고 있다. 중국 수륙재의 의문은 가장 오래 된 것으로 양악의 의문 3권이 있었다고 하나 전해지지 않고 또한 남송시대의 위공사호란 사람이 금산사에서 수륙재를 보고 후일 의문을 만든 일이 있어 이 금산사계통을 북 수륙이라고 하나 현존하지 않는다. 이에 비해 남송말 지반(1269)이 정비한 의궤가 전한다. 『불조통기』에 의하면 위공사호의 것이 아직 평등 수공의 뜻을 전하지 않고 있어 신의 제 6권을 만들었다는 것이다. 그리고 명말 문서주굉(1615)이 이를 중정하고 다시 청대의 진적의윤(1823)이 작법이나 규칙 등을 상술하여 간행한 『법계성범수륙보도대재승회수재의궤』를 편찬하여 이것이 오늘날 중국 수륙재의 의궤가 되고 있는데 이 같은 수륙재를 남 수륙재라 한다.

이와 같은 중국 수륙재에 비해 한국에서는 오늘날 중국에는 전하지 않는 북수륙 계통의 『천지명양수륙재의찬요』 등에 의한 수륙재가 대세를 이루고 있다. 한편 양무제 천감 4년(505)에 편찬되어 수륙재를 행했다는 수륙의 문은 아란이 초면귀왕을 만났다고 하는 연기의 경전인 『구발영구아귀다라니경』, 『구면연아귀다래신주경』 등이 양대보다 훨씬 후대의 역출이라 후세의 부기임이 확실시 된다.

4) 수륙재의궤의 구조적 성격

수륙재 의례구성의 핵심은 성현과 6도 사성을 초청하여 찬탄 참회 공양 목욕하고 수희 회향 발원하여 그 공덕을 얻으려는데 그 목적이 있다. 그리고 수륙도량에 소청되는 성범(聖凡)은 평등하게 소통한다는 기능을 지닌다. 또한 소청되는 성범의 수가 점차 증가되어 의례를 새롭게 첨하하거나 분리 독립하는 등으로 의례구성이 비대화하는 경향이 있다. 그것은 시대에 따라 유행한 민중의 욕구나 신앙형태를 적극적으로 수용한 결과로 보인다.

한국 수륙문의 대종을 이루고 있는 『천지명양수륙재의찬요』나 중국수륙재의 기본을 이루고 있는 『법계성범수륙보도대재승회의궤』 등에 의하면 여기 전자는 하늘과 땅 이승과 저승 물과 뭍에 처한 모든 성(聖)과 범(凡)이 모두 하나 되어 공양과 법시를 함께 받아 소통하고 화합을 이룬다는 의미를 내포하고 있다. 이는 인간 세상만이 아니라 전 우주를 대상으로 하고 있다는 느낌이다. 왜냐하면 비정불성설(非情佛性說)에 의하면 세계란 자기와 그 인식의 대상이 되는 것과의 상관관계에 의하여 형성되고 있으며 이와 같은 관계는 유정(有情)의 세계에서만이 아니라 자기와 무정(無情)의 것과의 관계 속에서도 형성된다는 성구사상(性具思想)을 연상케 하고 있기 때문이다.

한편 오늘날 중국 수륙재의 의궤가 되고 있는 『법계성범수륙보도대재승회의궤』에 의하면 제불보살과 중생은 성평등이므로 법계라 하고 성범(聖凡) 십종의 차별이 있으므로 성범이라 하고, 수륙이란 중생 수보의 처가 수륙공의 세 곳이나 수륙은 공에 섭수되고 수륙의 두 곳은 고통이 무거우므로 부쳐진 이름이며 보도란 6도의 차이는 있으나 모두 해탈하여 제도되지 않는 것이 없음을 뜻하며 대재란 시식을 하기 때문이며 법시(法施)이므로 승회라 한다는 것이다.

이상에서 보면 구제자나 피구제자가 모두 한자리에서 만나 같이 먹고 법(法)을 같이 하고 널리 고통 받는 중생을 섭수하여 서로 소통하고 원융한 세상을 이루게 한다는데 수륙재의 의의가 있음을 잘 일러주고 있다. 요컨대 수륙재는 개인의 조상을 위하거나 개인의 수명장수를 위한 수단이 아니라 이 누리의 성범(聖凡)이 다 같이 공양 받고 소통하여 원융한 세상을 이룬다는 보도

(普度)의 구현에 그 참된 목적이 있는 것임을 재확인하게 된다.

5) 의례의 표현양식과 도량장엄

(1) 의례의 표현양식

재의식의 모든 표현양식은 음악적으로 표현한다는 특징을 지닌다. 의식을 범패 화청 등으로 진행하고 있음이 그와 같은 것이다. 이 같은 양식은 중국의 수륙재도 같은 것임을 알 수 있다. 즉 중국에는 두 가지 양식이 있는데 그 하나는 복건성의 고산(鼓山)에서 행해진 것을 복건류라 하고 다른 하나는 해조음류(海潮音流)라는 강소성 계통에 속하고 무석(無錫)의 금산사 등에 전승된 범패형식이 그와 같은 것인데 해조음류에서는 의식에 사용되는 악기도 법고, 범종, 목어 등에 한정된 조용한 불교의례이나 고산류는 불교법구 외에 일반에서 사용하는 악기 등을 사용하여 의식의 장엄을 더 하게 하고 있다. 다른 한편 현교와 밀교적 의례행위를 동시에 행하는 진언의 독송이 많은 것이 특징이고 이와 곁들여 수인을 맺고 있어 수륙재는 밀교의례라 해도 무방한 것이라 생각한다. 그것은 수륙재는 밀교의례인 시아귀회에서 비롯되었다고 생각하기 때문이다.

이상에서 보면 수륙재는 의식이면서 음악이고 신비적인 것이며 또한 주술적인 것이라 할 수 있다. 따라서 재의식 등에서 보면 일단 모든 의식은 선율을 지닌 음악성으로 표현한다. 그런데 그 음악적 표현에는 범패가 있고 염불성이 있다. 그리고 이와 같은 다양한 음악성은 정연한 체계를 갖고 의식절차를 이룬다. 그 같은 의식절차 속의 음악성은 찬탄 신비 주술 등의 감정을 유발한다. 거불 유치 청사 등에서는 찬탄 귀의의 감정을, 각종 발원문 등에서는 신비적 감정을, 각종 다라니 등에서는 주술적 감정을 불러일으키고 있는 것이라 생각됨이 그와 같은 것이다.

또한 의식에서 범패를 하는 것은 작범(作梵)이라 한다. 범패를 짓는다는 뜻인데 이는 오늘날 짓소리, 홑소리 하는 짓소리의 어원이 되고 있다. 넓은 의미의 범패는 짓소리, 홑소리, 쓸어접스는 소리 등이 있는데 이들 음곡의 구성요소를 보면 장인(長引) 곧 길게 끈다 또는 음다유굴곡(音多有屈曲) 등으로 요약할 수 있다. 다른 한편 안차비소리, 바깥차비소리 등의 구분이 있다. 안차비소리란 법당 안에서 법주가 요령을 흔들면서 음악 없이 하는 소리이고 바깥차비소리란 야외에서 장식음을 사용하며 작범하는 소리이다. 즉 바깥차비소리에서 본격적인 범패성을 낼 수 있다는 것이다. 이는 이자일음(一字一音)식 음악이 아니라 한자를 길고 곡절 많게 늘어뜨려 부르는 것이다. 그리고 이와 같은 범패는 범패 전문 승에 의하여 부르게 된다. 그렇다면 범패 전문 승에 의하여 독창으로 부르는 형식 이외에 어떤 방법의 형식이 있을까 대체로 다음과 같은 형식을 생각할 수 있다.

첫째, 전문 승이 독창하는 것, 둘째 1인이 독창하고 나면 대중이 그것을 반복하는 것, 셋째 장엄염불 같이 1승이 창하면 대중이 그것을 반복하지 않고 불명으로 화창하는 것, 넷째 1승이 한 범패를 창하는 도중에 대중이 다른 범패로서 그에 합치는 것 등이다.

이상에서 보면 불교음악의 핵심은 작범, 즉 바깥차비의 짓소리라 할 수 있는데 그 특징은 장인(長引)하고 음다유굴곡(音多有屈曲)한 것이라 이 같은 소리는 같은 불교의식을 하루 재, 이틀 재 등으로 짧게 하기도 하고 7일재 등으로 길게 하기도 하여 그 선율에 어느 정도의 장식음을 사용하는가에 따라 그 길고 짧음이 정해진다. 불교음악이 어떤 장단의 규격에 얽매인 음악이 아니라 자유로운 선율을 유연하게 구가하는 음악임을 알 수 있고 나아가 이와 같은 유연한 불교음악은 전문 승에 의한 음악 일반대중이 같이 하거나 선후창으로 하는 음악을 있게 하여 종국에는 대중이 제각기 나름대로의 기능을 다하게 하여 화합을 이루는 연기론적 의미를 나타내고 있는 것이라 할 수 있다.

어떻든 이와 같은 불교음악은 직선의 미학이 아닌 곡선의 미학이요 유연하고 부드럽고 모든 것을 감싸 안는 완만한 여유로움의 미학이다. 장인, 음다유굴곡이 그를 잘 일러 주고 있다. 그에 장식음을 가미하고 보면 모든 중생을 끌어안는 자비의 미학이 된다.

(2) 도량장엄

수륙재의 도량을 장엄하기 위해 수륙재에 소청되는 많은 성형들을 불화로 그렸다는 중국의 다음과 같은 기록은 그 장엄의 양상을 짐작하게 한다.

중화년중(中和年中, 881-884) 촉(蜀)에 우거한 화가 장남본(張南本)이 성도(成都) 보력사(寶歷寺)의 수륙원(水陸院)을 위해 천신, 신지, 삼관, 오제를 비롯하여 신선에 이르기까지 화상(畵像)을 120여 폭을 그렸다고 하는 것은 수륙재를 열기 위해서는 수륙원 주변에 이와 같은 많은 불화류가 걸려 법회에 초청되고 있음을 일러주고 있어 그 장엄상을 짐작하게 하고 있다.

우리나라 수륙재도 상단의 각종 괘불, 중단의 삼장탱화나 신중탱화, 하단의 감로탱화 등은 수륙재의 도량을 장엄하는 대표적인 불화라 할 수 있으나 그 외에도 중국의 고 기록에서 보는 것처럼 수륙재에 초청되는 모든 성범(聖凡)을 불화로 그려 장엄하였을 가능성은 충분히 추찰된다. 왜냐하면 오늘날에는 그를 대신하여 각종 번(幡)을 내어 걸어 장엄의 극치를 이루게 하고 있기 때문이다. 어떻든 이와 같은 도량장엄은 의식도량의 신성성을 상징화하고 감각하게 하는데 큰 의미를 부여하고 있는 것이라 생각된다.

6) 수륙대재의 현대적 의미

삼화사가 23일부터 3일간에 걸쳐 거행하는 수륙대재는 단순히 불교신앙의례에 머무는 것이 아니다. 그것은 오늘날 우리사회가 안고 있는 여러 가지 문제점들을 파악하고 그를 극복할 수 있는 사회분위기를 조성하고 있다는데 현대적 의미를 찾을 수 있다.

수륙재의 종교적 의미는 우주공간에 널리 떠돌고 있는 유주무주의 고혼들을 모두 극락왕생 하도록 천도한다는데 목적을 둔 불교의례이나 그 방안이 다음과 같이 현대적 사회문제들을 풀어나갈 수 있는 길을 열어주고 있어 주목된다. 우선 수륙대재는 모든 중생에게 평등한 자비를 베푼다는 데서 막힘없는 소통의 길을 열어주고 있다. 우주공간의 모든 성현과 범부중생을 모두 의식도량에 초청하여 보리심을 일으켜 평등하게 됨을 발원, 기원함이 그와 같은 것이다. 그리고 소통의 길을 열어나가는데 장애가 되는 모든 요소들을 제거해나간다. 자신을 정화하고 주변 환경을 정화해가는 것이 그것이다. 이처럼 수륙대재는 대 우주관에 의한 구성요소가 서로 소통하고 융합함으로서 죽은 자만이 아닌 살아 있는 자에게도 큰 공덕이 되어 큰일을 하는 인연을 맺게 되는 것임을 알 수 있다.

오늘의 우리사회는 이기주의에 만연되어 사회적 갈등을 유발시켜 제 분야에서의 발전을 저지시키고 있다. 뿐만 아니라 환경의 오염과 파괴는 인류의 앞날에 심각한 우려를 갖게 한다. 이 모두는 상호간에 소통하고 융합하지 못한데서 오는 소치이다. 따라서 국제화시대에서 융합의 묘도 살리지 못하여 낙오될 염려도 져버릴 수 없다. 수륙대재는 이처럼 부조화의 사회현상을 모두가 소통하는 큰 그릇으로 극복하려 하는 것이다. 삼화사의 수륙대재는 조선초기부터 배불의 사회에서도 끊임없이 나라에서 행하는 국행으로 거행되어 왔다. 그것은 수륙재가 종교의례를 넘어 여러 가지 사회문제를 풀어나갈 수 있는 큰 생각이 담겨있고 그러기에 큰일을 할 수 있는 사회분위기를 이끌어 나갈 수 있었기에 가능했던 것이라 믿어진다.

한편 수륙대재는 융합의 정신을 발휘하여 조선시대 문화발전에도 기여해 왔다. 그리고 그것이 오늘날의 중요한 문화 콘텐츠로 각광받고 있다는 사실도 간과할 수 없다. 수륙재의 의식절차는 밀교의례가 큰 줄기를 이루고 있는데 이는 신비주의와 상징주의를 표방하고 있다는데 주목을 끈다. 오늘에 전하는 감로탱화와 삼장탱화가 그 대표적인 소산인데 이들 불화가 내국인뿐만 아니라 외국인에게까지 깊은 관심의 대상이 되고 있음은 우연한 일일 수 없는 것이다.

삼화사 수륙대재는 수륙대재가 지니는 종교적, 사회적 의미를 충분히 인식하고 수륙재의 사회적 의미를 현대사회에 되살리려는 동해시의 협조와 배려는 큰 의미를 가진다. 특히 동해시장이 행향사(行香使)로서의 역할을 수행하여 국행수륙재의 형식을 갖추었다는 것은 수륙재의 정신을 삼화사에서뿐만 아니라 전국적으로 확산시키는데 크게 기여할 것으로 기대된다. 그리고 이에 걸맞은 수륙재를 거행하기 위하여 본연의 제의를 원만하게 거행해 나갈 수 있도록 진력한 삼화사 원명 주지스님의 공덕 또한 수륙재의 종교적 의미를 더욱 깊게 해준 것으로 믿는다.

7) 맺음말

그러면 이상과 같은 수륙재의 구성은 어떤 사상적 배경을 지니고 있는 것일까 그것은 천태의 원융삼제의 사상이나 화엄의 중중무진 원융무애의 사상이 있고 밀교의 신비주의 상징주의가 있는 것이라 믿어진다. 왜냐하면 제 불보살과 제신, 제존에서부터 삼계 만령의 일체 정령을 초청하여 공양하고 수계하여 어떤 보잘것없는 중생도 정토에 왕생할 수 있다는 사실을 이들 사상에서 살필 수 있다고 믿기 때문이다. 그러나 오늘의 수륙재는 조상에 대한 영혼천도 그리고 그 공덕을 자신에게 회향하여 자신이나 가족의 행운을 비는 것이 주목적이 되어 있다. 그렇지만 수륙의례의 내용과 구성절차에서 보면 보도(普度)의 정신이 철저하며 6도 일체중생을 위하여 대규모의 의례를 행하는 것임을 잘 나타내고 있어 의식의 전환을 필요로 하는 것이라 생각한다.

3. 진관사 수륙재의 역사성

진관사의 수륙재는 조선 초기 권근의『양촌집』과『조선왕조 실록』에 그 구조적 성격을 파악할 수 있는 귀중한 자료가 수록되어 있어 한국 수륙재의 역사적 상황을 이해하는데 큰 도움을 주고 있다.

한편 진관사의 수륙재가 오늘에 전승되고 있음은 불교민속의 형식을 빌린 민중불교의 형태로 전해지고 있는 것임을 간과할 수 없게 된다. 왜냐하면 오늘에 전하는 수륙재는 물과 뭍에서 떠도는 유주무주의 고혼을 천도하여 그 공덕을 회향 받는다고 인식되어 그 의식도량을 강가나 바닷가에 설행함으로서 재래의 용왕신앙과도 깊은 관련을 지녀왔기 때문이다. 그러나 최근에 와서 수륙재에 대한 사회적 관심이 확대되면서 수륙재는 다시 본연의 모습을 되찾고 있다는데 주목을 끌게 한다. 모든 수륙재의 의궤는 설회인유(設會因由)편이라 하여 다음과 같이 설하고 있다.

> 경희(아란)가 그때에 초면 귀왕을 만나 가르침을 일으키는 첫 기틀을 마련하고 양나라 황제가 꿈속에서 신승(神僧)을 만나 감명을 받고 후대 법연(法筵)의 법도를 이었다.

이는 양무제 때에 수륙재가 시작되었다고 전하는 설화이나 그것은 수륙대재영적기(水陸大齋靈蹟記)에 의하면 양무제의 꿈에 고승이 나타나 수륙재를 행할 것을 권하여 보지(寶誌)의 권유에 의해 대장경을 섭렵한 결과 아란이 초면

(焦面) 귀왕(鬼王)을 만나 평등의 법식을 베풀어야 됨을 알고 의문(儀文)을 만들어 천감 4년(505) 금산사에서 수륙재를 처음 베풀었고 그 뒤 진・수(陳・隨)의 사이에는 전하지 않았고 당나라 시대에 법해사(法海寺)의 도영선사(道英禪師)(670~673)가 또 꿈에 이인(異人)을 만나 그 가르침에 의해 대각사의 오승(吳僧) 의제(義濟)로부터 양무제의 법식 재문(齋文)을 받아 수륙재를 부활하니 다시 이인(異人)이 그 도속과 더불어 나타나 진(秦)의 장양왕이라 하고 감사의 뜻을 표하였다고 한다.

이상이 수륙재에 관한 설화의 완성된 형식이며 석문정통(釋門正統)(1237撰)이나 불조통기(佛祖統記)(1269撰) 등의 기술에 영향을 주어 현재까지 전해오는 설화이나 아란이 초면귀왕을 만난다고 하는 경전인 구면연아귀다라니신주경(救面然餓鬼陀羅尼神呪經) 등이 당나라 때에 역출되었고 양무제 때 보지의 전(傳) 중에 이상의 설화는 없고 도영의 전에는 장양왕의 사실만 전하고 수륙재에 대한 아무런 기술이 없어 전술한 설화 내용은 사실(史實)이 아닌 것이라 할 수 있다. 요컨대 전술한 설화내용과 관계된 수륙재의 의식문은 오늘에 전하지 않는다. 다만 여기서 추찰되는 것은 시아귀회(施餓鬼會)로 시작되었다는 것이다. 이 같은 시아귀회는 본래 수행법이었으나 후일 영혼천도의례를 수용하여 수륙재라고 하는 대규모의 의례구조를 형성됨에 의하여 민속화되었다.

수행법으로서의 시아귀회는 아귀도에 떨어진 생류(生類)를 구제한다고 하는 불교의 모든 생명에 자비심을 일으켜 공양하는 보공양의 사상에 의거하고 있으나 결국 대승불교의 보살행으로서의 보시행을 실천하는 수행법인 것이다. 그러나 이 같은 수행법으로서의 아귀회가 고통을 덜어준다는 기원 의례화 하면서 수륙재의 의궤가 성립되고 그에 따른 수륙재가 오늘에 전승되고 있는 것이라 하겠다.

진관사의 수륙재는 중흥사본(重興寺本)인 천지 명양수륙재의범음산보집(天

地冥陽水陸齋儀梵音刪補集)에 의거하고 있다. 중국 수륙재에 대한 연구에 밝은 마키다(牧田) 박사의 "수륙회소고(水陸會小考)"에 의하면 중국에서의 수륙재는 북수륙(北水陸)과 남수륙(南水陸)이 있었다고 하고 금산사를 중심으로 한 북수륙은 천지명양수륙대회의 의궤를 사용하였으나 현존하지 않는다고 하고 이에 대하여 남송 말 지반(志磐)이 정비한 의궤가 있는데 불조통기(佛祖統記)에 의하면 사호(史浩)의 것이 아직 평등수공(平等修供)의 뜻을 전하지 않고 있어 신의(新儀)6권을 만들었으며 이 계통의 수륙재를 남수륙재라 한다고 하고 있다. 그리고 다시 명말(明末)의 운서주굉(雲棲袾宏)(1535~1615)이 이를 중정(重訂)하여 그것이 오늘날 중국 수륙재의 기본이 된 것이라 밝히고 있다. 법계성범수륙승회수재의궤(法界聖凡水陸勝會修齋儀軌)가 그것이다.

오늘에 전하는 한국 수륙재의 의궤는 동국대 발간 고서목록(古書目錄)에 의하면 대부분이 『수륙명양수륙재의』 계통의 것이다. 동국대학의 고서목록에는 남수륙 계통의 의궤로 알려진 법계성범수륙승회수재의궤(法界聖凡水陸勝會修齋儀軌) 사명동호사문 지반근찬(四明東湖沙門志磐謹撰)이란 의궤가 전하는데 여기에 명나라 시대에 주굉(袾宏)이 증보했다는 기록이 없어 이 의궤가 오늘날 중국에서 설행하고 있는 수륙재의 의궤와는 차이를 보이고 있다. 아무튼 오늘에 전하는 한국 수륙재의 의궤는 고려시대 죽암(竹庵) 등이 편찬한 것을 조선시대 17세기경에 개판(改版)한 『천지명양수륙대회』 계통의 수륙재가 대세를 이루고 있는 것임을 알 수 있다.

전술한 한국 수륙재의 의궤의 명칭이나 그 절차에서 보면 천지명양수륙재의(天地冥陽水陸齋儀)는 하늘과 땅, 이승과 저승, 물과 뭍, 그리고 공중에 널리 유포하는 성중(聖衆)을 모두 소청하여 평등법식을 베풀고 이들이 소통하여 융합하고자 하는 재회(齋會)임을 알 수 있다. 수륙(水陸)의 의미는 속장경의 관계 문헌에 의하면 何謂水陸 擧依報故 六凡所依 其處有三 謂水陸空 皆受報處 今言水陸 必攝於

空이라 하고 있어 수륙의 의미는 본래 공(空)까지 포함하는 것이었음을 알 수 있다. 요컨대 수륙재는 개인의 조상을 위하거나 수명장수를 위한 수단이 되는 것만이 아니라 이 누리의 성범(聖凡)이 다 같이 공양 받고 소통하여 원융한 세상을 이룬다는 보도(普度)의 구현에 그 참된 목적이 있는 것임을 재확인 하게 된다.

진관사의 수륙재는 삼소(三所) 7단(壇)으로 구성되어 있다. 삼소는 시련, 대령, 관욕소 등을 말하는데 이는 수륙재에 소청되는 모든 성중(聖衆)을 맞이하여 대접하고 깨끗한 몸가짐을 하여 성범(聖凡)이 만날 수 있는 준비를 하는 의례를 행하는 장소를 말한다. 7단은 사자단, 마구단, 오로단과 상단, 중단, 하단으로 나누어 의례행위를 하는 것을 말한다. 여기 전 3단인 사자단, 마구단, 오로단은 성범이 아무 거리낌 없이 행보를 취할 수 있도록 하는 의례행위를 하는 의례단이며 상, 중, 하단은 성범(聖凡)을 나누어 공양하고 시식행위를 하는 의례단을 말한다. 이상과 같은 수륙재의궤의 구성은 성현과 6도 사성(四聖)을 초청하여 찬탄 참회 공양 목욕하고 수희 회향 발원하여 그 공덕을 얻으려는데 그 목적이 있는 것임을 알 수 있다.

이상 진관사 수륙재의례의 표현양식은 음악적으로 표현한다는 특징을 지닌다. 의식문을 범패 화청 등으로 진행하고 있음이 그와 같은 것이다. 다른 한편 현교와 밀교적 의례행위를 동시에 행하는 진언의 독송이 많은 것이 특징이고 이와 곁들여 수인(手印)을 맺고 있어 수륙재는 밀교의례라 해도 무방한 것이다. 그것은 수륙재가 밀교의례인 시아귀회에서 비롯되었기 때문이다.

이처럼 수륙재는 의식이면서 음악이고 신비적인 것이며 또한 주술적인 것이라 할 수 있다. 따라서 재의식 등에서 보면 모든 의식은 선율을 지닌 음악성으로 표현한다. 그 음악적 표현에는 범패성이 있고 염불성이 있다. 그리고 이와 같은 다양한 음악성은 정연한 체계를 갖고 의식절차를 이룬다. 그 같은 의식 절차 속의 음악성은 찬탄, 신비, 주술 등의 감성을 유발한다.

거불 유치 청사 등에서는 찬탄귀의의 감정을, 각종 발원문 등에서는 신비적 감정을 불러일으키고 있는 것이라 생각됨이 그와 같은 것이다. 또한 의식에서 범패하는 것을 작범(作梵)이라 한다. 범패를 짓는다는 뜻인데 이는 오늘날 짓소리 홑소리하는 짓소리의 어원이 되고 있다. 넓은 의미의 범패는 짓소리 홑소리 쓸어접스는 소리 등이 있는데 이들 음악의 구성요소를 보면 잔인(長引) 곧 길게 끈다. 또는 음다유굴곡(音多有屈曲) 등으로 요약할 수 있다. 따라서 범패는 일자일음(一字一音)식 음악이 아니라 한자를 길고 곡절 많게 늘어뜨려 부르는 것이다.

이상에서 보면 불교음악의 핵심은 작범(作梵), 즉 바깥차비소리의 짓소리라 할 수 있는데 그 특징은 장인굴곡(長引屈曲)한 것이라 이 같은 소리는 같은 불교의식을 하루 재, 이틀 재 등으로 짧게 하기도 하고 7일재 등으로 길게 하기도 하여 그 선율에 어느 정도의 장식음을 사용하는가에 그 길고 짧음이 정해진다. 그것은 불교음악이 어떤 장단의 규격에 얽매인 음악이 아니라 자유로운 선율을 유연하게 구가하는 음악임을 알 수 있다. 어떻든 이와 같은 불교음악은 곡선의 미학이요 유연하고 부드럽고 모든 것을 감싸 안는 원만한 여유로움의 미학이다. 수륙재의 의례내용과 구성절차에서 보면 보도(普度)의 정신이 철저하여 6도일체중생을 위하여 대규모의 의례를 행하는 것임을 알 수 있다. 이상과 같은 수륙재의 보도(普度)의 정신을 현대사회에 관련시켜 보면 각계각층의 갈등을 겪고 있는 사회계층은 갈등구조에 따른 상, 중, 하의 화합사회로의 초청대상이며 그곳에서 처방된 사회는 바람직한 미래사회로 돌아올 것이다. 여기서 미래를 초청해야 현재의 갈등이 풀리는 법이라는 송호근 교수의 시사논평(중앙일보, 2004. 7. 16)이 시사하는 바 있어 주목을 끌게 한다.

4. 봉은사 생전예수재의 전통과 구성

1) 서론

예수재는 수륙재, 영산재 등과 더불어 우리나라 불교 3대 재의식의 하나이다. 이들은 신앙적 의미가 서로 달라 그에 따른 의례적(儀禮的) 구조도 차이점을 보인다. 이들 중 영산재와 수륙재는 무형문화재로 지정하여 보존하고 있으나 예수재는 그 특수성이 인정됨에도 불구하고 아직 문화재로 지정받지 못하고 있어 체계적이고 연속적인 전승을 어렵게 하고 있다.

불교의례는 재(齋)와 불공(佛供)로 나누어지며 이 중 재(齋)는 문화적 복합체란 성격을 지니고 전문승에 의해 설행된다는 특징을 지닌다. 이 글에서는 예수재가 지니는 문화적 복합체로서의 의례적 구조를 파악하고 나아가 그 의례구조가 갖는 신앙적・문화적 의미가 어떤 것인가를 규명해보기로 한다.

2) 재(齋)의 개념과 예수재

불교의례는 재와 불공으로 나누어지는데 이 중 재는 문화적 복합체라는 성격을 지닌다. 따라서 재의식은 전문승에 의하여 설행된다. 불공은 이와 달리 소망성취를 위한 단순한 기원 의례의 성격을 지닌다. 따라서 설행양식도 간단하며 문화구조도 단조롭다.

오늘에 전하는 한국불교의 재의식은 대체로 다음과 같은 유형을 지닌다. 수륙재, 생전예수재, 영산재, 각배재, 상주권공재는 재의식의 형식에 대한 분류이다. 즉 수륙재는 사성육도(四聖六道)의 성중을 초청하여 유주무주의 고혼을 평등하게 천도한다는 내용을 지닌다. 생전예수제는 사후세계에서 심판을 받는다는 신앙을 토대로 죽기 전 살아생전으로 업보를 소멸하겠다고 스스로 참회하고 성찰한다는 내용을 지닌다. 이와 같은 내용을 지니는 재(齋)를 어떤 형식으로 설행할 것인가에 따라 다양한 형식이 출현하게 된다. 즉 수륙재나 생전예수재는 영산재의 형식, 각배재의 형식, 상주권공재의 형식을 선택할 수 있다는 것이다. 이에 따라 영산수륙재·영산예수재와 같은 명칭이 생겨났다. 이로 인해 오늘날에 와서는 이 같은 분류양식이 혼돈을 일으키고 있어 전통문화로서의 재의식문화를 이해하는데 혼란을 겪고 있다. 그러나 이 혼란은 불교의례의 분류와 그 변천과정을 이해하면 어렵지 않게 극복할 수 있다.

불교의례와 의식은 원래 자율(自律)·자수(自修)의 수행 행위였으나 세월이 지나면서 점차 수행 행위에 공덕을 인정함으로서 자타공수(自他共修)의 형태를 지니게 되었다. 이 공덕을 타인에게 회향(回向)하기 위하여 승직자(僧職者)에게 의뢰하여 타수적(他修的)로 의례를 행하는 과정을 거치게 된다. 이 같은 의례를 대타의례(對他儀禮) 또는 타행의례(他行儀禮)라고 한다. 진술한 수륙재나 생전예수재는 모두가 전문 승직자에게 의뢰하여 행하는 타행의례이다. 전문 승직자는 의례의 전문성을 효과적으로 발휘하기 위하여 영산재, 각배재, 상주권공재와 같은 형식을 구축하게 되었다. 동일한 재의식을 하더라도 영산재, 각배재, 상주권공재 등의 의식을 행하는 다양한 형식이 등장하였다. 즉 영산재는 석가가 영축산에서 법화경을 설하는 당시의 법회모습을 상징적으로 표현한다. 따라서 법회의 형식이 장엄스러워 다양한 범패성과 진언, 다라니, 그에 따른 의식 무용이 다양하게 펼쳐지고 의식도량에 대상을 청하는 청사(請詞)도 장엄을 더하게 된다.

이에 비해 각배재는 법회의 장엄성에 중심이 주어지는 것이 아니라 구체성(具體性)에 주안점을 둔다는 특징을 지닌다. 예컨대 신앙의 대상을 법화도량에 청하는 절차에서 다양한 신앙대상을 같이 초청하는 도청(都請)의 형식이 아니라 시왕(十王)과 그에 따른 권속을 각각 초청하고 그에 필요한 의례를 행하는 방식이다. 따라서 의례내용이 구체성을 지니고 진행시간이 길어져 3일재, 7일재 등으로 행하게 된다. 이것은 의례의 장엄성이라 하기보다 구체성에 주안점을 둔다는 점에서 많은 차이점을 보인다.

한편 이들 영산재나 각배재에 비해 상주권공재는 평상시에 행하는 일상 의례의 형식을 그대로 재의식에서 행한다는 특징을 지닌다. 그러하여 재의식에 필요한 기본형식만으로 진행하기 때문에 단조롭고 장엄성이 생략되어 범패 등의 전문성도 떨어진다. 영산재나 각배재를 행하는 전문 승이 없을 경우에 이 형식을 많이 취한다. 그런데 오늘날의 재의식은 3일재, 7일재 등이 번잡하다고 하여 생략하는 경향이 있다. 즉 영산재·각배재의 형식을 이 상주권공재의 일상의례에 맞추어 영산재의 상징성과 각배재의 구체성을 드러내는 형식만 갖추려는 추세를 보이고 있다. 그 결과 오늘의 영산재나 각배재는 대부분 하루 만에 모두 끝내고 있다.

예수재나 수륙재는 재를 행하는 형식이 아니라 재의식의 내용을 지칭하는 것이다. 즉 예수재는 살아생전 본인이 스스로 공적을 닦아 사후에 극락왕생하겠다는 내용이 담겨 있다. 따라서 여기에 필요한 내용을 의례절차에 행하는데, 그 형식을 영산재나 각배재 또는 상주권공재 중의 하나를 택하게 된다. 그 결과 영산예수재 등의 명칭이 생겨나게 되었다. 예수재는 사후 극락왕생만을 위하여 스스로 닦는 종교의례에 국한되지 않는다. 왜냐하면 예수재를 행함에 있어서 참회하고 앞날을 성찰한다는 신앙심이 녹아 있으므로 극단적인 이기주의에 빠져 있는 현실사회에 예수재의 정신이 뿌리 내린다면 오늘의 사회를 정화하는 기능을 할 수 있기 때문이다. 이러한 맥락은 수륙재에서도 발견되는데, 수륙재는 유주(有主) 무주(無主)의 고혼을 평등하게 천도하는 불교의례지만 결코 여기에 머물지 않는다. 의례대상은 사성육도(四聖六道), 즉 10계(十界)의 대상이 서로 공경하고 법식(法食)을 베푼다는 철저한 평등정신이 곁들어 있으며, 오늘의 사회에 소통과 화합을 가져오는 기능이 있어 수륙재도 재의식의 내용을 지칭할 때는 영산수륙재라고도 한다.

3) 예수재의 의례구조와 문화적 성격

불교를 올바르게 이해하기 위해서는 살아 움직이는 동태적(動態的) 연구가 필요하다. 여기에는 교의(教義), 의례(儀禮), 교단(教團)라고 하는 3대 요소를 종합적으로 알아야 한다. 교의는 불교의 이념면에서 종교체험의 체계화란 점을, 의례는 행위적·표현적인 면에서 신앙의 확증과 심화를 가져왔다는 점을, 교단은 동신(同信) 공동체라는 면에서 동신의식(同信意識)을 어떻게 유지하여 왔는가라는 점 등 각각의 중요성을 내포하고 있다. 이들 3자의 관계에서 보면, 교단은 동신공동체로서의 동신의식의 바탕을 이루고 있는 신앙을 체계화한 교의를 기반으로 하여 발현된다. 그 행위적 표현으로서는 의례를 통하여 신앙의 확증을 심화하고, 그 의례가 갖는 집단적 구속력에 의하여 동신공동체로서의 연대감을 유지할 때 교단적으로는 종교의식의 외적 표출이며 기능적으로는 종교적 대상과의 합일의 상징작용이라 할 수 있다.

그렇다면 예수재를 종합적으로 이해하기 위해서는 몇 가지 전제가 필요하다. 우선 교의적인 면에서 예수재를 규명할 수 있다. 그리고 행위적 표현으로서의 의례적인 면에서도 규명할 수 있다. 그러나 교의적인 배경이 없는 의례는 단순한 육체적·생리적 동작에 지나지 않기 때문에 여기서는 종교 활동으로서의 의미를 구할 수 없다. 역으로 행위를 수반하지 않는 이념은 비현실적이며 구체적 실증과학의 대상이 되기 어렵고, 문화사상(文化事象)으로서의 존재성까지 의문시 된다. 그러므로 모든 문화현상은 그에 대응하는 내면적 의식형태를 내포할 때 그 존재성을 완성하게 되는 것이라 하겠다. 그러므로 예수재는 먼저 교의적인 이해를 바탕으로 이어 의례적인 형식을 살펴볼 때만이 오늘의 살아 있는 예수재의 참모습을 알 수 있을 것이다.

4) 예수재의 신앙구조와 그 성립과정

예수(豫修)란 자신의 공덕을 미리 닦는다는 의미이다. 즉 죽은 이후의 공덕을 미리 닦아 죽은 이후에 안락의 세계에 안주하겠다는 것이다. 여기에는 그 신앙적 구조를 뒷받침할 예수재의 경전적 체계가 있어야 하고, 그 실현을 위한 행위적 표현으로서의 예수재 의례가 있어야 한다. 예수재를 실현하는 교의적 근거로는 『불설염라왕수기사중역수생칠왕생정토경(佛說閻羅王授記四衆逆修生七往生淨土經)』이 있다. 이를 줄여서 '불설예수시왕생칠경(佛說預修十王生七經)' 또는 '예수시왕생칠경', '시왕생칠경'이라고도 한다. 경전의 명칭에서 보면 예수재는 시왕신앙이 중심이 되어 있는 것임을 알 수 있다. 이는 후술하겠지만 예수재는 도교의 신앙적 바탕을 수용하여 형성되었다.

한편 이와 같은 시왕경의 신앙구조를 행위적으로 표현하는 의례집으로는 1656년에 송당(松堂) 대우법사(大愚法師)가 편찬한 『예수시왕생칠재의찬요(預修十王生七齋儀纂要)』가 있다. 오늘날 통용되고 있는 『석문의범』의 『예수시왕생칠재의찬요』는 바로 이 대우법사의 저작이다. 이상에서 보면 오늘에 전하는 한국의 예수재는 그 교의적 근거가 되는 『예수생칠경』이 있고, 이 경전의 신앙구조를 행위적으로 표현하는 의례집에 바탕하여 그를 믿고 실행하려는 신행행위가 진행된다. 즉 예수재는 한국의 불교의례로서 오늘의 사회에 살아 움직이는 전통이 되어 있다.

한편 예수재의 교의적인 의미나 표현적인 의례의 내용이 모두 명부시왕신앙을 근본으로 하고 있다는데 주목할 필요가 있다. 명부시왕신앙이란 사후에 시왕의 심판을 받는다는 것이며 사자(死者)의 죄업에 따라 지옥에 떨어진다는 공포심을 전제로 하고 있다. 그러므로 먼저 불교에서 지옥이 어떻게 수용되고 그 불교적 의미가 무엇인가를 살펴보아야 할 것이다.

5) 예수재의 지옥과 명부시왕

『불설예수시왕생칠경』은 '여시아문(如是我聞) 일시불재(一時佛在)'에서 시작하여 '의교봉교(依教奉教)'로 끝난다. 이는 보통의 한역경전을 닮은 체계이나 위경(僞經)의 일종이라 전해지고 있다. 그러나 실제적으로는 명부시왕에 대한 예참단의(禮懺壇儀)의 서책으로 소위 생칠재불사(生七齋佛事)의 대본(臺本)으로 만들어진 것이라 생각된다. 따라서 경(經)이라 해도 다소 그 성격이 다르다. 중간에 '찬왈(讚曰)'이라고 하여 삽입한 33수의 게송(偈頌)도 외우기 편리한 칠언절구제(七言絶句体)의 유운시(有韻詩)이다. 권수(卷首)에 '성도부 대성자사 사문 장천 술(成都府大聖慈寺沙門藏川述)'이라고 편술자의 이름을 붙이고 있는 것으로 보아 원전(原典)인 선행의 경전을 예참용으로 개편하였거나 아니면 경전체제를 모방하여 창작한 것으로 생각된다. 경의 요지는 세존이 열반에 즈음하여 모인 제대중 중에서 염라천자(閻羅天子)를 지명하여 미래세에 보현왕여래(普賢王如來)라는 부처가 될 것이라고 증명을 한다. 이것이 경명에 나오는 수기(授記)이다. 세존은 아난의 물음에 답하여 염마왕의 명계(冥界)를 처단하게 되는 인연을 설하고 이어서 예수생칠재를 언급하고 있다.

매일 2시에 삼보를 공양하고 시왕을 기설(旣說)하여 이름을 적어 6조(六曺)에 주상하면 선업동자가 천주지부관에 일러 그 이름을 기록한다. 시왕의 이름을 초7일에 진광왕, 2칠일에 초강왕, 3칠일에 송재왕, 4칠일에 오관왕, 5칠일에 염마왕, 6칠일에 변성왕, 7칠일에 태산왕, 백일에 평등왕, 1주년에 도시왕, 3주년에 오도전륜왕이라고 하였다.

망자는 차례로 이들 시왕의 심판을 받아야 하므로 자효(慈孝)의 남녀는 수재(修齋)의 공덕에 의하여 망자를 천도하고 이로써 부모 생양(生養)의 보은을 하지 않으면 안 된다고 하고 있다. 이상에서 보면 이 경전은 생칠재의 공덕을 설하는 것에 주안점이 있는 것으로 되어 있으나 백일, 소상, 대상까지 합쳐

10왕으로 하고 있다. 10왕의 유래에 대해서는 송(宋) 종감(宗鑑)의 『석문정통(釋門正統)』 권 4나 송(宋) 지반(地盤)의 『불조통기(佛祖統記)』 권 33에도 약간의 고증이 있다. 염마왕, 태산왕, 전륜왕 등을 제외하면 10왕설 유행 이후의 자료라 별 문제되지 않는다. 이상이 불교 경전에서 말하고 있는 10왕인데 이들에 대해 도교적이라거나 도불혼합(道佛混合)이라는 지적이 있지만 구체적으로 어떤 것이 도교적인가 하는 설명은 부족하다. 여기서 도교 경전에 보이는 10왕을 살펴보자.

전술한 불교의 『불설염라왕수기근수칠재공덕경(佛說閻羅王授記勸修七齊功德經)』과 같은 명칭, 같은 순서로 시왕을 기술하고 있는 도교 경전은 세 가지가 있다. 첫째는 『원시천존설풍도멸죄경(元始天尊設酆都滅罪經)』이고 둘째는 『태상구고천존설소연멸죄경(太上救苦天尊說消衍滅罪經)』, 셋째는 『지부시왕발도의(地府十王拔道儀)』이다. 이들 경전은 구고천존이 천룡지지(地祇), 사범천왕, 아수라왕, 제천제왕, 염라천자, 태산부군, 사면사록(司命司祿), 5도대신, 옥중전자(獄中典者) 등을 나열하고 일체 망혼을 지옥에서 구출하기 위해서는 널리 공덕을 닦고 설재보시(設齋布施)해야 한다는 극히 간단한 내용이다. 이 중에 명부시왕을 순서대로 기록하고 있다. 이상의 도교 경전에서 명부의 주재자는 풍도대제(酆都大帝)인데 불교의 염라왕은 부하의 한 왕으로 제 5전(殿)에 배열하고 있다. 한편 중국 태산왕(泰山王)을 명부(冥府)의 왕이라 하고 있어 시왕의 도교 기원설은 이론적으로 의심할 수 없을 만큼 자료가 산재하고 있다. 그러나 도교경전 중에도 불교적 요소가 가미되어 시왕과 지옥설을 기술하고 있어 시왕 신앙에 의한 지옥설의 불도佛道 혼합 관계는 명쾌하게 밝히기 어렵다.

『태평광기(太平廣記)』 권 297에 의하면 불교적 요소를 첨가하여 6도 · 3도세 · 인연 · 염라왕 · 아귀 · 조상공덕 등을 설하고 있다. 그런데 이들 제설 가운데 명리(命吏)가 답하였다고 하는 언설에 의하면 천제는 6도를 총통하는 천조(天曹)이며 염라왕은 인간의 천자(天子)와 같고 태산부군은 상서영록(尙書令錄)와 같으며 오도신(吾道神)은 제상서와 같다고 하였다. 여기서 보면 전 우주를 통괄하는 천제 밑에 명부의 최고 책임자로서 태산부군이 종속할 것 같으나 지옥과는 불가분의 염라왕이 끼어들어 우위에 서고 천제-염라왕-태산부근-5도신이라고 하는 기묘한 명령 계통까지 세워진다. 그 밑에 주부·녹사·판관 등의 관조(官曹)에서 우두(牛頭)·귀졸(鬼卒)까지 생각하여 중국식의 관제에 불교지옥설의 내용을 혼합하여 다소 복잡한 태산명부설이 성립되었다.

이처럼 중국의 도교와 관련한 시왕설·지옥설은 매우 다양하다. 이를 모두 언급하기 어려우나 중국대륙을 지옥설의 면에서 살피면 남북의 두 신앙권으로 나눌 수 있다. 즉 북방권은 산동 태산을 기점으로 하여 남장의 사천 풍도현(酆都縣)을 거점으로 하여 서쪽으로 사천·귀주, 동으로 장강(長江) 중류 하류의 여러 지역에 미치고 있다. 이것이 풍토지옥의 분포이다. 이 같은 두 신앙권은 각각 실재의 지옥 전설지를 지나고 있다. 불교에서 말하는 철위산·금강산 같은 공상의 장소는 중국 안에 있어서는 무연(無緣)의 장소이다.

풍도설은 불교의 나락설에 대해 도교에서 생각해낸 공상의 세계였으나 제2단계에서는 태산 명부설이 등장하여 사실적으로 사천성 내의 한 지점에 정착하게 되었다. 즉 풍도설에는 허구와 실재와의 두 지옥이 복합하고 있어 이를 구별하기 위해 전자는 북방라풍(北方羅酆), 후자는 사천풍도라고 했다. 이상과 같은 명부의 도교적 요소는 오늘날 한국의 생전예수재에서 사용하는 의례문 『예수시왕생칠재의찬요』의 『수설명사승회소(修說冥司勝會所)』에서 '소청십대명왕, 태산부근, 26위 판관, 37위 귀왕, 삼원장군, 오도대신' 등으로 등장한다. 다른 한편 소청명부(召請冥府)에서 '일심봉청(一心奉請) 풍도대재(酆都大宰) 하원지관(下元地官)'이라고 하여 도교적 명부의 수용이 있었음을 알 수 있다.

6) 예수재의 사전준비

(1) 설단양식

예수재도 다른 재의식과 마찬가지로 신앙의 대상을 의식도량에 맞이 하여 그 공적을 찬탄 공양하고 발원하는 것으로 되어있다. 그런데 예수재는 그 특성상 특별한 사전준비가 필요하다. 우선 신앙의 대상을 그 격에 맞게 맞이하기 위해서 다음과 같은 설단(設壇)이 필요하다. 대체로 불교의식에서 설단은 상단·중단·하단의 3단으로 구성하나 예수재에서는 이 같은 3단을 다시 3단으로 나누어 모두 같은 9단으로 한다.

① 상단

상상단: 삼신불단-청정법신불, 원만보신불, 백억화신불

상중단: 지장보살, 무독귀왕, 도명존자

상하단: 범왕, 제석천왕, 4천왕

이상 상·중·하단은 증명단으로써의 의의를 갖는다. 그리고 전체적인 면에서 상단이 된다.

② 중단

중상단: 명부시왕

중중단: 하판관, 지등관 등

중하단: 시왕안 내 권속

③ 별치단

조관단, 사자단, 마구단

이처럼 예수재의 단은 모두 9단으로 설치하는데 상단의 3단은 증명단이며, 중추적인 단은 명부시왕 등 중단의 3단이다. 별치단의 3단은 부속단이 된다.

(2) 금은전의 조전과 점안의례

예수재의 중요 골자는 명부에 진 빚을 미리 갚는다는 내용을 중시하여 빚을 갚는 의식을 금전과 경전으로 나누어 다음과 같이 진행한다. 전은 황색으로 염색하고 은전은 창호지를 그대로 쓴다. 조전이 끝나면 법사가 동방을 향하여 조전진언을 108번 친 후, 버들가지로 만든 발을 세 곳에 펴고 이후, 만들어진 금은전을 버들가지발 위에 놓고 그 위에 짚으로 만든 발을 덮는다. 그리고 불기에 담아 놓은 정수(淨水)를 버들가지로 적셔 주위 사방에 뿌리고 성전진언 등 제 진언을 친다.

조전법은 창호지 3장을 절반 접어 한쪽은 황색으로 염색하여 다시 절반으로 포개 접은 다음 세로 한 줄에 10개, 가로 9개씩 돈을 찍는다. 그 계산법은 돈 하나에 한 냥(兩)으로 계산하되 이를 다시 명부 돈과 환산하면 세간 돈 35냥이 명부전 120관(貫)이 된다. 조전액은 재회에 참여하는 사람의 12상생에 맞추어 찍는다. 조전 시에는 다음과 같은 진언을 친다. 의식승은 증명법사가 지켜보는 가운데 돈을 찍고 있을 때 조전진언 "옴 바아라 훔", 성진진언 "옴 바자나 훔 사바하"을 친다. 만들어진 돈을 정결히 하는 뜻으로 월덕수[淨水] 앞에 증명단 법사가 나아가 임수선송(臨水先誦)을 하고, 돈에 물을 뿌리며 쇄향수진언 "옴 바아라 바 훔"을 108번 친다. 이 진언이 끝나면 동쪽으로 향하여 정좌 묵상한 다음 변성금은전진언 "옴바사라 반자니 사바하"를 친다. 그리고 괘전진언(掛錢眞言) 헌전진언 "옴 바자나 바자니 사바하"와 "옴 아자나 훔"을 친다.

(3) 금은전 이운의례

만들어진 돈을 명부시왕단에 옮겨 놓아야 예수재를 올릴 수 있으므로 다음과 같은 이운의식을 행한다. 법사가 이운게를 범패로 창하면 대중은 나비춤을 고사단 앞에서 춘다. 예수재에서는 인간이 이 세상에 나올 때, 명부관원에게 금전과 『금강경』·『수생경(壽生經)』 등 경전을 빌려 쓰고 나온 것이라 하여 이를 갚아야 한다고 한다. 『수생경』에 의하면 12생상속(十二生相屬)의 출생의 인연에 따라 명부에 갚을 빚이 정해져 있다. 예컨대 갑자생(甲子生)이면 돈이 5만 3천관, 『금강경』 17권, 『수생경』 몇 천 권이라 되어 있다. 이를 제3고(庫) 원조관(元曹官)에게 갚아야 된다는 것이다.

이상과 같이 명부고사에 바쳐진 돈과 경전은 다시 다음과 같은 제신에게 현상되어 설자의 공덕을 회향함으로서 복을 받는다고 한다.

(4) 경함이운

명부에 금은전과 아울러 간경(看經)의 빚이 있으므로 이 경을 옮기는 다음과 같은 의례를 행한다. 법주가 이운게를 먼저 창하면 대중에 제석천왕제후예진언 "아지부 제리나 아지부 제리나 미아제리나 오소제리나 아브다 제리나 구소제리나 사바하"를 치고 반야심경을 독송한다. 이상과 같은 준비가 끝나면 예수재의 다음과 같은 의례를 행한다.

7) 예수재 의례의 진행양식

(1) 신중작법

어떤 의식이든 본의식이 거행되기 전 모든 도량과 불법을 수호하고 모든 부정한 것을 제거하는 뜻으로 신중을 청하여 의례를 행한다.

(2) 통서인유(通叙因由)

내력을 사뢰며 설재의 취지를 알리는 의례로 개회사에 해당한다.

(3) 엄정팔방(嚴淨八方)

도량의 청결을 기하고 불보살을 맞을 차비를 한다.

(4) 주향통서(呪香通序)

분향의 가피력을 발원하는 의식을 한다.

(5) 주향공양(呪香供養)

분향의례를 행한다.

(6) 소청사자(召請使者) 및 공양

명부의 사자를 청하는 의례로 먼저 사자를 청하여 공양드리고 당일 설재의 공덕을 명부시왕께 보고하여 시왕의 강림 있기를 발원한다. 사자를 후하게 접대하고 재자의 청원인 청장(請壯)과 설재물인 물장(物壯)을 사자께 보내 시왕께 아뢰도록 한다.

(7) 소청성위(召請聖位)

모든 불보살을 청하여 명부시왕께 갚은 빚을 증명하도록 하여 그 가호가 있기를 발원하는 공양의례인데 다음과 같은 의례를 행한다.

① 소청성위소 및 유치: 불보살을 청하는 취지를 아뢴다.
② 청사: 청하는 불보살의 거목을 일일이 들어 열거하며 일심으로 받들어 모신다는 뜻이다.

③ 봉영부욕: 불보살이 오심에 피로하심을 알고 목욕을 앙청하는 의례이다.

④ 찬탄관욕: 불보살이 목욕할 수 있도록 물을 마련해준 사해용왕께 감사의 뜻을 표하고 그 공덕이 헛되지 않도록 발원하며 정진한다.

⑤ 인성귀의(引聖歸依): 불보살이 중생의 뜻을 가엽게 여기시고 증명단에 오시도록 앙청하며 찬탄한다.

⑥ 헌좌안위: 불보살의 자리를 마련하고 편히 앉으시기를 권한다.

⑦ 보례삼보(菩禮三寶): 삼보 전에 예배드리고 인사한다.

⑧ 소청명부(召請冥府): 명부시왕 및 기타의 제 성중을 청하는 의례로 이를 중단의식이라 하여 예수재에서는 가장 큰 비중을 차지하며 다음과 같은 의례를 행한다.

⑨ 소청소(召請疏) 및 유치(由致): 청하는 이유를 사뢰다.

⑩ 청사: 명부성중의 거목을 일일이 들어 예를 갖추며 정성껏 도량강림을 청한다.

⑪ 청부향욕: 성중의 목욕을 양청한다.

⑫ 가지조욕(加持藻浴): 목욕하도록 한 공덕의 가피력을 발원하여 정진한다.

⑬ 제성헐욕(諸聖歇浴): 목욕공양을 들이다.

⑭ 출욕: 명부성중이 목욕을 마치고 나오도록 양청한다.

⑮ 참례성중: 명부성중이 단상에 앉도록 양청한다.

⑯ 헌좌안위: 명부성중께 자리를 권하여 편히 앉도록 기원한다.

⑰ 기성가지(祈聖加持) 상단: 공양드리는 공덕이 불보살의 가호를 입도록 기원한다.

⑱ 보신배헌(菩伸环獻): 향, 등, 과, 촉, 다, 화로 공양드리며 가피를 입도록 기원한다.

⑲ 공성회향(供聖回向): 지금까지 일체 제 불보살께 공양드린 공덕이 여러

불쌍한 중생들께 미치도록 자기의 공적을 남에게 돌린다.

⑳ 소청고사판관(召請庫司判官): 명부의 고사판관을 청하는 의식으로 이를 세분하면 다음과 같다.

㉑ 거불: 나무시방상주 불, 법, 승.

㉒ 유치: 청하는 이유를 아뢴다.

㉓ 청사: 고사판관의 거목을 열거하여 정성들여 청한다.

㉔ 보례삼보: 먼저 상단 불보살께 귀의하는 마음으로 예를 갖추고 다음은 중단 예를 갖추어 고사판관을 맞이한다.

㉕ 수위안위: 고사판관에게 자리를 권하며 편히 앉도록 앙청한다.

㉖ 제위진백: 중생의 청원을 아뢰고 그를 받아주도록 애원한다.

㉗ 가지변공(加持變供) (상단): 지금까지 공양드린 공덕이 법으로 변하여 가피력이 있기를 발원하고 정진한다.

㉘ 가지변공 (중단): 중단에 공양드린 공덕이 법으로 변하여 가피력이 있기를 발원하고 정진한다.

㉙ 가지변공 (하단): 하단에 공양드린 공덕의 가피력을 발원한다. 이때 함합소(緘合疏)를 읽으며 이 함합소가 끝나면 명부 고사단에 바친 돈에 대한 영수증을 발행한다. 이 영수증은 다시 절반으로 잘라 한 조각은 불사르고 한 조각은 설재자가 소지하는데, 이는 불사른 조각은 명부에 보관되어 사자(死者)가 갖고 망자가 지닌 다른 조각과 맞추어보기 위한 증거를 삼는다는 것이다. 예수재에서 이 함합소는 중요한 위치를 차지한다.

㉚ 공성회향(供聖回向) (중단): 중단에 공양드린 공덕이 다른 여러 불쌍한 중생들에게 미치도록 그 공덕을 다른 사람들에게 돌린다.

㉛ 화재수용(化財受用): 명부에 받친 금은전과 경전이 긴요하게 쓰여 지가를 발원한다.

㉜ 봉송: 지금까지 청하여 공양드린 불보살 및 명부 여러 신중을 다시 보내는 의례이다.

㉝ 보신회향(普伸回向): 끝마침을 뜻한다. 회향이란 끝마친다는 뜻이 있고 아울러 끝마칠 때는 지금까지의 공덕을 모두 남에게 돌림으로서 끝난다는 것이다.

8) 예수재 의식승의 구성과 기능

(1) 구성

상단

법주 1인, 태징 1인, 바라 1인, 북 1인, 목탁 1인

중단

법주 1인, 태징 1인, 바라 1인, 북 1인

사자단, 고사단, 마구단

법주 1인, 태징 1인, 바라 1인, 북 1인, 목탁 1인

하단

법주 1인, 태징 1인, 목탁 1인

각단 의식승은 별도로 구성됨이 원칙이나 현재에는 같은 의식승이 모두 관장하고 있다. 한편 재의식에서는 의식을 보다 조직적으로 집행하기 위하여 용상방(龍象榜)을 구성하여 의식의 세부기능을 분담하도록 하고 있다.

(2) 기능

예수재를 행한다는 것은 의례를 행한다는 것이다. 그리하여 아무리 예수재에 대한 경전이 전해지고 의례집이 전해지더라도 의례를 표현하는 의식승

이 그 기능을 보유하고 있지 못하면 예수재는 거행할 수 없다.

예수재를 진행할 수 있는 의식승은 다음과 같은 기능을 지녀야 한다.

① 예수재의 진행절차를 숙지하고 그 행위적 표현을 할 수 있어야 한다.

② 예수재의 행위적 표현은 신, 구, 의(身口意)의 표현으로 한다. 즉 작법[의식무] 범패의 짓소리, 홑소리 등의 구분과 그 실연을 할 수 있어야 한다. 이때의 소리는 예수재의 구성에 맞도록 조직되어 있다. 상주권공소리, 영산소리, 수륙재소리 하는 것과 같은 조직이 있다.

(3) 시기와 장소

윤달이 든 해에 많이 하나 일정한 시일이 정해져 있지 않다. 예수재는 1인 1재로 설하는 것이 아니라 수많은 설재자가 동참하는 것이므로 동참자의 의견에 따라 시기를 정한다. 모든 준비는 낮에 하고 본 재는 밤에 거행한다. 그것은 명부사자가 낮에는 다니지 못하기 때문이라고 한다. 예수재는 증명단인 상단의 큰 법당과 시왕단의 명부전에서 거행한다. 명부전이 없는 절에서는 임시로 시왕단을 설치하기도 한다.

9) 결론

생전예수재는 49재 등의 천도재와는 달리 살아 있는 본인이 죽는 뒤 지낼 재를 미리 지내는 재라는 특징이 있다. 예수재에서 중심신앙은 시왕신앙이며 시왕은 사람이 죽은 후 10번에 걸쳐 그 죄업을 심판한다고 하여 살아생전에 그 죄업에 대처하는 것이다. 그러므로 예수재의 핵심은 시왕신앙에 있으며 시왕신앙은 사후에 심판을 받게 된다는 특징을 지닌다.

인간이 사후에 심판을 받고 그에 따라 지옥에 간다고 하는 사상은 고대시대부터 세계 많은 민족들에 의하여 인식되고 있었다. 이집트의 '사자(死者)의

서(書)'나 그에 관련된 회화 등이 그를 잘 일러주고 있다. 바빌로니아 혹은 고대 페르시아의 조로아스터교에도 사후의 심판이 있었다. 페르시아 Mithra 신은 인도 '베다문학'에 나오는 Mithra와 같이 광명의 신이었는데 이것이 불교의 명계 지옥의 왕으로서 염마왕이 되었다. 이 같은 염마왕신앙이 중국에 수용되어 도교신앙의 영향으로 시왕신앙으로 발전하였다.

우리나라에서는 무속의 황천무가(黃泉巫歌)에서 인간의 사후, 영혼의 낙지왕생(樂之往生)을 구술하고 있으나 사후심판은 없다. 그러나 이 같은 사후낙지왕생신앙이 불교의 시왕신앙을 수용하여 예수재를 전승시키는 기반이 되었다. 따라서 예수재의 의례절차는 명부시왕을 초청하여 예참하는 것으로 되어 있다. 그리고 그 내용은 먼저 명부에 진 빚을 물질적 빚[금·은전]과 정신적 빚[경전]으로 나누어 갚는 행위를 행하고 의례문의 절차에 따라 의식승의 범패, 의식무 등으로 의례를 진행한다. 그것은 예수재를 보다 장엄하게 진행함으로써 신앙심을 유발한다는 특징을 지닌다.

이상과 같이 예수재는 사후 명부에서의 심판이라는 생사관을 바탕으로 시작되었고 그에 따른 문화적 복합요소가 융합되어 오늘날까지 전승되고 있다. 요컨대 예수재의 무형문화유산으로서의 요건은 먼저 그 정신적·사상적·신앙적 근거가 되는 경전이 있어야 하고, 아울러 그에 내재된 신앙심을 표출하는 의례집이 있어야 한다. 또한 예수재는 의례이기 때문에 의례집에 따른 의례를 행할 수 있는 기능이 있어야 한다. 그 대표적 사례가 『동국세시기(東國歲時記)』에 등장하는 봉은사의 사례이다. 그러므로 그 역사적, 문화적 가치는 더 재론할 필요가 없다. 지금까지 이러한 예수재가 국가의 문화재로 지정되지 않고 있다는 사실이 오히려 의아스러울 정도이다. 이 전통성을 보존, 계승하기 위해 문화재 지정을 서둘러야 할 때이다. 그런가하면 최근 봉은사의 예수재는 서울시 지방문화재로 종목 지정되었다니 다행한 일이라 하겠다.

五. 불교민속놀이

1. 월정사 탑돌이의 역사적 전개

1) 오대산의 문화유산과 탑돌이의 근원

오늘에 전하는 오대산의 불교는 월정사와 상원사 적멸보궁으로 대표되는 신라 이래의 불교문화유산과 그에 관계되는 신앙행위가 전승되고 있다. 그리고 이와 같은 오랜 전통을 갖는 오대산 불교의 축적된 구도력과 그에 따른 불교문화가 바탕이 되어 월정사가 시행하고 있는 단기출가제도는 세인의 관심을 끌면서 오늘의 불교에 새로운 활기를 불어넣고 있다. 한편 오대산 전승의 문화유산은 월정사 박물관과 상원사 유물전시관에 잘 보존・전승되고 있어 오대산 불교를 이해하는데 큰 도움이 된다. 즉 오대산을 대표하는 문화유산은 월정사의 8각 9층 석탑, 상원사의 문수동자상, 상원사의 범종 등이 국보로 지정되어 있어 이들과 관련된 문화적 내용은 오대산의 불교를 특징지을 수 있는 중요한 자료가 되어 있다. 그러면 이상과 같은 오대산의 불교는 어디에 연원을 두고 있으며 그 특징을 어떻게 자리매김할 수 있을 것인가를 밝혀 보고 그에 따른 월정사 탑돌이의 역사적 전개가 어떻게 되어 왔는가를 살펴 보고자 한다.

2) 오대산 불교의 연원

오대산의 불교는 자장율사가 636년에 입당하여 당나라에서 오대산 문수신앙을 전수받아 한국의 오대산 문수신앙의 성소로 삼게 된데서 비롯된 것이라 하겠는데 그 때가 643년의 일이다. 그러면 이러한 연원을 갖는 오대산 불교는 그 이후 어떤 전개를 보여 오늘에 이르렀을까. 그 근거는 『삼국유사』 '대산오만진신'조에서 찾을 수 있고, 그 전개과정을 오늘의 오대산 불교와 연결시켜 추찰해낼 수 있을 것으로 본다.

첫째, 자장이 오대산을 문수신앙의 성소로 삼게 되었다는 사실은 신라의 사상계에 많은 영향을 미쳐 그 결과 보천(寶川) 효명(孝明)의 두 왕자가 오대산에 들어오게 되었는데 이때가 705년을 전후한 시기이며 효소왕과 성덕왕대에 해당된다.

둘째, 705년을 기준으로 50년 이후에 보천이 나라를 위하여 도움이 될 만한 방안을 남기게 되었다고 하고 있으므로 이때는 755년경으로 경덕왕대(742~764)가 된다.

이상에서 보천이 나라를 위하여 도움이 될 만한 방안을 제시하게 된 연대가 대충 어느 때인가를 짐작할 수 있게 되었다. 즉 경덕왕대는 신라사에 있어 그 문물이 최전성기에 이른 때이기도 하지만 왕권의 전제화를 강화하는 개혁정책이 단행되어 전통적인 귀족세력의 반목에 부딪쳐 사회적인 혼란이 일기 시작하는 때라는 것은 널리 알려진 사실이다. 그런데 보천의 제안은 이와 같은 사회적 혼란기를 배경으로 하고 있었다는 데서 더욱 주목을 끌게 된다.

아세아불교의식 국제학술대회 포스터

그러면 보천의 제안 내용은 어떤 성격의 것이었을까. 그 내용에 대해서는 뒤에서 살펴보기로 하지만 우선 역사적인 의미를 결론적으로 말하면 경덕왕대의 개혁정치를 찬성하는 입장에 서는 것이었다고 할 수 있다. 왜냐하면 보천이 주장하고 있는 사상내용은 집권정치에 도움을 주는 것이기 때문이다. 더욱이 보천의 사상이 자장의 사상을 계승하려는 입장이었다면 더욱 그 개연성이 커진다. 즉 자장의 사상은 국통(國統)의 입장에서 전제왕권을 강화하려는 경향을 짙게 지니고 있었기 때문이다.

한동안 신라사회에 있어 자장의 화엄사상은 국가적인 입장에서 크게 펼치지만 자장의 만년에 가서는 의상계의 화엄사상에 의하여 쇠퇴하는 경향을 지닌다. 그런데 이렇게 쇠퇴한 자장계의 화엄사상을 다시 부흥시킴에 의하여 전제왕권을 강화하여 사회의 안정을 기할 수 있다고 믿고 있었던 인물이 보천이었다고 생각된다. 보천은 자기가 내세운 방안이 잘 지켜진다면 "국왕이 장수하고 백성이 태평하며 문무가 화평하고 백곡이 풍요할 것이다"라고 하였다. 이는 흡사 경덕왕대 말기 아니면 혜공왕대의 사회불안을 배경으로 한 전망으로 볼 수 있을 것이다. 이상을 다시 요약하면 보천의 제안은 쇠퇴해가는 자장계의 화엄사상을 부흥시켜 혜공왕대에 들어 점차 혼란기에 빠져들고 있던 신라사회가 전제왕권을 강화하는 입장에서 안정을 되찾을 수 있을 것이라 믿고 있었던 것이라 생각된다.

그러면 보천이 임종 시에 남겼다고 하는 사회 안정과 번영의 방안 내용은 어떤 것이었을까. 이를 한마디로 말하면 '오대산 성소신앙(聖所信仰)에 대한 만다라적 재조직'이라 할 수 있다. 즉 보천은 오대산을 백두산의 큰 줄기라하여 우선 오대산에 대한 신성성을 강조하고 나서 오대산 성소를 동·서·남·북·중으로 조직하여 그 5방에 신앙적인 의미를 부여하고 있음이 그것이다. 즉 관음방, 지장방, 미타방, 나한당, 진여원 등이 이를 일러주고 있다.

이상에서 보면 당시의 오대산 불교는 관음신앙, 지장신앙, 미타신앙, 석가신앙, 나한신앙, 화엄 및 문수신앙 등이 성행하고 있었는데 이들 신앙은 각기 그 신앙의 특징을 살필 수 있는 불상과 소의경전, 신앙의례 등이 있었음을 알 수 있다. 그리고 이들 다섯 종류의 신앙형태는 결국은 화엄 신앙에 의하여 통섭되어야 한다는 것이 화장사에서의 화엄회의 개설이다. 즉 이는 다섯 분야의 신앙형태가 각각 그 특징을 지니는데 이는 화엄사상에 의하여 통일된다는 화엄 만다라적인 신앙조직이다.

만다라란 다양한 신앙형태를 통일하는 원리를 상징적체계로 표현한 불교미술을 말한다. 앞에서 다양한 신앙형태라고 말했지만 이는 살아 있는 우주의 삼라만상 자체라고 해도 무방하다. 그렇다고 한다면 불교미술로서의 만다라는 우주의 축도(縮圖)라 함직하다. 그리고 원리로서의 만다라는 우주의 삼라만상을 한 눈으로 통일해볼 수 있는 원리이며 한편 다양하게 전개시켜 볼 수 있는 전개의 원리이기도 하다. 그런데 이와 같은 원리로서의 만다라의 성립과 전개의 역사는 불교가 재래신앙을 포섭, 불교화하고 또한 재 포섭 불교화하는 반복이라고 할 것이다. 불교가 재래신앙을 포섭, 불교화할 수 있는 사상체계의 형성은 이들 다양한 재래의 신앙형태를 조직적으로 통일할 수 있는 방법으로서의 태양을 중심으로 우주가 있는 것과 같이 불교세계의 중심에 근원적 여래가 있어 많은 여래를 출현시키기도 하고 또한 이를 통섭하기도 한다는 비로자나불의 출현을 기다리지 않으면 안 된다.

이와 같이 오대산의 불교는 문수신앙을 비롯하여 관음신앙, 지장신앙, 미타신앙, 석가신앙, 나한신앙 등의 다양한 신앙형태가 존재했고 또한 많은 재래신앙을 불교화할 수 있는 신앙조직이 형성되고 있었다. 요컨대 오대산의 불교는 일찍이 자장이 중국의 오대산으로부터 문수신앙을 수용하여 성소신앙의 기반을 구축한 이래 다양한 불교신앙을 전개시켜 나갔고 그에 따른 다양한 불교문화를 전개·발전시켜 나갈 수 있었던 것으로 생각되는데 그 중심에는 일즉다(一卽多) 다즉일(多卽一)의 사상을 표방한 화엄신앙이 있었기에 가능했던 것이라 하겠다.

3) 월정사의 8각 9층 석탑과 탑돌이

월정사의 8각 9층 석탑은 여러모로 주목하게 된다. 우선 그 형식면에서 보면 평면이 대부분의 불탑은 사각인데 비하여 8각이라는 점이 다르고 그 층수도 3층이나 5층이 아닌 9층이라는 점이 다르다. 이와 같은 8각 9층 석탑의 형식은 고구려계의 석탑형식이 백두대간을 타고 신라문화의 기반이 쇠퇴한 고려시대에 고구려계의 문화가 오대산을 중심으로 부활하고 있었던 것이라고 한다. 다른 한편 이 석탑 정면에는 불탑에 공양을 올리고 있는 공양자상이 있어 특이한 불탑문화의 양상을 살필 수 있어 주목된다. 당시만 하더라도 불탑에 공양을 드리는 신앙의례가 존재하고 있었음을 짐작하게 한다. 그러면 여기서 불탑에 대한 기원과 그 신앙의례는 어떻게 전개되어 왔는지 살펴볼 필요가 있다.

(1) 불교의식의 연원과 불탑신앙(원시 불교시대의 의식)

원시불교시대란 석가와 십대제자 당시의 2백여 년 간으로 근본불교시대라고도 하는 것으로 당시의 연구 자료는 율장과 아함경이니 대가섭이 세존의 장례를 마치고 그 유골 사리를 8국가에 분배하고 유산인 법재(法財)로서의 경과 율을 선출된 오백나한으로 하여금 결집하게 한 것이다. 경장은 세존께서 성도 후 45년간 설한 내용이고, 율장은 출가승단의 행동규범으로서 계경부(戒經部), 절도부(折度部) 부수부(附隨部)로 구분한다.

계경부는 비구와 비구니가 준수할 250계나 350계 등의 계경을 주석한 것이고, 절도부는 출가승단의 행사작법으로 월 2회의 법회의식이나 우기(雨期) 3개월의 안거 작법 및 의・식・주에 관한 사항을 규정한 것으로 의식에 관계되는 경장이라 할 수 있다. 이로 보아 근본불교 당시에 이미 의식에 의한 승단의 생활규범이 있었음을 알 수 있고 다음에는 예경의 대상인 불상과 불탑이 생김으로서 더욱 발전하게 된 것 같다.

불상과 탑의 기원에 대해서는 탑이 먼저이고 불상이 뒤에 생겼다는 것은 이미 학계의 정설로 되어 있으며, 본래 탑이 예경의 대상이 된 것은 그 속에 교조 석가모니의 진신사리를 안치하여 생전의 부처님을 대하듯 예경을 다함이었다고 하며 불상은 탑보다 훨씬 뒤에 이루어진 것으로 그 까닭은 고대 인도인들의 사고방식에 자기들이 숭상하는 인물에 대해서 조각이나 그림을 그리지 않았다는데서 연유한 것이라 한다. 즉 조각이나 그림으로 어떤 인물을 나타냈을 때 그 조각이나 그림은 고의적이나 자연적으로도 파괴될 수 있고 화재를 입거나 비바람에 더럽혀질 수도 있다는데 오히려 그 인물을 모독하고 욕되게 하는 결과라 생각했기 때문에 불상이나 불화를 만들지 않았다고 한다. 그래서 석가모니를 상징함에 있어서는 탄생을 나타낼 때는 연꽃을, 성도를 나타낼 때는 보리수를, 설법하는 석가모니는 금강좌로 나타냈다고 한다.

그래서 초기에는 탑을 중심으로 한 불사만이 예경의 대상이 되었으나 이후 보다 많은 사원을 세우자니 탑을 세워야 되겠는데 탑을 세우자면 부처님의 진신사리를 모셔야 되는데 이미 그 사리는 구하기 어렵게 되어 사원을 세우고 싶어도 세울 수 없게 되었는데 때마침 전래된 희랍문화의 영향에 의하여 조각이나 회화를 피해오던 인도인들에게 석가모니의 형상을 조각하거나 그리기 시작 한데서 불상이 발달하기 시작하였다. 이와 같은 경로를 거쳐 불상이 조성되기 시작하여 인도의 곳곳에는 탑과 불상을 중심으로 한 많은 사원이 세워지고 그에 예경하는 뜻에서의 의식이 발전하게 되었다.

(2) 우리나라 불교의식의 연혁

우리나라에 불교가 전래된 것은 고구려 소수림왕 2년(372)에 전진왕(前秦王) 부견이 순도를 시켜 불상과 불경을 고구려에 보낸 데서 비롯되었다고 한다. 그 이후 백제에는 침류왕시 인도승 마라난타가 동진을 거쳐 불교를 전해왔다고는 하나 의식에 관한 것뿐 아니라 그 외의 불교사상에 관해서도 그에 관한 문헌이 없어 알 길이 막연하다. 그보다 뒤늦게 전래된 신라불교에서는 어느 정도 의식에 관한 윤곽은 파악할 수 있는 몇 가지 문헌이 전한다.

① 신라의 백고좌 강회(百高座講會)와 팔관재

신라에서 이를 처음 시작한 것은 진흥왕 12년에 장군 거칠부(居柒夫)로 하여금 고구려를 치게 하여 10군을 전취했을 때 망명승으로 온 혜량법사를 승통으로 삼고 백고좌강회와 팔관재법을 개설했다고 한다.

백고좌강회는 『인왕호국경(仁王護國經)』에 의거한 법인데 백자리의 법상을 설하고 백인의 법사로 하여금 인왕경을 강하면 제천선신이 국토를 잘 수호하므로 국난을 제거한다는 신앙에서 나온 의식이다. 그런데 이전에 백고좌를 할 적에는 팔관재법을 겸하여 시행함으로 선신이 수호하게 된다고 하여 실행하게 된 것인데 후세에는 이 팔관법이 연중행사로 매우 거창한 의식의 하나가 되었다.

진평왕 35년에는 황용사에 백고좌를 설하고 원광법사 등을 청하여 법회를 열었으며 선덕여왕 14년에는 황용사에 9층탑을 세우고 사문 자장의 청에 의하여 9층탑을 세운 이유는 국왕이 여왕이라 비록 도는 있다 할지라도 위의가 없는지라 아홉나라가 침입할 염려가 있어서 9층의 탑을 세우고 그에 따른 의식을 행하니 탑의 9층은 주변의 9개국을 상징한 것으로 1층은 일본, 2층은 중국, 3층은 오월, 4층은 탁라(托羅), 5층은 안유(鷹遊), 6층은 말갈, 7층은 단국(丹國), 8층은 여적(女狄), 9층은 신라로, 즉 주위 호국의 발호를 진압하며 국가의 안전을 보장하자는 뜻에서였다.

헌강왕 3년과 진성여왕 6년에도 계속 백고좌를 설하였으니 이상과 같은 유풍은 고려시대까지 계승되어 현종 11년 내전에 백사자고(百獅子高)를 설하여 3일간 인왕경을 설한 것을 필두로 인왕경도량, 금광명경도량, 장경도량, 연등회, 팔관회, 반승회, 왕사재 등을 행하게 되었다.

그런데 이 같은 법회에는 팔관재법을 겸하게 되었으니 고려 태조의 훈요 10조에 의하면 "팔관은 천령과 오악명산 대천용신을 섬기는 일이다"라고 한 것을 보아 그것이 단순히 불교적 팔관재가 아니라 고대 우리 민속신앙의 하나인 영고나 동맹, 무천 등의 제천행사(祭天行事)와 산신 수신을 섬기던 유풍이 팔관재란 명목으로 개체된 것이 아닌가 한다.

② 연등회

등이란 것은 어둠을 밝혀 주는 것으로 불교에서는 지혜(智慧)에 비유하며 불전에 등을 밝히는 것을 등공양이라 하며 향공양과 아울러 매우 중요시 해 왔다. 불교의식 때는 등을 밝히고 자기의 마음을 밝고 빛나게 바르게 하는 동시에 불덕을 찬양하고 나아가서는 원만대각하시며 대자대비하신 불을 더욱더 즐겁게 하는 심행을 가지라는 것을 굳게 하는 것이다.

아무튼 이는 불교에서 등을 소중히 여긴 것이므로 이러한 등을 밝히는 것이 연등이요 연등된 것을 보며 마음을 밝게 하는 것이 관등이다. 그런데 이와 같은 연등의례가 법화화 된 것이 연등회 즉 연등의식인 것이며 이는 신라에서 비롯하며 고려, 조선을 거쳐 매우 성행되었으며 현재에도 그 유풍이 남아 전하고 있다.

4) 불탑의 신앙사상과 공덕

우인보 박사는 불탑에 대한 신앙사상과 공덕을 여러 경전을 인용하여 그의 『불탑의 신앙사상 연구』에서 상세하게 연구하고 있어 그를 바탕으로 불탑 신앙의 개요를 살펴보고자 한다.

(1) 초기 경전

아함부의 여러 경전에는 불탑을 건립하면 많은 복덕을 얻게 되고 천상에 난다는 가르침으로 그 공덕을 찬탄하고 있다. 그 세부내용은 다음과 같다.

① 『장아함경(유행경)』

음녀 암바바리가 비야리 성안의 동산을 승단에 보시하자 불타는 게송으로 탑을 세우고 절을 짓고 동산의 과일나무로 시원함을 보시하며 다리와 배로 사람을 건네주고, 또 집을 지어 보시하면 그 복은 밤낮으로 불어나고 그는 죽어 반드시 좋은 곳에 태어난다 하여 그 공덕을 찬탄한다.

②『불설니원경(佛說泥洹經)』

석존 열반시에 "탑을 세우고 비단 번기를 달고 향과 등불을 켜고 계행을 지킨 청신사 청신녀들은 도솔천에 올라 미륵보살이 있는 곳에 태어나고 나한도를 증득할 것이다"라고 하여 그 공덕을 찬탄한다.

③『반니원경(般泥洹經)』

"불타의 탑묘 조성과 공양에 참여한 30만 대중과 각국의 호성(豪姓), 군신들이 불타를 친견하고 불법을 수지하는 복을 지었으므로 제4천에 태어나 미륵보살을 만나 해탈을 얻는다"라고 하여 그 공덕을 찬탄하였다.

④『대반열반경』

불타가 이차(離車)들에게 7법을 설하는데 그 중에 여섯 번째 "지제(支堤)를 수리하고 공양하면 사람의 위덕이 날로 증진되고 국토가 번창하여 백성이 풍요롭고 안락하게 될 것이다"라고 하였다.

⑤『장아함』

불자가 복 받는 6업을 설하는데 그 중에 다섯 번째 탑묘를 세우면 집안 살림이 줄어들 일 없고 재물은 날로 번성할 것이라고 하였다. 그 6업은 첫째는 음식에 만족할 줄 알고, 둘째는 일을 하되 게으르지 말며, 셋째는 미리 모아놓아 궁핍한 때를 준비하고, 넷째는 밭 갈고 장사도 하며 목장을 만들어 짐승을 먹이고, 다섯째는 마땅히 탑묘를 세우고, 여섯 번째는 절의 방사를 지으라는 것이다.

⑥『장아함(世紀經)』 "울단월품(鬱單越品)"

"사문, 바라문에게 보시하고 또 가난한 사람, 거지, 아이, 병든사람, 곤고한 사람에게는 의복, 음식, 수레, 화만, 도향, 평상, 방사를 주고 또 탑묘를 조성하고 등불을 공양하면 그 사람은 몸이 무너지고 목숨이 끝나 울단월에 태어난다. 수명은 천살로서 그보다 더 하지도 않고 덜 하지도 않는다"고 하여 조탑의 공덕을 칭송하고 있다.

이상에서 살펴본 바와 같이 아함부의 여러 경전에서 불탑을 건립하면 도솔천에 태어나고 나한도를 증득하고 국토가 번창하고 백성이 안락하며 재물이 크게 늘며 울단월 등에 태어난다고 그 공덕을 찬양하고 있다. 이처럼 건탑의 공덕을 크게 선양하고 있음은 초기불교 시대부터 불탑이 조성되고 있었음을 전하고 있는 것이라 할 수 있다.

(2) 불탑예경의 공덕

아함부의 여러 경전에는 불탑에 예경하거나 등불 등으로 공양하면 많은 복덕을 얻게 되는데 그 세부내용은 다음과 같다.

①『장아함경』(遊行經)

아난이 범마나 비구가 큰 광명을 지니게 된 이유를 불타에게 물으니 큰 환희심을 지니고 비바시불의 탑을 풀 횃불로 비추었기 때문이라고 답한다. 또한 아난이 불타에게 불멸 후 찾아오는 사문들의 발길이 끊길 것을 염려하자 불제자들에겐 불타의 탄생지, 성도지, 설법지, 열반지를 생각하는 마음이 있으므로 사성지의 탑사에 예경하면 목숨을 마친 뒤 천상에 태어난다고 말한다.

② 『대반열반경』

어떤 중생이 비단 번기와 일산을 달고 향을 사르고 꽃을 뿌리며 등불과 촛불을 켜고 불탑에 예배하고 찬탄하면 이 사람은 오랫동안 큰 복과 이익을 얻게 되며 훗날 다른 사람들도 그를 위해 큰 탑을 세우고 그의 몸에 공양하게 될 것이라고 한다. 또한 어떤 중생이 모든 공양거리로 불탑에 공양한다면 그 얻는 복은 점차 많아진다고 하였다.

③ 『불설시가라월육방예경(佛說尸迦羅越六方禮經)』

불타는 하늘보다 더 높으므로 절과 탑에 머리 숙여 합장하고 돌면서 시방에 예배하라고 설한다.

④ 『불위수가장자설업보차별경(佛爲首迦長子業報差別經)』

불탑에 예배하거나 비단, 번기, 종, 요령, 의복, 그릇, 음식, 신발, 향, 꽃 등을 보시하면 열 가지 공덕을 얻으며, 또 공경하고 합장하여도 열 가지 공덕을 얻는다고 하였다. 중생들이 단정한 얼굴로 태어나는 것은 10가지 업의 결과인데 그 중 다섯째가 바로 불탑을 장식하는 것이고 여덟째가 불탑을 깨끗이 청소하는 것이라고 설한다. 또한 불탑에 예배하면 열 가지 공덕을 얻는다.

⑤ 『분별선악보응경』

아함부에 속한 여러 경전 중 불탑신앙사상을 가장 수승하게 강조하고 있다. 즉 불탑에 합장하고 공경하면 얻는 공덕, 불탑을 청소하면 얻는 공덕, 불탑에 일산을 보시하면 얻는 공덕, 불탑에 종이나 요령을 보시하면 얻는 공덕, 불탑에 당과 번을 보시하면 얻는 공덕, 불탑에 의복을 보시하면 얻는 공덕, 불탑에 꽃다발을 공양하면 얻는 공덕, 불탑에 등불과 향을 피우면 얻는 공덕, 그리고 불탑을 찬탄하면 얻는 열여덟 가지 훌륭하고 묘한 공덕에 대하여 구체적으로 설해져 있다.

⑥ 『불설급고장자여득도인연경(佛說給孤長者女得度因緣經)』

선무독녀가 급고장자에게 난타는 과거 가섭불의 탑에 일산 하나를 보시한 공덕으로 불타의 친 아우로 태어나 불제자가 되었다는 것을 설한다.

⑦ 『불설옥야녀경』

경의 주인공인 옥야가 불타로부터 착한 아내와 악한 아내의 법을 듣고는 두려운 생각이 나서 옥을 조각하고 비단에 수를 놓아 주보장(珠寶帳)을 만들고 비단, 기와, 일산을 달고 여러 가지 좋은 향을 태우며 불탑을 돌며 염불하니 그 소리가 시방에 들렸고 이 모습을 본 사람들도 따라 기뻐하며 탑 앞에 예배했다는 내용이 전한다.

⑧ 훼탑의 과보

불탑에 대한 예배의 여러 가지 공덕을 설한 아함부 경전에는 훼탑의 과보도 함께 전하고 있는데 『분별선악업보응경권상』과 이 경의 이역본인 『불위수가장자설업보차별경(佛爲首迦長子業報差別經)』에는 불탑의 등을 끄면 그 업보로 얼굴이 추하게 태어난다고 설함으로서 훼탑을 경계하는 가르침을 주고 있다.

이와 같이 아함부 경전에서는 불탑에 대한 신앙형태를 매우 다양하고 구체적으로 전하고 있어 오늘에 전하는 모든 불탑신앙의 기원을 살피는데 좋은 자료가 되고 있다. 불타의 초기설법을 집대성한 아함부 경전에서 불탑과 관련된 내용을 고찰한 결과 다음과 같은 내용을 알 수 있었다.

첫째, 불타는 생존시에 제자들에게 불멸 후 장례법을 전륜성왕처럼 치루되 더욱 여법하게 하라고 당부했지만 이를 한역하는 과정에서 전륜성왕의 장례법이 역자에 따라 세욕재료, 염재료, 유골의 안치 방법, 탑의 위치, 탑의 표시 방법, 공양물 등에 차이가 있음을 알 수 있다.

둘째, 역사적 사실로 기록된 사리팔분이 한역자에 따라 중재자의 지위가 다르고 명칭 또한 향성, 모궐, 둔굴, 도로나 등 매우 다양하게 기록되어 있으며 지제를 포함한 최초의 탑도 『탑공덕경』의 신앙사상과 연관하여 탑돌이의 공덕을 조명할 수 있는 경설이라는데 그 의미가 있다고 할 수 있다.

(3) 법화. 화엄경전의 불탑신앙

오대산 불교는 법화 화엄신앙의 신앙적 배경이 큰 것으로 생각되어 그에 따른 불탑신앙의 개요는 다음과 같다.

법화부란 『법화경』과 연관이 있는 경전을 통틀어 일컫는 용어로 『대정신수대장경』에는 제9권에 수록된 경전(266-277)을 법화부라 한다. 법화부의 경전 중에 가장 으뜸 되는 경전은 『법화경』으로 산스크리트 원전은 네팔본, 서역본, 카슈미르본의 3종이 전하는데 이 중에서 네팔본만이 완본으로 전하고 나머지는 단편이다. 『법화경』의 한역경전은 서진의 축법호가 번역한 『정법화경』(~286)과 요진의 구마라집이 번역한 『묘법연화경』(~406), 수나라의 사나굴다와 달마굽다가 공동으로 한역한 『첨품법화경』이 현존하고 있다.

법화경은 대승불교 사상의 특색이 중심을 이루고 있는 경전이다. 그 성립

연대에 대해서는 서력기원 50년경에 제1류, 서력기원 100년경에 제2류, 서력기원 150년경에 제3류로 증가된 것으로 보고 있다.

(4) 『묘법연화경』의 불탑신앙사상

① 서품

이 경의 서품에는 불타 입멸 후에 칠보탑을 건립하여 불타의 사리를 봉안하라는 내용이 있으며 불타 입멸 후에는 무수한 탑을 건립하여 각 나라마다 장엄하니 높이는 5천 유순, 가로세로는 각 2천 유순이며, 당과 번이 천 개이고, 진주로 된 교로만(交露幔)에 보배 방울을 울리고 향과, 꽃과 기악으로 모든 탑을 장엄하고 공양한다는 내용이 전한다. 이 경설의 내용으로 보아 불타 입멸 후에는 사리신앙을 권장하고 있으며 화려하게 장엄된 불탑의 형식은 정방형을 취하고 있음을 알 수 있다.

② 방편품

이 방편품에는 특이하게도 경설의 본문에는 탑에 대한 언급은 전혀 없으나 게송부분에서 불탑신앙을 강조하고 있다. 그 게송의 내용은 불멸후 사리를 공양하려고 만억가지의 탑을 세우고 칠보로 장엄한다. 또 아이들이 장난으로 흙모래로 탑을 만들더라도 그 공덕으로 성불한다는 내용으로 불탑신앙의 극치를 보여주고 있다.

또 같은 품에 사람들이 탑과 묘나 불상이나 화상(畵像)에 꽃, 번개(幡蓋)로써 공양하거나 풍악, 북, 소라, 퉁소, 거문고, 공후, 비파, 요령, 바라를 이용하여 음악으로 공양하거나 환희심의 노래로 찬탄하면 성불한다는 내용이 전한다. 이 경설의 내용으로 보아 불탑신앙의 형태가 물질적이고 시각적인 형태를 초월하여 청각적인 신앙의 형태로까지 변모하고 있음을 짐작할 수 있다. 또한 이 품에서는 마음이 산란한 사람도 탑묘 중에 들어가서 나무불(南無佛)을 한번만 불러도 이미 성불한다는 내용으로 보아 탑이 단순한 사리를 봉안한 용도에서 벗어나 일반 불자들이 탑 안에서 예경할 수 있는 공간으로 확대되었음을 짐작할 수 있다.

③ 수기품

불타의 제자인 대가전연이 미래 세상에 8천억 불타에게 공양하다가 그들이 열반하면 모두 탑을 세워 공양한다는 내용이 전하는데 그 때 탑의 형상은 높이가 1천 유순, 가로세로가 각 5백 유순이며, 칠보를 조성하고, 꽃과 향으로 탑묘에 공양한다. 다시 2만억 부처에게 공양하되 앞의 내용과 같이 함으로써 미래에 반드시 성불한다는 수기를 내린다. 또 목건련의 경우도 가전연의 수기내용과 같은 인연공덕의 수기를 내리는 경설이 설해져 있다. 수기란 부처가 불도를 잘 닦은 자에게 언제 어떤 부처가 될 것이라고 예언하는 것인데 가전연과 목건련은 2만 8천억의 부처에게 공양하고 그들의 열반 후에는 불탑을 조성한 공덕으로 성불한다고 예언함으로써 불타 제자들의 칭송과 더불어 불탑신앙을 강조한 내용으로 이해할 수 있다.

④ 법사품

법화경을 설하고, 읽고, 외우고, 쓰고, 혹은 경이 있는 곳에는 전부칠보탑을 건립하라고 한다. 그러나 따로 사리는 봉안하지 않아도 된다라고 설한다. 그 이유는 법화경이 여래의 전신이기 때문이다. 그러므로 이 탑에 공양하면 아뇩다라삼먁삼보리에 이르게 된다는 내용이 있다. 여기서 주목되는 점은 사리가 아닌 법화경의 소재처에 보탑을 건립하라고 설하면서 법화경을 여래의 전신사리로 규명한 것은 불탑 안에 진신사리를 봉안하던 것이 법사리로 대치되는 도상적 근거라는데 그 의미가 있다 할 수 있겠다.

⑤ 견보탑품

석가모니가 약왕보살 등에게 법화경의 숭고함을 설하고 있을 때 칠보탑이 땅에서 솟아 공중에 머문다. 이 칠보탑의 형상은 높이 500유순, 가로세로 각 250유순이며 5천개의 난간과 천만 개의 감실이 있고 무수한 당번과 영락 등으로 장엄되어 있다. 불타는 그의 제자에게 이 탑은 과거 보정국의 다보여래의 서원에 의한 법화경 설법 증명탑이라고 말한다. 또한 다보여래의 전신을 친견하기를 원하는 제자들을 위해 불타는 오른손가락으로 칠보탑을 열고 다보여래를 직접 친견하며, 법화경을 찬탄하고 증명하는 음성을 듣게 된다. 마침내 다보여래는 석가모니에게 자리를 반으로 나누어 나란히 함께 앉는다. 이상의 경설은 우리나라 불국사의 석가탑과 다보탑뿐 아니라 중국이나 일본의 다보탑의 건탑 사상으로 잘 알려진 내용으로 많은 연구가 이루어지고 있다.

⑥ 제바달다품

제바달다의 수기를 설하는데 그는 천왕불이 되고 열반한 후 정법이 20중겁 지속되며, 전신사리로 7보탑을 건립하는데 높이 60유순, 너비 40유순이다. 꽃과 향, 기악 가무로 7보탑에 예배하고 공양하며 한량없는 중생들은 아라한과와 벽지불이 되어 깨달음을 얻는다고 설하고 있다.

⑦ 종지용출품

여러 보살이 땅으로부터 솟아나와 허공의 7보탑에 있는 다보여래와 석가모니불을 찾아가 예배하고 오른쪽으로 세 번 돌고는 합장 공경하는 장면이 설해져 있다. 여기서 주목되는 점은 우요삼잡(右繞三匝)의 신앙형태가 등장한다.

⑧ 분별공덕품

법화경을 수지독송하는 재가자들은 불타를 위해 탑이나 절을 세우는 등 네 가지 공양을 하지 않아도 된다고 설한다. 또한 법화경을 수지독송 하는 자들이 있는 곳에는 당연히 탑을 세워 불탑과 같이 공양하라고 설한다. 이 경설의 내용을 살펴보면 일단은 법화경을 수지독송하는 공덕을 최고의 신앙사상으로 권장한다. 그렇기 때문에 이들은 건탑불사의 수고를 면해주는 특권의 기회도 주어진다. 이는 건탑의 공덕을 약화시키는 의미로도 이해할 수 있지만 곧 경설의 후미에는 법화경전을 수지독송하는 자들에게는 그들을 위해 반드시 탑을 건립하고 불탑과 똑같이 예경하라고 하여 법화경의 중요성뿐만 아니라 불탑의 신앙성도 동시에 강조하고 있다.

⑨ 약왕보살 본사품

불타는 수왕화에게 아뇩다라삼먁삼보리를 얻으려면 손가락이나 발가락 하나를 태워서 불탑에 공양하라고 한다. 그러면 그 공덕은 삼천대천세계의 많은 보물로 공양하는 것보다 뛰어나다고 설한다. 여기서 주목되는 것은 불자들의 적극적인 신앙의 표현과 수행의 한 방법으로 행해지는 소신공양(燒身供養)의 유래를 알 수 있다는데 그 의미가 있다. 이러한 소신공양은 물질로서 불탑에 공양하는 것보다 더욱 중요한 것은 신심을 다하여 불탑에 공양하는 것이 더욱 중요하다고 역설한 내용으로 이해할 수 있다.

(5) 살담분타리경(薩曇芬陀利經)

묘법연화경의 제바달다품의 내용에 해당되는 조달(調達)의 수기 장면이 설해져 있다. 그러나 조달이 천왕불이 되고 천왕불이 열반하면 칠보탑을 건립하는데 이 칠보탑의 형성이 묘법연화경의 천왕불탑과 비교해 보면 차이점이 있다. 즉 묘법연화경에서는 높이 60유순, 너비 40유순이라 하여 정방형의 형태를 상상하게 하는데 이 경에서는 넓이가 60리, 길이가 80리라 하여 높이는 생략된 반면에 직방형의 형상을 의미하고 있음을 알 수 있다.

(6) 불설아유월치차경(佛說阿惟越致遮經)

기방품(譏謗品)에는 불타가 그의 제자 아난에게 탑사를 파괴하거나 훼손하면 그 과보가 얼마나 되냐고 묻자 아난은 보고 들을 수 없을 정도로 죄가 무겁다고 답한다. 즉 훼탑의 과보가 오역죄에 해당됨을 설하고 있다.

(7) 불설보살행방편경계신통변화경(佛說菩薩行方便境界神通變化經)

문수사리가 불타에게 이 경이 얼마 동안이나 염부제에 유통되느냐는 질문에 불타는 불멸 후 여래의 사리는 여덟 명의 왕이 8등분하는데 그 중 아사세왕이 왕사성 밖에 땅을 파고 사리를 감춘다. 그 후 100년이 지나 아숙가왕은 사리함과 같이 금 잎사귀 안에 간직된 이 경을 찾아서 8만 4천의 탑을 건립하고 이 경은 북방에 있는 사람들이 볼 수 있도록 한다는 내용이다. 이 경설의 특징은 다른 경전에서 보이지 않는 사리 8분의 역사적 사실이 설해져 있다는 것이다. 즉 아사세왕이 근본8탑을 건립할 때 사리함과 동시에 본 경전을 은닉한 후 100년이 지난 후 아쇼카왕 시대에 경이 유포될 수 있도록 했다는 사실이다. 물론 이 내용은 역사적 사실을 기록한 것이라고는 단정 지을 수 없다. 하지만 후대에 경이 성립되면서 그 당시의 신앙사상이 표출된 것이라고 볼 때 사리와 함께 경전이 얼마나 소중히 여겼는가를 짐작하게 한다는 점에 그 의미가 있다고 할 수 있다.

(8) 법화부 경전의 불탑신앙

① 불탑신자단의 출현

불탑의 조영은 주로 재가신자들에 의해 이룩되어 신앙되었다. 잘 알려진 대로 아쇼카왕 처세 시에 이르면 8만 4천탑이 조성되어 인도 전역에 확대되기에 이르렀고 이 불탑을 관리하는 이들은 재가신자들이었다. 이런 재가신자들은 도시에서 활동하던 자산가로 거사들이었다. 이들은 불탑을 중심으로 신앙생활을 해서 불탑신자단이라고 칭해지기도 했다. 불탑신자단들은 상인이고 지주였으며 무역상이어서 상당한 재력을 가지고 있었다. 그들의 재력은 불탑에 보시하는데 막대한 액수로 불탑 경영에 나타난 재산증가는 거대하게 되어 그것을 금융활동에 이용할 정도가 되었다.

② 불탑신앙의 변화

불탑신앙의 변화라고 한 것은 불탑 안에 봉안물인 사리를 봉안했던 것이 점차 경전으로 바뀌는 것을 의미한다. 즉 불사리탑 신앙이 경전수지 신앙으로 변천하는 것이다. 이는 묘법연화경의 전반은 불탑신앙을 기반으로 하여 이승작불(二乘作佛)의 가르침을 밝힌 것이라면 법사품 이하가 되면 경전수지가 표면화 된다. 이것은 일승의 가르침이 확대되고 나면 이 일승법으로 독립하게 되므로 반드시 탑신앙이 부각될 필요는 없다. 결론적으로 법화경의 사상은 일불승(一佛乘) 사상이지만 그것을 실천하는 행법으로서는 불탑신앙과 경전수지신앙 두 가지라고 할 수 있다.

(9) 화엄부 경전의 불탑신앙

① 화엄부 경전의 개요와 구성

대승불교 초기의 중요한 경전으로 한역본은 불타발타라(佛陀跋陀羅)가 번역한 60권본(418~420), 실차난타역의 80권본(695~699), 반야역의 40권본(795~798)이 있는데 상기 2본 중 최후의 장인 입법계품에 해당하는 것이다. 티베트어 역은 80권본과 유사한 완본이 있다. 본경은 60화엄이 34장, 80화엄이 39장, 티베트어역은 45장이지만 처음부터 현재의 형태로 성립된 것이 아니고 각 장이 독립된 경전으로 유통되다가 후에 『화엄경』으로 만들어졌는데, 중앙아시아에서 4세기경 집대성된 것으로 추측된다. 각 장에서 가장 일찍 성립된 것은 십지품으로 그 연대는 1~2세기경이라고 한다. 산스크리트 원전이 남아있는 것은 이 십지품과 입법계품이다. 화엄경을 말할 때 의례 7처 9회 39품이라고 한다. 즉 설법한 장소는 7곳이고, 설법의 횟수는 9번이고 전혀 다른 내용으로 분류될 수 있는 부분(品)이 39품이다. 보현행원품은 화엄경의 결론이며 불교 전체의 결론인데 언제부터인가 따로 떨어져서 읽히고 있다.

② 불탑조형에 표현된 화엄사상

ㄱ. 대방광불 화엄경(60권본)

이 경의 제6권 정행품에는 게송으로 중생들의 존귀함이 불탑과 같다는 표현이 있으며 불탑에 정례하면 중생들이 성불할 수 있으며 불탑을 오른쪽으로 돌면 중생들이 모두 바른길은 닦는다고 하였다. 또 현수보살품에는 여러 가지 묘한 보배를 불탑에 공양하니 보장엄이란 광명을 얻고 향으로 불탑을 만드니 묘향이라는 광명을 얻고 불탑을 청소하니 단엄이란 광명을 얻는다. 또 향수로 불탑을 씻으니 대운이란 광명을 얻고 등불을 불탑에 공양하니 안청정이란 광명을 얻는다. 또 불탑에 음악을 공양하면 이청정(耳淸淨), 불탑에 향을 공양하면 비근정(鼻根淨), 불탑에 예배하면 신근정(身根淨), 불탑을 장엄하면 색청정(色淸淨), 향수로 장엄하면 향청정(香淸淨)이란 광명을 각각 얻는다고 설한다. 이 경의 제8권 보살운집묘승전상설게품(菩薩雲集妙勝殿上說偈品)에는 불타의 이름을 듣고 기뻐하는 사람은 세상의 탑이 된다고 한다. 제9권 초발심보살공덕품에는 불타 입멸 후 높고 넓은 탑을 세워 공양한 것은 처음 발심한 보살 마하살의 공덕에 비하면 백분의 일에도 미치지 못한다고 하였다.

ㄴ. 불설보살본업경

이 경에서는 탑돌이를 하는 목적은 중생들이 복을 널리 회향하고 불법을 통달하기 위함이며, 탑을 세 번 도는 것은 4희를 끊지 않기 위해서라고 설하고 있어 탑돌이의 공덕을 설하고 있다.

ㄷ. 등목보살소문삼매경(等目菩薩所聞三昧經)

이 경의 제6 대권혜정품(大權慧定品)에는 마니보배로 탑과 정사를 세워 공양하는 것은 천상에서 하는 일보다 더 훌륭한 행위이며 이것은 불국토가 청정하기 때문이라고 설한다.

ㄹ. 도세품경(度世品經)

보살이 아주 청정하게 되는데(善淸淨) 열 가지가 있는데, 그 중에 피리를 불면서 불타의 탑묘를 즐겁게 하는 것이 있다고 설한다.

ㅁ. 불설라마가경(佛說羅摩伽經)

선재동자가 불탑에 예경하는 장면이 설해져 있다. 즉 선재동자가 전단탑에 공경예배하고 탑의문을 열었는데 탑문을 열 때마다 불타의 원만한 광명이 밝게 빛나고 삼매법문을 얻을 수 있었다.

ㅂ. 대방광총지보광명경(大方光總持寶光明經)

이 경에서는 이 경을 대하는 것은 불탑을 대하듯 해야 하며 보배상자를 대하듯 이 경을 존중해야 한다고 설하고 있어 불탑에 대한 숭배의 신앙 형태가 매우 수승했음을 알 수 있다. 또 이 법은 이와 같이 깊고 미묘하여 헤아리기 어렵고 불가사의 하다. 만약 정법이 머무는 곳이라면 불타의 탑묘와 같다고 하여 의미를 더 강조하고 있다.

ㅅ. 대방광여래부사의경계경(大方廣如來不思議境界經)

불타 열반 후 칠보탑을 세우고 공경히 공양하더라도 이 경의 법문을 듣고 존중하고 믿어 지니면 건탑의 공덕보다 더 수승하여 속히 정각을 이룬다고 설하여 불탑신앙이 다소 약화됨을 알 수 있다.

ㅇ. 도제불경계지광엄경(度諸佛境界智光嚴經)

불타 열반 후 건탑 내용이 설해져 있다. 열반 후에 시방세계의 티끌 수와 같은 모든 보탑을 세우되 하나하나의 보탑마다 가로 세로의 크기는 4천하(天下)와 같고, 장엄을 염부단 금으로 구족하게 하고 등마니보(燈摩尼寶)를 땅 위에 깔고 일체광명취마니보로 기단을 만들고 진주마니보로 번개를 만들고 우두전단향으로 그 땅위를 바르고 자재왕 마니보로 그 물을 만들어 그 위를 덮고 또 보개(寶蓋)로 삼천대천세계를 두루 덮고 다시 모든 번화(幡華)의 수가 구름처럼 많고 갖가지 최상의 미묘한 기악으로 탑에 공양한다고 설해져 있다.

③ 화엄부 경전의 불탑 신앙사상

이상에서 살펴본 것처럼 화엄부 경전에서의 불탑신앙사상은 앞서 살펴본 법화경의 불탑신앙사상과 같이 이분법적인 신앙사상이 강조되고 있다. 불탑에 예배하고 공양하며 장엄하라는 교설과 동시에 경전수지사상이 강조되어 불탑신앙은 경전을 수지 독송하는 공덕에는 미치지 못한다고 설한다. 이것은 불타의 교설 중 깨달음에 이르는 가장 수승한 교설로 알려진 화엄사상에서는 불탑예배가 깨달음에 이르는 하나의 방편에 지나지 않는다는 것으로 생각할 수 있기 때문이다.

5) 황룡사의 9층탑 의례와 월정사 9층석탑 의례로의 전개

(1) 황용사 9층탑과 그 신앙의례

『삼국유사』에 전하는 황룡사 9층탑에 대한 신앙적 근거는 다음과 같이 전하고 있다.

> 신라 제27대 선덕왕 즉위 5년인 정관(貞觀) 10년 병신(丙申636)년에 자장법사가 중국으로 유학하여 오대산에서 문수보살이 전해주는 불법에 감응해서 전수받았는데 문수보살이 자장법사에게 이렇게 말했다.
>
> "너희 국왕은 천축 찰리종(刹利種)의 왕으로 이미 불기(佛記)를 받았기 때문에 따로 인연이 있어 동이(東夷) 공공(共工)의 종족과는 다른 것이다. 그러나 산천이 험한 탓으로 사람의 성질이 거칠고 사나워서 간사한 말을 많이 믿는다. 그래서 때때로 혹 천신이 화를 내리기도 하지만 다문비구(多聞比丘)가 나라 안에 있기 때문에 군신이 편안하고 만백성이 화평한 것이다."
>
> 말을 마치자 문수보살은 이내 보이지 않았다. 자장은 이것이 보살의 변화임을 알고 슬피 울면서 물러갔다. 자장법사가 중국 대화지(大和池)가를 지나는데 갑자기 신령한 사람이 나타나서 물었다.
>
> "어찌하여 이곳에 오셨소?"
>
> 자장이 답했다
>
> "보리를 구하기 위해서입니다."

신령한 사람은 그에게 절하고 나서 다시 물었다.

"그대의 나라에 무슨 어려운 일이 있소?"

"우리나라는 북으로 말갈에 닿아 있고 남으로는 왜국과 이어졌으며 고구려와 백제 두 나라가 번갈아 국경을 범하는 등 이웃나라의 횡포가 자주 있으니 이것이 백성들의 걱정입니다."

신령한 사람이 말했다.

"지금 그대의 나라는 여자를 왕으로 삼아 덕은 있어도 위엄이 없기 때문에 이웃 나라에서 침략을 도모하는 것이니 그대는 빨리 본국으로 돌아가시오."

자장이 물었다.

"고향에 돌아가면 무슨 유익한 일이 있겠습니까?"

신령한 사람이 말했다.

"황룡사 호법룡(護法龍)이 바로 나의 큰 아들이오. 범왕(梵王)의 명령을 받아 그 절에 와서 보호하고 있으니 본국에 돌아가거든 절 안에 9층탑을 세우시오. 그러면 이웃 나라들이 항복할 것이며 구한(九韓)이 와서 조공하여 왕업이 길이 편안할 것이오. 탑을 세운 뒤 팔관회를 열고 죄인을 용서하면 외적이 헤치지 못할 것이오. 다시 나를 위해서 경기(京畿) 남쪽 언덕에 절 한 채를 지어 함께 내 복을 빌어주면 나 또한 그 은덕을 보답하겠소."

신령한 사람은 말을 마치고 자장법사에게 옥을 바친 후 이내 모습을 감추고 나타나지 않았다.

정관 17년 계묘(643)년 16일에 자장법사가 당나라 황제가 준 불경, 불상, 가사, 폐백 등을 가지고 본국으로 돌아와서 탑 세울 일을 임금에게 아뢰었다. 선덕왕이 여러 신하들과 일을 의논하니 신하들이 말했다.

"백제에서 공장(工匠)을 청해 데려와야 되겠습니다."

이에 보물과 비단을 가지고 백제에 가서 청해 오게 했다. 이리하여 아비지(阿非知)라고 하는 공장이 명을 받고 와서 나무와 돌을 다듬고 이간(伊刊) 용춘(龍春)(혹은 용수)가 그 공사를 주관하는데 거느리고 일한 소장(所匠)들이 2백 명이나 되었다.

처음에 절의 기둥을 세우던 날 공장은 꿈에 본국인 백제가 멸망하는 형상을 보았다. 공장의 마음속에 의심이 나서 일을 멈추었더니 갑자기 천지가 진동하며 어두워지는 가운데 노승 한 사람과 장사(壯士) 한 사람이 금전문(金殿門)에서 나와 그 기둥을 세우고는 모두 없어져 보이지 않았다. 공장은 일을 멈춘 것을 후회하고 그 탑을 완성시켰다. 찰주기(刹柱記)에는 이렇게 쓰였다.

"철반(鐵盤) 이상의 높이가 42척, 철반 이하는 183척이다."

자장이 오대산에서 받아 가져온 사리 일백 알을 탑 기둥 속과 통도사 계단과 대화사탑에 나누어 모셨으니 이것은 못에 있는 용의 청에 따른 것이다.(대화사는 아곡현 남쪽에 있다. 지금의 율주이며 역시 자장법사가 세운 것이다) 탑을 세운 뒤에 천하가 형통하고 삼한이 통일 되었으니 어찌 탑의 영험이 아니겠는가. 그 뒤에 고구려왕이 신라를 칠 계획을 세우고 말했다.

"신라는 세 가지 보배가 있어 침범할 수 없다고 하니 이는 무엇을 말하는 것이냐?"

"황룡사 장육존상과 구층탑, 그리고 진평왕의 천사옥대(天賜玉帶)입니다."

이 말을 듣고 고구려왕은 침범할 계획을 그만 두었다. 주(周)나라에 구정(九鼎)이 있어서 초(楚)나라 사람이 감히 주나라를 엿보지 못했다는 것과 마찬가지이다.

기리어 말한다.

귀신의 힘으로 한 듯이 수도 장안을 누르니
휘황찬란한 채색으로 처마를 움직이네.
여기에 올라 어찌 구한(九韓)의 항복만을 보랴.
천하가 특별히 편안하다는 것을 비로소 알게 되었네.

또 해동의 명현(名賢) 안홍(安弘)이 지은 『동도성립기』에는 이런 말이 있다.

신라 제 27대는 여자가 임금이 되니 비록 올바른 도리는 있어도 위엄이 없어서 구한이 침범하는 것이다. 만일 대궐 남쪽 황룡사에 구층탑을 세우면 이웃 나라가 침범하는 재앙을 억누를 수 있을 것이다. 제1층은 일본, 2층은 중화, 3층은 오월(吳越), 4층은 탁라(托羅), 5층은 응유(鷹遊), 제6층은 말갈, 제7층은 거란, 제8층은 여진, 제9층은 예맥을 진압시킨다.

또 『국사』 및 『사중고기(寺中古記)』를 살펴보면 다음 같은 이야기가 전한다.

진흥왕 14년 계유(553)년에 황룡사를 처음 세운 후에 선덕왕 때인 정관 19(645)년에 탑이 처음 세워졌다. 제32대 효소왕이 즉위한 7년 성력(聖曆)원년 무술(698)년 6월에 벼락을 맞았다. 제33대 성덕왕 경신(720)년에 다시 이 절을 세웠으나 제48대 경문왕 무자(868)년 6월에 두 번째 벼락을 맞아 같은 임금 때에 세 번째로 다시 지었다. 본조 광종(光宗)의 즉위 5(4)년 계축(953)년 10월에 세 번째 벼락을 맞았고, 현종(顯宗) 13년 신유(1021)년에 네 번째 다시 지었다. 또 정종(靖宗) 2(원)년 을해(1035)년에 네 번째 벼락을 맞았는데 이것을 문종 갑진(1064)년에 다섯 번째로 다시 지었더니 또 헌종(憲(獻)宗)말년 을해(1095)년에 다섯 번째 벼락을 맞았다. 숙종원년 병자(1096)년에 여섯 번째로 다시 지었더니, 또 고종 16년 무술(1238)년 겨울에 몽고의 침입으로 탑과 장륙존상과 절의 전당이 모두 재앙을 입었다.

(2) 월정사 구층탑의 신앙의례와 그 예능화

월정사 구층탑의 형식이 8각 9층이라는 고구려 양식을 닮았다고 하지만 자장율사가 당나라에서 귀국하여 황룡사 9층탑을 세우고 이어 월정사를 창건하고 뒤이어 다섯 성중과 9층으로 된 석탑은 모두 성자의 자취라고 하고 있는 『삼국유사』 “오대산 월정사의 다섯 성중”의 기록은 이들 양자의 상관관계로 보이며 이들 탑의 주변을 법성게로 도는 의례가 오늘에 이르고 있는 것으로 생각된다.

① 법성게 정진의 유래와 의의

법성게는 일명 해인도(海印圖)라고도 하는데 이는 신라시대 의상대사가 당나라 유학시 지산사(至山寺)의 지엄화상에게 화엄경을 배워 그 오묘한 진리를 통달하였다. 하루는 지엄화상이 화엄경법계 무량의에 취하여 그림으로 표현했는데 혹(或), 원(圓), 혹, 방(方) 종종형(種種形)으로 72개의 법계상(法界相)을 그려 이를 문도에게 가르치니 의상은 72개의 의지(義旨)를 종합하여 법성도(法性圖)를 지었다. 지엄이 이를 보고 의상의 일인(一印)이 자기의 72도보다 좋다고 하여 법성을 궁증(窮證)하고 불타의 의지를 달하였으니 이에 해석을 붙이라 하니 30구(句)의 송을 지었는데 이것이 법성게이다. 후일 의상이 귀국하여 영주 부석사를 짓고 화엄종을 세워 그 제자 상원에게 전함에 상원은 신림에게, 신림은 순응에게 전하니 순응은 이 해인도를 갖고 가야산에 이르러 해인사를 지었다고 한다.

이때 해인사에는 화엄경과 수정무공주(水晶無孔珠)와 해인(海印)을 화엄종의 세 가지 보물로 삼았는데 전설에 의하면 해인사의 해인은 이를 사용하면 호풍환우(呼風喚雨) 와이산월해(移山越海)를 자유자재하는 술법이 있는 것인데 정만인이란 사람이 가져갔다고 한다. 정만인은 도참설에 미혹한 사람이라 하며 현재는 화엄경판과 무공주만 전하고 있다. 이제 이 해인도를 분석하면 이 인도의 전부를 인상(印相)이라 하고 외부의 큰 선을 인곽(印廓), 내부의 선을 인문(印文)이라 하며 선에 있는 문자를 인자(印字)라 한다.

글자와 글자가 연속성행을 영도(迎道)라 하며 인도(印道)의 굴곡처를 인각(印角), 인도에 쓴 글자를 전부 일곱 자씩 읽어 가면 총 30구의 게송을 이루는데 이를 인시(印詩)라 하며, 인자의 총계는 210자이며, 인각의 총계는 54이다. 그 읽는 차례는 인(印) 제일 중앙의 "법"자에서부터 시작하여 "법성원융무이상"과 같이 일곱 자씩 읽어 가면 다시 중앙에 있는 "구래부동 명위불"이라는 "불"자가 끝이 되어 처음과 끝이 상접하고 시종이 끊임 없이 이어지는 그 묘함에 경탄하지 않을 수 없다.

② 법성게 정진 도는 방법과 의의

ㄱ. 원형으로 도는 것

보시를 표함이며 광대한 재법(財法) 무외보시로 중생심을 따라 모두 만족케 함이 마치 청정허공에 광명월수가 무사원조(無邪圓照)함과 같다고 한다.

ㄴ. 반월로 도는 것

반월(半月)은 지계를 표함이고 방비지악(防非止惡)하여 정계(淨戒)를 점차 닦아 이루는 것이 초생반월이 암사명생(暗射明生)함과 같다고 한다.

ㄷ. 신날 형으로 도는 것

인욕을 표현한 것으로 외욕을 깊이 참고 법성을 안으로 비추는 것이 마치 신날이 외욕을 방어하고 마음을 안정케 함과 같다고 한다.

ㄹ. 비전도(比剪刀)형 (가위형)

정진을 표하는 것으로 일체 지(智)에 취향(趣向)하여 퇴진하는 것이 마치 가위로 물건을 자름에 유진무퇴(有進無退)함과 같다고 한다.

ㅁ. 구름형

선정을 표한 것이니 마음을 일경에 명합(冥合)하여 일체의 번뇌를 소멸하는 것이 마치 구름이 대지의 열염(熱炎)을 끊고 청량함과 같다고 한다.

ㅂ. 금강저형

지혜를 표함이니 지혜공장(智慧工匠)으로서 번뇌광을 발견하고 이각오화(以覺悟火)로써 숙련하여 자기불성인 보배를 밝고 청정하게 함이 마치 금강저의 견리명삼의(堅利明三義)가 구족하여 진행이 무애함과 같다고 한다.

이상의 6가지는 6바라밀의 수행방편을 상징한 것이다.

보시: 자비로 널리 사랑하는 행위
지계: 불교도덕에 계합하는 행위
인욕: 여러 가지로 참는 것
정진: 항상 수양에 힘쓰고 게으르지 않는 것
선정: 마음이 고요해 지도록 통일하는 것
지혜: 나쁜 지혜를 버리고 참된 지혜를 얻는 것

ㅅ. 좌우쌍정(左右雙井)형

방편을 표한 것이니 방편으로 중생을 성숙하게 하여 생사의 고해를 건너는 것이 마치 한 원천(源泉)으로써 쌍정(雙井)을 나누어 동서에 구편(俱便)함과 같다고 한다.

ㅇ. 전후쌍정형

대원(大願)을 표한 것으로 일체의 불찰(佛刹)과 일체중생의 대원(大願)으로 편입하여 보살행을 닦는 것이 마치 전후쌍정에 귀천이 음료를 각득함과 같다고 한다.

ㅈ. 탁환이주(卓環二周) (고리두테)

정력(正力)을 표한 것이니 일체의 불국토에 정력(正力)으로 들어가 정등각을 이루는 것이 마치 인가에 당원(堂垣)을 닦아 세우고 주야 순환하여 외침을 방지함과 같다고 한다.

ㅊ. 성중원월형(星中圓月形)

대지를 표한 것으로 삼세 일체법을 여래지로 편지하되 무장무애한 것이 성중원월(星中圓月)이 원근을 비치는 것과 같다고 한다.

ㅋ. 정진진행 차례

아침: 종체기용(從體起用)이라 하여 좌측으로 선행(先行)한다.

저녁: 섭용귀체(攝用歸體)라 하여 우변(右邊)으로 선향(先向)한다.

③ 월정사 탑돌이의 예능화와 전개

이상 불탑신앙의 탑을 도는 방법과 갖가지 악기연주 장식물에 의한 주변장엄 등의 공덕이 설해지고 있어 이들에 의한 탑돌이의 예능화는 충분히 예상되고 있었다. 탑을 도는 방법은 법성게를 따라 도는 형식도 있지만 신도들에 의해 민속예능화한 탑돌이도 있다. 어떻든 이 탑돌이는 탑을 중심으로 원형으로 돈다는 원칙은 변함이 없다. 이와 같은 탑돌이 신앙의례가 일찍부터 월정사를 중심으로 성행하고 있었음을 일러주고 있는 것이 8각 9층 석탑의 공양자상의 조성이었다고 생각된다.

한편 원형으로 도는 탑돌이의 신앙양상은 신라시대부터 있어 왔던 것으로 보인다. 즉 앞에서 말한 오대산 화엄 만다라에서 원상(圓像)의 관음이나 지장을 봉안한다고 하는 원상이 지니는 의미를 주목하기 때문이다. 원형은 월륜(月輪)이라 하여 만월(滿月)을 상징한다. 만월은 청정한 색채와 무결(無缺)의 원형을 지니고 있다. 그리하여 이 같은 월륜은 보리심, 득도의 경지를 상징하기도 한다. 한편 전술한 오대산 화엄만다라에서 원상의 존상을 배치하고 있음을 중앙의 화엄신앙을 중심으로 사방에 다른 불보살신앙의 결사를 배치한다는 것은 법신 비로자나여래의 지혜가 구체적으로 각 방면에 발동하게 함을 의미한다. 그리고 이렇게 각 방면에 특수하게 발동된 지(智)는 다시 비로자나라고 하는 보편적 이성에 의해 통일된다.

『삼국유사』에서 보천이 남긴 오대산의 만다라적 발상은 이상과 같은 활동을 보다 원활하게 하기위한 방안으로 제시된 것이라 하겠다. 결국 이와 같은 문화원리는 오대산이 지닌 다양한 문화적 자원을 개발하여 이를 다시 통일된 질서 체계를 형성하게 하는 것이라 하겠으나 이 같은 활동을 계속 반복하여 더욱 큰 효과를 가져 오게 한다는 것이 원상(圓像)을 조성하게 되는 것이라 하겠다. 이를 상징적으로 표상하려한 신앙의례가 월정사 탑돌이를 형성하게 되었던 것이라 믿어진다. 만약 그렇다고 한다면 소통과 융합을 사회발전의 화두로 삼고 있는 오늘의 사회는 월정사 탑돌이의 재현을 통하여 그 지혜를 터득할 수 있을 것으로 생각한다. 왜냐하면 탑돌이는 탑을 돌면서 지혜의 세계에 도달하려는 것이지만 그것이 민간신앙화 하여 대중적 예능화를 가져오고 또한 그를 통해 소원성취를 이룩할 수 있다는데서 소통과 융합의 문화를 육성, 발전시킬 수 있을 것으로 기대하기 때문이다.

끝으로 민간에 전승되어 온 탑돌이 노래의 가사를 소개한다.

나무아미타불 관세음보살.
도세, 도세, 108번을 도세.

사월이라 초파일은 관등가절이 아니냐.
봉축하세 석가세존, 명을 빌고 복을 비오.
대재대비 넓으신 덕, 만세 봉축 하오리다.
일천사해 개귀묘법(皆歸妙法)
사은보시 인과응보.
선남선녀 진수공덕(眞髓功德)
삼계육도 성실해득
충효하고 입신하고
염불하여 극락가세.

호걸들을 어찌다아 헤아릴고 거룩할사 우리세존 걸랑걸랑 다저두고 이 세상에 나온 사람 노소남녀 물론하고 공수래 공수거요 빈손 빈몸을 들고 나와 물욕탐심 너무마소 백년탐물은 일조건이오 삼일수신은 천재보요 백년이나 살줄알고 아연걸면 좋은 천량 못다 먹고 목다쓰고 하신같이 내버리고 북망산천 다다르니 효자충신 열녀중부 처량하게 우는소리 산천초목도 설워하오 이팔청춘 소년님네 백발보고 웃지마소 어제가 청춘이요 오늘은 백발이 아니련가 우리도 도사 세존님네 아탁악세 이 가운데 불가사의를 지혜신통 대자대비를 베풀어사 사바세계는 남섬부주 강강중생 모아놓고 설법성이 자자하니 이설법을 들은 후에 저기저기 저극락을 어서가서 무상무복을 정득할줄 왜 모르오 일체중생은 삼행대로 몽한 중생은 정복 후에 선근종자를 연을 맺어 지혜심을 아뤄놓고 법성토 너른뜰에 수월도량을 널리닦아 생사대해를건너갈제 반야용성을 모아놓고 충자충신은 노를 젓고 효부열여는 닻을 감아 한가운데는 아미타불을 모셔놓고 좌우보처 관음세지 양대보살은 천둥처녀가 샤워를 하고 팔부신장이 옹위하야 서해바다 주시과시는 용왕은 도변수요 이물에는 인로왕보살이 기로성으로 앉으시고 저물에는 지장보살이 금일영가를 위로하여 고혼천도로 앉으시고 천개회양산 높이 들어 태평가를 부르시고 반반공중에 솟았는데 부는 바람은 영풍이요 밝은 광명은 순일이라 요풍순을 짝을 지어 천풍이 건듯하니 보수보망 나는 소리 미묘하고 한결하여 또 한편을 바라보니 저기저기 저국토에 가지가지 색소있어 청학백학 앵모공작 갈응빙가 공명은 쌍쌍이 울음을 울되 염불성으로 울음 우며 적 공상 새벽달에 슬피우는 두견새는 귀촉 불여귀라 망망한 성색도중 사부도서 공자들아 돌아갈 길을 왜 모르느냐 석양산로 저문달에 천지일월 무색하다 오호라 슬프도다 만고호걸 남아들아 상생불 충효하여 입신하고 염불하여 극락가세.

6) 맺는말

오대산의 불교는 자장율사에 의해 창시되고 화엄법화신앙에 의해 전승 유지되어 오늘에 전하고 있다. 월정사에 전하는 8각 9층탑은 그 형식면에서는 고구려의 영향을 받고 있는 것이라 전해지고 있지만 9층탑 신앙이 월정사에 정착할 수 있었던 계기는 황룡사 9층탑에 그 연원을 두고 있으며 그 전개는 황룡사 9층탑을 세우게 한 자장율사가 오대산 불교를 개창하여 화엄도량을 열어가며 9층탑에 대한 신앙의례가 정착화 되어간 것으로 믿어진다.

비록 오늘날에는 그 구체적 탑돌이의 양상이 전해지지 않고 있지만 탑의 양식을 뒷받침하는 『삼국유사』의 기록들에서 오늘날 일부 부분적으로 전하는 민속적 탑돌이 행사를 통하여 지난날에 성행하였던 월정사 탑돌이의 복원을 가능케 하고 있다. 그것은 법성게 정진 도는 법, 십바라밀 정진 도는 법 등의 불교의례가 오늘에 잘 전해지고 있기 때문이다. 그러나 다만 탑돌이 놀이는 기본적으로 탑을 도는 것에서 비롯되었지만 무의미하게 도는 것만으로는 그 문화적 가치를 발휘할 수 없게 되므로 탑을 도는 군중이 다양한 음악이나 무용으로 탑돌이를 장엄할 필요가 있다. 의식에 쓰이는 기물을 소개하고 그 응용방법을 모색해 보면 다음과 같은 것이 지적된다.

(1) 법악기(法樂器)

음률에 관계되는 악기의 일종으로 범종, 목어, 북, 운판 등을 4물이라 하여 매우 중요한 악기로 사용한다.

① 범종

명부중생을 위하여 울린다고 한다. 의식의 시작을 아뢰거나 조석 예경 때 사용한다.

② 운판

허공계 중생을 위하여 친다고 한다. 태징으로 대체하는 경우도 있다. 조석 예경 때, 식당작법시 사용한다.

③ 법고

세간중생을 위하여 친다고 한다. 조석 예경, 보통 재의식 때 두루 쓰인다.

④ 목어

수부(水府)중생을 위하여 친다고 한다. 조석예경, 식당작법 때 사용. 이 목어가 목탁으로 변했다고도 한다.

이상 4종의 악기는 4물이라 하여 종각 안에 같이 설치해 둔다.

⑤ 목탁

모든 의식에 가장 널리 쓰인다. 염불, 대중에게 시간을 알릴 때 사용한다.

⑥ 요령

모든 의식에서 법주가 잡고 의식 처음부터 끝날 때까지 안차비소리를 할 때 흔들고 사용한다.

⑦ 태징

부분적인 의식의 시작을 아뢸 때와 범패, 화창을 할 때 또는 바라춤 출 때 친다.

⑧ 호적

시련 때나 바라춤 출 때 또는 정진 돌 때 분다. 단 이 호적은 법악기는 아니다.

⑨ 소라

원래는 법회시 사람을 모을 때 부는 악기였다고 하는데 지금은 쓰지 않으며 시련시(侍輦時)나 정진 돌때 가끔 불기도 한다.

⑩ 바라

바라춤 출 때 쓴다.

2. 연등회의 전통과 그 전승의 의미

1) 연등회의 의의

1912년부터 열리는 연등회는 특별한 의미를 지닌다. 그것은 고려시대까지는 국가적 행사로 온 국민이 참가하는 대축제로 개최되었으나 조선시대 이후가 되면 불교교단이나 일반 민중들에 의한 민간습속으로 전해지고 있던 연중행사가 그 같은 연등회를 국가가 심의 결정하여 한민족의 전통문화로 인정받아 국가무형문화재로 지정 받게 됨에 따라 온 국민이 다 같이 즐기는 대축제로 개최되었기 때문이다.

요즈음 우리사회에서 환희의 물결을 쉽게 찾아볼 수 없다. 각종 경기장에서 승리의 환호성은 우리를 감동하게 하지만 그 감동은 연등회가 분출하는 환희의 세계와는 사뭇 다른 성격을 지닌다. 환호성이 상대방을 정복한데서 오는 기쁨이라면 환희는 자기내면의 무명(無明)을 정복한데서 오는 기쁨이기 때문이다. 연등은 등불을 밝혀 내면의 무명을 밝힌다는데 깊은 의미를 지니고 있다. 그러기에 내면에서 환희심이 울어 나오는 것이다. 연등회의 국가문화재 지정은 그와 같은 환희심이 전국에 넘쳐흐르게 하는 계기를 마련하고 있어 자못 그 의의가 큰 것이라 하겠다. 이와 같은 연등회는 고려시대까지는 국가적 행사로 성대히 행해졌고 조선시대를 거쳐 오늘에 전해지고 있다.

2) 연등회의 유래

고려시대 때 이규보는 연등회에서 임금이 올리는 기원문을 다음과 같이 적고 있다.

> 부처님께서 이 세상에 나와 널리 만물을 이롭게 하는 법문을 열었고 천축(天竺)에서 성을 돌며 연등하는 청정한 법석이 처음 시작 되었나이다. 이 의식은 선대로부터 승상해 오던 제도로서 후손에 미칠수록 더욱 빛을 내나이다. 생각하건데 미약한 사람이 법도에 따라 봄철의 좋은 밤을 가리어 법석(法席)을 절에서 엄숙하게 베푸니 천만 개의 아름다운 등불은 찬란한 광명의 바다로 이루었고 백가지 진귀한 음식은 풍성한 공양의 구름을 일으킨 듯하나이다. 이 수승한 인연을 맺은 곳에 그 감응이 즉시 통하게 하소서 엎드려 바라옵건대 상서로운 조짐이 곳곳에 이르고 수명과 복이 더욱 길어서 나라의 앞날이 길이 평안하여 솥발에 선듯 안정되고 온 백성과 함께 경사를 누려 마치 누대(樓臺)에 오른 듯 기쁘게 하여 지이다.

이처럼 연등회는 광명지해(光明之海)를 이루게 하고 인연에 감응하여 나라가 안정되고 온 백성이 함께 기쁨을 누리게 하는 것이었다. 이는 다름 아닌 연등회가 환희의 세계를 열게 하는 국가적인 행사였음을 잘 전해주고 있다.

3) 연등회의 축제적 의미

이상과 같이 연등이 환희심을 불러일으키면 등불로 장엄된 찬란한 광명의 바다로 들어가 연등을 보는 간등(看燈) 또는 관등(觀燈)을 하게 된다. 그것은 연등으로 채붕(彩棚)을 맺고 기악(伎樂) 백희(百戲)를 베풀어 밤새도록 즐기니 구경하는 사람들로 울타리를 이루었다는 것이다. 이와 같은 연희가 오늘날에는 각종 등(燈)으로 장식된 제등행렬로 변용되고 있다. 요컨대 연등회는 등불을 밝혀 등 공양을 올리는 연등의례와 의례의 성취에서 분출되는 환희의 세계가 각종 연희를 연출하는 예능행사로 구성되는 것임을 알 수 있다.

이 같은 전통은 고대사회의 각종 국중대회(國中大會)에서 비롯되었을 것이다. 부여의 영고 고구려의 동맹 삼한의 각종제등이 그와 같은 것이다. 즉 이들 국중대회는 먼저 하늘에 제사지내고 이어 가무음곡(歌舞音曲)으로 밤새도록 즐겼다고 하는 것이 그 같은 것이다.

4) 민속으로서의 연등회

고려시대까지의 연등회는 국가적인 행사였으나 조선시대가 되면 민간에서 서로 다투어가며 등불을 켜고 4월 초파일을 즐겼다고 다음과 같이 동국세시기(東國歲時記)에 전하고 있다. 즉 음력 4월 8일은 석가모니 부처님께서 이 세상에 오신 날로 이 날은 모든 불교인들의 명절이다. 한편 4월 초파일하면 불교인 이든 아니든 오래전부터 우리민족이 다 같이 즐겨온 날이기도 하다. 대체로 이날은 연등행사와 관등놀이로 이름 높지만 이에 곁들여 갖가지 민속

행사가 행해졌다. 우선 이날은 연등행사가 중심을 이루지만 등을 만들 때도 민속적인 취향에 따라 수박등, 거북등, 오리등, 일월등, 학등, 배등, 연화등, 잉어등, 항아리등, 누각등, 가마등, 마늘등, 화분등, 방울등, 만세등, 태평등, 병등, 수복등 등을 만들어 연등에 곁들인 민속신앙의 의미를 더 한층 가미시키고 있을 뿐 아니라 등을 다는데도 등대를 만들어 각종 깃발로 장식한다. 강에는 연등 배를 띄우며 온 누리가 연등일색으로 화하여 축제분위기를 이루니 연등행사는 자연스럽게 많은 사람들의 구경거리가 되지 않을 수 없다. 이렇게 호화찬란한 각종 연등의 광경을 구경하는 것을 관등이라 한다. 강에 등을 띄우는 유등축제는 진주 유등제 등에서 재현되고 있다. 이렇게 연등과 관등이 있는 곳에는 각종 민속놀이가 성행하게 된다. 우선 연등의 방법이 민중의 흥을 돋우니 이를 간과할 수 없게 되는 것이다. 즉 형형색색의 등과 그의 불빛과 그림자를 이용한 등 놀이를 볼 수 있다. 영등(影燈)의 안에는 갈이틀을 만들어 놓고 종이를 잘라 말 타고 매와 개를 데리고 호랑이 이리 사슴 노루 등을 사냥하는 모양을 그려 그 갈이틀에 붙인다. 그러면 바람에 의하여 빙빙 도는데 사람들은 거기서 비추어 나오는 그림자를 보는 것이다.

호화찬란하게 장식된 등대(燈臺)에는 많이 달 때에는 10여개 적게 달 때에는 3, 4개의 등을 다는데 이 같은 등대는 고려시대에는 사찰에는 물론이거니와 관청 시장 일반민가에 이르기까지 모두 달았다. 그러나 조선시대에 와서는 사찰과 민가로 제한 된듯하고 오늘날에 와서는 일가 일등운동 등을 전개한 적도 있으나 대체로 사찰에서만 연등을 하고 온 종도들이 제등행렬로 축제를 이루게 한다.

5) 연등회의 종교적 의미

연등의 불교의례로서의 의미는 불보살에 대한 공양의 한 방법이다. 법화경 약왕보살 본사품(藥王菩薩本師品)에 의하면 등공양의 공덕이 무량함을 가르치고 있다. 한편 불설시등공덕경(佛說施燈功德經)에서 등 공양을 권하고 있다. 따라서 이와 같은 연등은 연등회와 같은 특수한 양식의 행사에서 행해지는 것이라기보다는 어떤 의식행사든지 필연적으로 수반되는 공양의 한 형태인 것이다. 그러나 이와 같은 불교의 공양의례로서의 한 방법이 재래의 민속과 결부될 때 이것이 행사화되고 민속화된다는 사실을 놓칠 수 없다.

오늘날의 연등행사가 우리의 민속으로 건재하기 위해서는 오늘날의 민중의 구체적 관심사와 연등공양이 어떻게 결합하고 있는지에 주의를 기울여야 할 것이다. 왜냐하면 불교민속이란 민중에 의한 불교의 인식방법으로 존재하기 때문이다. 현대사회에서 한국불교의 일반민중의 신앙형태는 농경사회가 필요로 하였던 신앙의 형태를 그대로 유지하고 있는 느낌을 가지게 하나 사회는 근대사회로 많이 변모하고 있다. 따라서 불법이 지닌 참뜻이 오늘날의 사회가 요구하는 보다 구체적 사실들과 만나지 않으면 안 된다. 그렇지 않을 때는 아무리 훌륭한 불법이라 할지라도 공허한 관념에 머물고 만다.

오늘날의 4월 8일 연등이 지니는 축제적 의미는 어떤 것인가를 생각해 본다. 연등의 참뜻은 흔히 지혜를 밝힌다는 상징적 의미를 지닌다. 그러나 이에 앞서 오늘날의 참된 민중의 소리에 귀 기울여볼 필요가 있다. 그리고 지혜를 밝힌다는 등공양이 갖는 불교적 의미가 구체적 민중의 소리와 어떻게 결합하느냐 하는데 깊은 관심을 가져야 할 것이다. 그래야만 민중에 의한 불교민속으로서의 4.8연등이 오늘날의 사회에서도 보다 건전한 의미를 지니고 생동하는 축제가 될 수 있을 것이다.

앞에서 연등회는 환희의 세계를 분출한다고 하였다. 그리고 그 환희의 세계는 연등이 무명을 밝혀 내면의 장애를 극복한데서 연유한다고 하였다. 그것은 오늘날의 사회가 겪고 있는 각종 계층 간의 갈등을 하나로 융합하는 자비의 세계를 열어 나갈 수 있을 것이라는데 사회적 의미를 찾을 수 있을 것이다. 자비의 문화는 정의의 문화와 대칭된다. 정의의 문화가 선악을 구분하여 선이 악을 물리치는 문화라면 자비의 문화는 선악 모두를 포용하여 더 한층 승화된 차원에서 하나 되게 하는 것이다.

오늘날 우리사회는 다양화 되면서 다양한 갈등을 심하게 겪고 있다. 이 같은 현상에서 선악을 가리기란 여간 어려운 일이 아니다. 융화와 소통의 길만이 오늘의 갈등을 극복할 수 있을 것이라 생각한다. 왜냐하면 연등회의 문화적 구조는 종교적 측면만이 아니라 민속적 측면, 예능적 측면, 역사적 측면 등 포괄적인 구조를 지니고 있기 때문이다. 따라서 연등회의 의미는 불교도만이 지닐 수 있는 것이 아니다. 이제 전 국민의 것이 되어 그 기능을 확산시켜 나갈 때 그 문화적 사회적 의의가 크게 부각될 것이라 믿는다.

6) 연등회의 전통

그리고 이와 같은 연등회의 문화적 가치는 이제 세계문화유산으로 등재하는데 주저할 일이 아니다. 왜냐하면 연등회가 내재하고 있는 광명(光明)의 세계는 보편적 가치이기 때문이다. 연등회가 지니는 이와 같은 보편적 가치는 그 잠재성이 글로벌 수준에 미쳤다는 것을 의미한다. 따라서 연등회의 세계문화유산등재는 보편적이며 포괄적인 글로벌시대에 당연하다 왜냐하면 광명의 세계는 향상을 의미하기 때문이다.

연등회의 국가지정문화재 지정의 의의는 이제 세계문화유산으로 발돋움하고 있다는데 더욱 큰 의미를 지니는 것이라 하겠다. 그를 위해서는 연등회가 지니는 보편적 가치의 선양과 연등회의 문화구조를 보다 구체적으로 연구하여 그 체계를 보편적 문화구조로 인식하게 해야 할 것이다. 여기서 연등회의 문화적 전통성을 다시 한 번 재검토할 필요가 있을 것이다. 왜냐하면 고려시대의 연등회가 오늘의 연등회가 될 수 없기 때문이다. 그것은 전통이란 문화내용에 관계되는 것이 아니라 문화내용의 실현에 작용력을 행사하는 기능이기 때문이다. 즉 전통이란 문화에 대한 내용적 가치가 아니라 작용적 가치이기 때문이다. 그것은 문화의 형성력이요 근원적인 힘이 되는 것이다.

이상과 같이 연등회가 지니는 전통이 근원적 문화형성의 활동력이라고 한다면 그것은 문화 전 영역의 근저에 있어 전체적 기반에 방향성을 제시하는 것이 아니어서는 안 된다. 오늘에 전하는 전통문화로서의 연등회는 감각되는 문화실체가 아닌 감각되지 않는 기능적인 면이 더 강조되는 것이다. 그것은 문화 전영역의 근저에 있어 전체적 기반에 방향성을 제시하는 것이다. 연등회에 있어 연등의 이미는 무명(無明)을 밝힌다는 뜻이며 빈자(貧者)의 일등(一燈)이 사회에 확산된다는 깊은 의미를 지니고 있는 것이기 때문이다.

六. 불교음악의 환희

1. 불교음악에 대한 미학적 접근

최근 불교음악에 대한 관심이 높아지고 있음을 본다. 연등회, 수륙재의 무형문화재 지정이 그러하고 현재 추진 중인 팔관회 등의 무형문화재 지정을 서두르고 있는 것이 그러하다. 그것은 모두가 불교음악과 깊은 관련을 갖고 있다는데 주목할 필요가 있다. 만약 그렇다고 한다면 여기서 우리는 불교음악은 어떤 음악인가 하는 미학적 접근을 필요로 한다. 오늘날 불교음악이라 한다면 전통적 재래음악이 있고 현대에 와서 새로 작곡된 찬불가 등이 있다. 여기 전통적 재래음악은 어산 또는 범패 화청 등이 있고 이들은 모두 의식음악으로서의 기능을 다하고 있다. 한편 새로 작곡된 찬불가 등은 불교의 각종 행사에서 합창곡으로 불교합창단에 의해 행사의 전후에 찬불의 의미를 확산시키는 기능을 다하여 부르는 현대적인 불교음악이다.

전통적인 불교음악은 의식을 집행하는데 필요한 의식음악이지만 한편 그것은 신비(神秘)적인 것이기도 하다. 영산재, 수륙재, 예수재 등에서 범패 등의 불교음악을 필수적인 요건으로 삼고 있으며 연등회, 팔관회 등에서 갖가지 음악회를 성대히 열어 축제적 분위기를 자아내게 하고 있는 것 등은 불교의식에서 음악은 필수적인 것임을 일러주고 있다. 그리고 그것은 신비적인 분위기를 조성한다는 것이다. 각종 재의식(齋儀式)에서 범패의 발성(發聲)을 불문율로 하고 있음은 범패가 의식에서 신비적 위력을 발휘하고 있기 때문이다. 그러면 불교의식에서 신비주의란 무엇인가 특히 재의식(齋儀式)에서 신비주의를 간과할 수 없게 됨은 인간에게 죽음이라고 하는 냉철한 사실이 있는 한 범패의 신비주의는 소멸되지 않을 것이다. 그것은 음악이면서 여타의 음악과는 이질적 감정을 갖는 범패가 아니어서는 안 되기 때문이다. 불교음악에 대한 신비주의적 접근을 하게 됨은 정토교의 극락왕생 사상과 깊은 관련이 있다 그것은 극락정토란 여러 가지 장엄의 세계를 말하고 있지만 그 세계에는 미묘한 음악의 흐름을 감지할 수 있게 되기 때문이다.

불교음악의 최종악장(最終樂章)이라 할 수 있는 제일 음악색이 강한 경전은 정토삼부경(淨土三部經)을 들지 않을 수 없다. 즉 무량수경, 관무량수경, 아미타경 등에서는 아미타불과 그의 국토인 극락정토를 설하고 있으나 잘 살펴보면 관능적(官能的)이며 감각적인 세계를 묘사하고 있는 것임을 알게 된다.

"바람이 불어 수목이나 건물에 부딪쳐 소리를 내거나 또한 공작 앵무새 가릉빈가 사리(舍利) 공명(共命)이란 새가 울어 이것이 음악이 되고 있다"는 것이다. 이는 극락세계는 음악이 울려 퍼지고 있는 세계란 것이다.

한편 정토의 음(音)은 8음이 있는데 이는 음계를 말하고 있는 것이 아니라 음색(音色)을 말하고 있는 것으로 생각되는 청(淸), 양(揚), 애(哀), 양(亮), 미(微), 묘(妙), 화(和), 아(雅)를 지칭하나 여기서 청양(淸揚)은 맑고 잘 뚫리는 소리, 애양(哀亮)은 슬픈 소리와 밝은 소리, 미묘(微妙)는 최고의 경지를 나타내는 소리, 화아(和雅)는 부드럽고 우아한 소리 등이라 하겠으나 이러한 음색(音色)이 어우러져 있는 국토가 극락정토인 것이다. 이상에서 보면 정토의 음악은 음향인(音響忍)이라 할 수 있는 것으로 음악을 들음에 의하여 깨달음의 세계에 들 수 있다는 것이다.

또한 불교음악은 주술적인 의미도 지니고 있는 것임을 알 수 있다. 삼국유사 "월명사 도솔가조"에 의하면 경덕왕 19년에 해가 둘이 나타난 이변이 생겨 일관(日官)이 주청하기를 연승(緣僧)을 만나 산화공덕을 짓는 의식을 행하기를 아뢰어 청결한 불단을 설하고 연승을 기다리던 중 월명사가 지나가거늘 왕이 명하기를 개단작계(開壇作啓)하라 하니 월명사가 이르기를 신승은 국선지도에 속하여 단지 향가만 이해하고 범패를 할 줄 모른다고 하니 왕이 다시 비록 향가라도 좋다고 하니 월명사가 향가로 의식을 행하여 이변을 사라지게 했다는 기사가 주목된다. 왜냐하면 이들 기사는 불교의식음악으로 범패와 향가가 있었고 이들 의식음악은 주술적 성격을 지니고 있었음을 알 수 있기 때문이다. 이와 같은 불교의식에서 주술적 의미는 오늘날의 각종 불교의식에서 반야심경을 독송함에 있어 마지막 단락에서 시대신주(是大神呪) 시대명주(是大明呪)라 하여 주문(呪文)을 3번 독송하고 있음은 불교의식에 있어 주술의 전통성과 그 종교적 의미를 간과할 수 없는 것이라 생각한다.

이상에서 오늘에 전하는 전통적인 불교음악은 음악이면서 의식(儀式)이고 신비적인 것이며 또한 주술적인 것이라 할 수 있다. 따라서 재의식(齋儀式) 등에서 보면 일단 모든 의식은 선율을 지닌 음악으로 표현한다. 그런데 그 음악적 표현에는 어산 범패가 있고 평염불성이 있다. 그리고 이와 같은 다양한 음악성은 정연한 체계를 갖고 의식절차를 이룬다. 그런데 그 같은 의식절차 속의 음악성은 찬탄, 신비, 주술 등의 감정을 유발한다.

거불 유치 청사 등에서는 찬탄 귀의의 감정을, 각종 발원문 등에서는 신비적 감정을, 각종 다라니 등에서는 주술적 감정을 불러일으키고 있는 것이라 생각됨이 그와 같은 것이다. 여기서 다시 우리는 불교의 음악이해가 어떤 것인가를 살펴보지 않을 수 없다. 왜냐하면 불교에서는 계율상 음악을 금지하고 있기 때문이다. 즉 그것은 음악을 번뇌의 산물로 보고 이를 멀리 하지 않으면 안 된다고 생각한다. 그런가 하면 다른 한편 음악은 혼(魂)의 정화를 가져온다고 하여 극락정토를 유발하는 감정으로 수용하기도 한다. 여기서 음악이 이사람 저사람 등 여러 사람들에게 미치는 영향을 생각하면 음악 더하기 심층심리 곧 유식(唯識)에서 말하는 아라야식을 참가시킨다고 하면 이는 또한 별종의 큰 감명이 있을지 모를 일이다. 어떻던 전통적인 불교음악은 범패와 화청이 오늘에 전승되고 있다. 화청은 다음기회에 논하기로 하고 범패의 음악적 구성을 보면 중국적 범패와 그 이전의 범패가 있었는데 여기 전자를 어산(魚山)이라 하고 후자를 범음(梵音) 범패라 하였으나 시대가 지남에 따라 양자의 구분이 없어지고 그 명칭만이 남아 어산과 범패를 병칭하고 있는 것임을 알 수 있다.

의식(儀式)에서 범패를 하는 것을 작범(作梵)이라 한다. 범패를 짓는다는 뜻인데 오늘날 짓소리 홋소리하는 짓소리의 어원이다. 넓은 의미의 범패는 짓소리 홑소리 쓸어 접스는 소리 등이 있는데 이들 음곡의 구성요소를 보면 장인(長引) 곧 길게 끈다 또는 음다유굴곡(音多有屈曲) 등으로 요약할 수 있다.

다른 한편, 안차비소리 바깥차비소리 등의 구분이 있다. 안차비소리란 법당안에서 법주가 요령을 흔들면서 음악 없이 하는 소리이고 바깥차비소리란 야외에서 장식음을 사용하여 작범(作梵)하는 소리이다. 즉 바깥차비소리에서 본격적인 범패성을 낼 수 있다는 것이다. 이는 일자일음(一字一音)식 음악이 아니라 한자(一字)를 길고 곡절 많게 늘어뜨려 부르는 것이다. 그리고 이와 같은 범패는 범패 전문승에 의하여 부르게 된다. 그렇다면 범패 전문승에 의하여 독창으로 부르는 형식 이외에 어떤 창법의 형식이 있을까? 대체로 다음과 같은 것을 생각할 수 있다.

첫째, 전문승이 독창하는 것

둘째, 1승이 독창하고 나면 대중이 그것을 반복하는 것

셋째, 장음염불같이 1승이 창하면 대중이 그것을 반복하지 않고 딴 불명(佛名)으로 화창하는 것

넷째, 1승이 한 범패를 창하는 도중에 대중이 딴 범패로써 그에 합치는 것

이처럼 불교음악의 핵심은 작범(作梵), 즉 바깥차비의 짓소리라 할 수 있는데 그 특징은 장인(長引)하고 음다유굴곡(音多有屈曲)한 것이라 이 같은 소리는 같은 불교의식을 하루 재, 이틀 재, 사흘 재 하는 식으로 짧게 하기도 하고 길게 하기도 하여 그 선율에 어느 정도의 장식음을 사용하는가에 따라 그 길고 짧음이 정해진다. 그것은 불교음악이 어떤 정해진 장단의 규격에 얽매인 음악이 아니라 자유로운 선율을 유연하게 구가하는 음악임을 알 수 있고 나아가 이와 같은 유연한 불교음악은 전문승에 의한 음악, 일반대중이 같이 하거나 선후창으로 하는 음악을 있게 하여 종국에는 대중이 제각기 나름의 기능을 다하게 하여 화합을 이루는 연기론적 의미를 나타내고 있는 것이라 보인다. 다만 이와 같은 음악형식이 서양음악에서의 다성음악 같은 효과를 내는 데까지 이르지 못하였으나 소절구조(小節構造)의 틀에 얽매이지 않는 자유스러운 선율구조에 의한 범패 등의 불교음악에 종교성이 아닌 예술성만을 지향하게 되면 국악의 가곡(歌曲)창에 영향을 미치게 되었던 것이라 생각된다.

결국 불교음악은 직선의 미학이 아닌 곡선의 미학이요 이는 유연하고 부드럽고 모든 것을 감싸 안는 완만한 여유로움의 미학이다. 장인(長引) 음다유굴곡(音多有屈曲)이 그를 잘 일러주고 있다. 그에 장식음을 가미하고 보면, 모든 중생을 끌어안는 자비의 미학이 된다.

2. 경전상의 불교음악과 그 미학

1) 머리말

오늘날 각종 불교행사에서 반드시 불교음악이 연주되거나 불리고 있다. 이는 좋은 현상이다. 그러나 다시 한 번 생각해 보면 이런 음악들이 불교의 어떤 내용을 바탕으로 하고 있는지 의아심을 자아내게 한다. 즉 별다른 고민 없이 가사만 불교적인 것으로 하였지 그 선율과 박자에서 불교적 감성을 느끼게 하고 있는지 의문을 갖게 하기 때문이다. 그리하여 이 같은 문제를 "경전에 나타난 불교음악"이란 문제의식으로 접근해 보려 한다.

2) 경전에 나타난 불교음악에 대한 제 문제

각종 경전에 불덕을 찬양하는 제종의 기사가 주목을 끌게 한다. 특히 불법의 미묘함을 음악적 표현으로 비유하고 있음은 매우 흥미를 끌게 한다. 각종의 악기명 음악명 악신(樂神) 등은 마치 경전을 음악으로 장식한 듯한 느낌마저 주고 있다. 생각건대 여기 이와 같은 경전에 나타난 음악적 자료를 중심으로 불교음악 연구를 위한 새로운 문제점을 제시할 수 있지 않을까 한다. 그것은 다음과 같은 방법론으로 경전에 나타난 불교음악의 서설적 개요를 살필 수 있지 않을까 생각하기 때문이다.

가. 문헌적 표현으로서 불교음악의 가상

나. 경전에 나타난 악기명과 그 주변

다. 경전에 나타난 음악적 용어의 배경

경전상의 여러 곳에서 우선 석존은 가무, 즉 음악을 금지하고 있음을 알 수 있다. 아함경에 의하면 사위국 기원정사에서 제 비구들에게 성현 팔관회의 법을 설할 때 음악금지의 가사가 보이며 『장아함경』 제11 선생경에서는 장자의 아들 선생에게 이르기를 여섯 가지 재물을 손상시키는 업이 있으니 기악과 가무에 홀리는 것이라 하여 음악을 금지하고 있다. 경부에서뿐만 아니라 율부에서도 비구, 비구니, 우바새, 우바이에 이르기까지 음악을 금지하고 있다. 그렇다면 이와 같은 기사와 같이 석존은 음악을 영원히 인정할 수 없는 금지물로만 생각했을까 이는 다음과 같은 석존 음악관의 또 다른 한 면을 살핌으로서 보다 올바른 불교음악에 대한 견해를 살필 수 있게 된다.

『법원주림』 제36 패찬편 음악부에 의하면 불 재세시 사위성중의 모든 사람은 각각 스스로 장엄한 기악을 작창하여 불승을 공양했다고 하며 이에 석존은 기악(伎樂)을 지어 불승을 공양한 공덕에 의하여 미래세 일백겁중 악도에 빠지는 일이 없을 것이라 하고 있다. 한편 『장아함경』에서는 능히 청청의 음으로 유리에 화하여 여래를 칭탄하며 그 소리가 비화애완(悲和哀婉)하여 만인의 마음을 감동시킬 수 있다고 하여 음악예찬론을 펴고 있다.

그러면 이와 같은 석존의 음악 금지와 음악찬양론의 양면에서 우리는 무엇을 살필 수 있을 것인가 흔히 우리의 생활주변에서 음악교육의 문제를 논하여 양호한 음악이니 속된 음악이라 하여 교육적 효과면에서 가치기준을 정하게 됨을 본다. 이는 음악의 영향력에 대한 높은 가치를 인정하면서 그럴수록 반작용으로서의 영향력을 우려한 결과라 할 수 있다. 다만 여기서 문제되는 것은 지향하는 음악, 다시 말해 교육적 이상으로서의 음악은 어떤 것 이냐 하는 것이다.

석존은 『증아함』 34에서 다음과 같은 사실을 밝힘으로써 그 음악 금지의 이유를 알게 한다. 즉 모든 비구가 식사를 끝낸 후 음주, 가무, 희소(戱笑), 기악(伎樂)에 대한 일들을 논의하고 있을 때 그 논의사항에 대하여 그는 속세의 일들로 올바른 일이 아니라고 지적한 것은 오락으로서의 음악을 금지한 것으로 보인다. 바꾸어 말하면 불교음악이 아닌 음악은 속된 음악으로 금지되어야 하지만 불덕을 찬탄하고 불보살에게 공양드리는 음악은 장려되어야 한다는 것이다.

『법원주림』 제36 음악부에 8만 4천의 기악(伎樂) 및 그 음은 널리 3천대천세계에 들리어 그 거문고의 소리 및 묘한 가성(歌聲)은 욕계 제천의 음악을 은폐하여 그 음악의 위력은 모두 법음을 설하여 8천의 보살이 무생인의 위를 얻는다고 밝히고 있다. 그러면 여기서 불타에 의하여 장려되었다고 하는 음악은 어떤 음악이었던가 문헌적인 표현으로만 묘사된 기술로 율려학적(律呂學的) 고찰은 불가능한 것이라 하겠으나 그 음악이 무엇을 위한 음악이었던가 하는 음악 미학적 방법론은 어느 정도 그 가능성을 제시할 수 있을 것으로 본다. 왜냐하면 경전상에 부처의 경지를 언어로 표현할 수 없는 장엄한 광경이라 하여 비유적 기술방법을 쓰고 있음은 예술의 본질에서 파악될 예술의 본령이라 생각하기 때문이다.

예술적 본질이란 직관적이며 언어로 전달될 수 없는 환상을 중요한 원칙으로 하며 그 예술은 단순한 환상이 아니라 그 아름다움은 참된 것이며 단순한 공상이 아니란 점에서 종교와 예술의 상관관계를 생각할 수 있게 된다. 그러나 이 문제는 종교와 예술의 상관관계를 생각하게 하는 것으로 여기서는 경전상에 나타난 문화현상으로서의 예술적 측면을 먼저 생각하고 다음에 종교적 문제와의 상관관계를 살펴보기로 한다. 일반적으로 예술이라 해도 그 범주는 광범위한 것으로 여기서는 음악예술을 중심으로 경전상에 나타난 음악은 어떤 음악이었던가를 규명해 보기로 한다.

3) 경전에 나타난 불교음악

불교음악이란 불교교단 내에 전해지는 음악과 그 응용을 말한다. 또한 전술한 석존이 장려한 음악의 내용에서 살핀다면 불보살의 공덕을 찬탄하고 공양드리는 음악이라 할 수 있다. 그렇다면 그와 같은 음악은 어떤 음악인가?

『과거 현재인과경』에서는 성도의 환희에 만족하여 하늘의 아름다운 음악을 연주하고 성도 후 제3야 8정도를 사유할 때는 천고(天鼓)가 스스로 울려 묘성을 발하여 제천은 기악(伎樂)을 연주하고 산화소향(散花燒香)하여 가패(歌唄)로 찬탄했다고 밝히고 있다. 이는 성도 후의 법열의 경지를 묘사한 것으로 장엄한 광경은 보통 언어로는 표현할 수 없는바 음악의 소리에 비유하여 법의 즐거움을 의미하는 묘음 묘법음이란 말로 표현하고 있음을 알 수 있다.

이와 같은 묘음(妙音)의 기사는 다른 경전상에도 나타나고 있는데, 즉 밀교부 『대일경』의 묘음, 묘음천, 묘음악천 『금강명경』의 변재, 즉 묘음 등이 그와 같은 것이다. 그리고 또한 이와 같은 소리는 보통 인간의 음악이 아니라 천상의 음악이란 것이다. 즉 세간의 제왕에게 백천의 음악이 있다면 전륜왕 내지 제6천상의 기악 음성은 전전하여 천억 만 배가 되고 또 6천상의 음악은 무량수국의 제7보수 중에 발하는 일부의 음성에 지나지 않는다는 것이라 하여 천상음악의 묘음을 널리 설하고 있으며 또한 무량수국에서는 음악은 극락장엄의 한 요소로 이 경에 의하면 청풍이 때로 발하여 5음성을 내며 미묘의 궁상(宮商)이 자연히 상화(相和)한다고 하여 천상음악이 다시 극락음악으로 발전되고 있는 것임을 알 수 있다.

이상에서 밝히고 있는 불교음악은 내용적인 면에서 묘음, 법음, 천상악, 극락장엄악 등으로 파악되며, 응용적인 면에서는 불보살의 찬탄, 공양, 극락장엄 등의 요소로 나누어 생각할 수 있다. 여기서 우리는 경전상의 문헌적 표현으로 나타난 내용만으로 실제 악곡상의 음악은 알 길이 없으나 다만 전술한 불교음악에 대한 서술의 내용에서 음악에 대한 신앙성 및 음악적 감정으로서의 미적 관념에 대한 다소나마의 회답은 얻을 수 있다.

우선 묘음이라고 하는 표현성이 흥미를 끌게 한다. 왜냐하면 묘음이란 신앙적인 의미로 수용되기도 하지만 예술적 의미도 아울러 지니고 있는 것이라 믿기 때문이다. 묘음이란 범어 Gadgade-svara로 원래 상설음 선설음(善說音)의 뜻을 지니며 불보살의 설법교화가 주로 미묘한 음성에 의함을 나타낸 것이라 하여 부처의 한소리가 능히 일체법을 설하여 신앙심을 일으킨다는 불보살에 관한 음성공덕의 위력을 설한 많은 기록이 보인다. 『법화경』 묘음품에 의하면 석존은 묘음의 본뜻을 전하여 과거 일만 3천 년간 묘음은 현일체 세간국인 운뢰운왕불에 백천의 기악을 갖고 공양하여 8만4천의 칠보탑을 봉상한 인연에 의하여 이제 정화숙왕지불국에 태어나 그와 같은 신력을 지닌다고 하였으며 또한 묘음의 종종의 신변현(身變現)에 의한 중생구제의 신력(神力)을 설하여 그 신력에 의해 얻어진 삼매가 현일체색신삼매가 된다고 하였다.

한편 『법화경』 묘음품의 묘음의 명의(名義)에 의거하여 기다 요시히데(木田義英) 씨는 그의 저서 『불전의 내상(內相)과 외상(外相)』에서 운뢰음왕불이란 불명이 승대(勝大)하며 강용(剛勇)한 음성을 불명화 한 것이라 상상하여 그 부처에 기악공양을 한 묘음보살은 역시 묘음음성의 보유자였음이 상상된다고 밝히고 있다. 위에서 살핀 경전상의 묘음을 다시 대별해 보면 다음과 같이 나눌 수 있다.

가. 불보살의 음성 위력을 나타낸 묘음

나. 밀교경전에 나타난 묘음천의 묘음

다. 묘음보살 내왕품의 묘음

이들 3자는 다 같이 묘음 청정음으로써 교화의 능력을 가지며 아울러 그 묘음에 대한 신앙성의 일단을 살펴볼 수 있다. 그러면 다음에 이와 같은 묘음으로서의 신앙성은 어디서 연유된 것일까?

기다 요시히데(木田義英) 씨에 의하면 고대 인도에서는 소의 소리를 미묘음(美妙音)이라고 한 일반적인 신앙이 있어 소의 우는 소리를 일종의 미묘한 신비성을 지니는 것이라 믿어 소의 소리로서 음악음률의 신비에 의탁하는 것이라 믿어 왔다. 또한 기다 씨에 의해 소의 소리를 미음(美音) 악음(樂音)이라 믿는 신앙에서 그 미묘한 음성을 가진 자, 즉 묘음자(妙音者)로 발전한 것이라 하고 있다. 다시 말해 소의 소리로서의 묘음에 대한 신앙이 묘성을 가진 자 묘성을 가진 자의 묘음으로 전용신앙된 것으로 보는 것이다. 여기서 다시 경전상에 나타난 묘음의 신앙을 상상하게 되는 것은 전술한 청정묘음으로서의 우성신앙(牛聲信仰)의 배경을 생각하게 한다. 특히 밀교경전의 대부분이 고대 인도신앙을 배경으로 성립되어진 것이라 상정(想定)한다면 변재천 등의 묘음은 다소나마 그 근거를 찾을 수 있는 것이다. 그러면 지금까지 살핀 여러 경전상에 나타난 음악기사를 그 성격적인 면에서 분류해 보면 다음과 같다.

가. 세간음악

나. 불덕찬탄 음악

다. 인도 고대 신앙에 의한 음악

이와 같은 3분류 흐름의 음악적 관념이 석존 성도 후의 불교음악 형성에 어떤 방향을 제시해주고 있어 주목된다. 석존의 성도를 하나의 문화현상으로 본다면 분명히 새로운 문화의 가치를 지향하는 중대한 계기를 이루게 한다. 이를 음악문화의 일면으로 국한시켜 본다면 고대인도의 종교음악 및 세속음악을 새로운 가치 관념에 의한 불교음악의 형성을 지향하게 되었을 것이다.

『불설무량청정평등각경』에 세간제왕의 기악음악은 차가월왕(遮迦越王)의 제 기악에 지나지 않는다고 하여 석존 왕성출유 이전의 음악은 인간의 음악이였음에 비하여 성도 후에는 천음악의 묘성(妙聲)으로 가무음곡을 표현하고 있음은 곧 세간음악에서 천음악으로 승화된 불교음악의 형성을 지향하게 되는 것이며 또한 전술한 고대 인도신앙에서 우성(牛聲)으로서의 묘음은 묘음자의 묘음악 천상악으로서의 불교음악 등으로 발전할 수 있었던 것이다. 이를 다시 예술적 가치의 변화요소의 측면에서 본다면 다음과 같이 분류할 수 있을 것이다.

가. 예술가가 표현하고자 생각한 새로운 관념

나. 새로운 고안(考案)에 의한 예술적 제작기법

다. 물리적 문화적 환경여건에 따른 기회

라. 일반의 반향(反響)

여기서 다만 두 번째, 예술적 제작기법이란 요소는 당시의 음악을 오늘날에 들을 수 없어 그를 밝히기란 불가능한 일로 생각되나 이외의 사항에 대한 요소는 경전상에 기술된 문제만으로도 다소의 회답은 얻을 수 있을 것이다.

가의 예술가가 표현하고자 하는 새로운 관념이란 석존성도라고 하는 계기가 문제될 수 있으며 물리적 문화적 환경이란 불교문화의 새로운 전개에서 오는 기회, 라의 불법전교의 반향에서 등으로 각각 그 실마리를 풀 수 있는 것이다. 이 글에서는 이와 같은 불교문화 요소로서의 새로운 가치 관념이 후세 범패 성명(聲明) 등을 중심한 불교음악의 발전에 어떤 영향을 미치게 되느냐 하는 것이다. 특히 문화의 발전이란 개인적 사회적 내지 종교적 감정에서 시작되며 예술이란 그 수단의 관점을 주시하며 후세 불교음악의 형성 발전과정에 대한 좀 더 구체적인 사실이 밝혀져야 할 것으로 생각한다.

4) 경전에 나타난 악기, 음악의 명칭에 대하여

불교 경전 중에는 많은 악기에 대한 명칭과 음악에 대한 명칭이 나타나고 있음에 깊은 관심을 끌게 한다. 그리고 이와 같은 기사는 주로 불덕을 찬탄하고 불보살에 공양드리는 찬사를 그 내용으로 하고 있어 불교음악의 일면을 이해하는데 도움이 될 수 있다. 이와 같은 작업은 악기명이 범어본 빠리어본 서장어본 한역경전 등을 비교・연구함으로써 보다 구체적인 악기의 형태와 인도악기 및 음악의 동점과정을 살필 수 있을 것으로 믿으나 이 글에서는 주로 한역경전을 중심으로 가능한 한 범어 빠리어 서장어본의 명칭과 비교하여 그 내용을 검토함이 바람직한 것이라 생각한다.

경전상의 악기는 관악기, 현악기, 타악기 등이 다양하게 소개되어 있으나 이는 많은 분량을 차지하고 있어 다음 기회로 미루고 한역경전에 소개하고 있는 음악명(音樂名)만 간단히 소개하면 다음이 주목을 끌게 한다.

가패(歌唄) 가(歌) 기악(伎樂) 가송(歌頌) 현가(絃歌) 염불송(念佛頌)

지금까지는 주로 하나의 예술작품으로서의 불교음악이 아니라 음악 이전의 가상으로서의 음악미를 중심과제로 하여 왔다. 이제 그와 같은 주관적 실재로서의 사상(事象)을 어떻게 상징화하여 객관적 표출로써 음악화하느냐 하는 과제가 제기된다. 즉 석존의 성도에 의해 새로이 전개되는 음악적 감정을 어떻게 정형화하여 그 감정에 의하여 어떤 사색과 이해를 하게 하느냐 하는 것이다. 경전에 의하면 감정의 생명을 음성에 의하여 표현한 형식으로 다음과 같은 것이 보인다.

가. 중국에서는 경을 영(詠)하는 것을 전독, 가찬을 범패라고 한다.

나. 천축에서는 법음(法音)을 가영(歌詠)하는 것을 범패라고 한다.

다. 서방에 패(唄)있고 동국에 찬(讚)이 있으며 찬(讚)은 문(文)에 따라 결하고 패(唄)는 단계로서 송(頌)을 전한다.

여기서 불덕을 찬탄하고 그에 귀의하고자 하는 감정으로서의 관념이 경문과 단게(短偈)를 가사로 한 성악으로서의 한 형식을 정립하게 된 것임을 알 수 있다. 모름지기 종교에 있어 음악이 갖는 힘은 대단한 것이다 왜냐면 그 음악은 귀로 듣는 것이 아니라 마음을 열어주는 것이기 때문이다.

3. 문화유산으로서의 불교음악

1) 전통음악으로서의 불교음악

지금까지 알려진 바에 의하면 국악의 분류는 궁중음악인 아악과 민속음악으로 대별된다. 궁중음악은 궁중행사를 중심한 귀족적 취향의 음악이었으며 그 예술적 가치가 높다는 것은 누구나 다 아는 바이다. 한편 이들 궁중음악은 비록 중국에서 수입된 음악이라 할지라도 한국적 정서로 다분히 개작·발전해온 것임이 틀림없다는 사실을 잘 알고 있다. 그리하여 궁중음악으로서의 아악이 비록 중국에서 수입된 음악이라 할지라도 우리는 국악의 범주 속에 넣게 되는 것이다. 그러면 민속음악이란 국악에서 어떤 위치를 차지하는 것일까. 그것은 역사 이래로 우리 민족 정서에 바탕을 둔 소박한 민중들의 아름다움에 대한 감정을 총체적으로 축적하여 이루어내고 그것을 계속 발전시켜 온 음악이라 할 수 있다. 따라서 국악의 정통성은 이를 민속음악에서 찾지 않으면 안 되리라 생각한다. 그것은 중국음악인 아악을 우리 국민정서에 맞도록 국악화함에 있어서도 그 같은 민속음악의 정서를 외면할 수 없었던 것으로 생각되며 오늘의 새로운 국악의 창작활동을 함에 있어서도 민속음악의 정서가 무시될 수 없었던 것이라 확신하기 때문이다.

최근 국악계에서는 민속음악과 불교음악이 깊은 관련이 있는 것임을 깊이 인식하고 이들 양자의 상관관계를 정립하여 노력하고 있다. 그것은 올바른 우리의 전통적인 불교음악의 계승발전에 크게 기여하게 될 것이라고 생각한다. 왜냐하면 국악의 정수인 민속음악은 우리의 전통음악이고 그 전통을 계승하는데 불교는 불가분의 관계를 갖고 있었기 때문이다.

불교음악은 불교전래와 더불어 의식음악으로 전래되었으며 당시의 의식음악은 인도나 중국적 요소를 다분히 지니고 있었으리라 생각되나 고려시대가 되면서 불교는 대중화되었고 따라서 신라시대부터 있던 우리식 불교음악이 폭넓게 확산되면서 불교음악도 전통국악의 정서를 담지 않을 수 없었다. 그런데 배불의 시대를 맞은 조선시대가 되면 상층사회의 불교는 명분상으로 소외될 수밖에 없었다. 따라서 오랜 전통을 지녀왔던 불교음악은 '화청(和請)' 등의 민속적 불교음악이 크게 유행하게 되었고 전통적 불교음악이라 할 수 있는 '범패(梵唄)'도 정통적 국악과의 깊은 연관을 갖게 되었다.

이상에서 보면, 우리나라의 순수 정통음악을 대표하는 것은 민속음악과 불교음악으로 구분된다. 그런데 오늘날에 와서 각 사원들이 불교음악단을 구성하여 새로운 불교음악의 작곡활동이 활발하게 전개되고 이렇게 작곡된 불교음악이 각 사원에서 의식음악으로 혹은 찬불가로 많이 가창되고 있음을 본다. 이것은 바람직한 현상이고 찬사를 아끼지 말아야 할 훌륭한 일이다. 그러나 다른 한편 여기에는 전통적인 불교음악의 정서가 결여되어 있는 작품들이 많다는 데 또한 놀라움을 금치 못하게 된다.

필자는 1960년대에 7년에 걸쳐 국악예술학교에 봉직하면서 우리 국악의 아름다움이 어떤 것이고 어떤 정서를 바탕으로 하고 있는 것인가를 꾸준히 생각하여 왔고, 40여년에 걸친 불교신앙생활을 통하여 불교적 정서가 어떤 것인가를 느껴왔다. 그 결과 얻은 하나의 문화요소가 민속음악과 불교음악의 상관관계가 깊은 것임을 알고 전통적인 불교음악인 범패의 연구에 수년간 몰두한 바가 있다. 그리하여 불교음악의 아름다움이 어떤 것이고 어떤 정서를 바탕으로 하고 있는 것인가는 어느 정도 파악하고 있고 그 이질적 요소도 어떤 것인가를 판단하는 기준을 갖고 있다. 그러나 작금에 작곡, 가창되고 있는 현대적 불교음악이라는 것은 일부를 제외하고는 너무나 불교적 정서와는 거리가 먼 것임을 느낀다. 이 같은 느낌은 본인만의 생각이 아니라 대다수의 불교인들이 느끼고 있다는 사실을 확인할 수 있다. 즉 이상과 같은 불교음악은 노랫말만 불교적이고 그 선율과 음악적 정서를 기독교의 교회음악에서나 느낄 수 있는 그러한 것들이란 불만이 불교계의 팽대되어 있다고 한다.

따라서 이제 우리는 우리의 불교음악이 우리 전통음악의 한 분야로 인식되고 있는 것이라면 (무형문화재로 지정되어 있기 때문에) 전통민속적인 불교음악의 접목을 통하여 오늘의 불교문화 발전에 기여할 수 있는 올바른 불교음악의 계승발전에 다 같이 힘을 모으는 노력을 해야 한다. 그러면 불교음악의 특질은 어떻게 규명될 수 있을 것인가. 우선 우리는 불교음악의 범주를 기악곡으로서 영산회상곡(靈山會上曲)과 성악곡으로서의 범패(梵唄) 등으로 생각할 수 있다. 그런데 기악곡으로서의 영산회상곡도 〈영산회상불보살(靈山會上佛菩薩)〉이라는 성악곡에서 기악곡화(器樂曲化) 한 것이라고 한다면 불교음악의 기원은 일간 성악에서 찾을 수 있을 것이다. 이는 불교음악의 발생지인 인도에서 음성의 음률에 대한 깊은 연구를 중요시하는 성명학(聲明學)이 발달하고 있었다는 점에서 불교음악의 성악적 시원을 쉽게 추축된다. 그렇다면 성악으로서의 범패 등의 불교음악은 어떤 특성을 지니는 것인가. 흔히 범패의 특징적 요소를 한마디로 장인굴곡(長引屈曲)한 것이라고 한다. 그러면 이와 같은 음악형식은 어떤 것일 것일까?

인간이 발성(發聲)하게 될 때 거기에는 반드시 무엇인가 마음의 감동이 수반되고 있다는데 주목해야 한다. 즉 소리라는 것은 마음의 발로라 할 수 있는 것이다.

소리(聲)가 밝다(明)고 표현하는 성명(聲明)이라는 것은 원래 인도에 있어서의 음률(音律)·운율(韻律)의 학문으로 발생했으나 그 후 중국불교가 발전, 전개되는 가운데 범패가 곧 성명(聲明)이라는 요소를 선명하게 밝혀나감에 의해 중국에 있어 소위 어산범패(魚山梵唄)의 발전적 계기를 마련할 수 있었다. 그리고 그 같은 중국불교음악이 오늘의 한국불교음악의 전개를 있게 하였던 것이다. 왜냐하면 불교음악은 불교의식과 더불어 전승·발전되어 왔고, 그와 같은 한역불교의식(漢譯佛教儀式)이 우리나라에 전래되면서 한국불교음악의 전승, 발전을 가능하게 했다.

2) 불교음악의 특징

우선 우리가 음악을 생각할 때 음악이기 위한 필요조건은, 첫째 리듬을 지니고 있어야 하고, 둘째 멜로디를 느끼게 해야 한다. 또한 리듬에는 두 가지 유형이 있는데 그 하나는 박절적(拍節的) 리듬이며 다른 하나는 비박절적(非薄節的) 리듬이다. 이중 비박절적 리듬이 불교음악의 특징을 이루고 있다. 비박절적(非薄節的) 리듬이란 1 2 3·1 2 3 . . . 등의 박자를 헤아릴 수 있는 것이 아니라 더욱 유현하고 한순간과 영원한 시간이 동시에 존재하는 우주적인 것으로 이와 같은 비박절적 리듬이야말로 불교교리의 본질에 접근하는 음간에서의 본래의 전개를 가능하게 하는 구조적 환경을 형성하고 있다.

멜로디에도 두 가지 유형을 생각할 수 있는데 오늘날 일반인에게 알려져 있는 음악의 멜로디는 예컨대 피아노의 키보드를 연주할 수 있는 단계와 같은 구조를 지니고 있다. 그러나 범패 등의 불교음악은 장인(長引)한 반도부(扳道扶)의 진행이 기본으로 되어 있어 이 같은 반도연속진행(扳道連續進行)이 범패선율의 특질을 이루고 있는 것이다.

이상과 같은 음악의 2대 요소인 리듬과 멜로디가 각각 즉물적(卽物的) 단위로 측정되는 계량, 계수적 존재인 것이 서양음악의 특질이며, 이와 같은 서양 음악에서의 음(音)은 다른 음(音)과의 상대적 관계에서 비로소 기능을 다할 구 있게 되므로 고립된 하나의 음(音) 그것만으로는 의미를 발견하기 어렵다.

한편 범패를 근본으로 하는 한국의 전통음악은 음(音) 그 자체의 한 순간의 음직임 소리의 순간의 변화 등 하나의 고립된 음존재(音存在), 그 자체의 깊고 큰 의의를 발견할 수 있게 된다. 예컨대 범종(梵鍾)을 한번 쳐서 울리는 음향의 여운 가운데 모든 것이 내포되어 있다는 것은 이 같은 불교음악의 배경에서 말할 수 있는 것이다. 범패에 있어 유연한 소리의 한 순간에서 영원한 시간을 느낄 수 있게 됨을 서양음악에서 보면 불가사의라고 할 수밖에 없다. 그리고 이와 같은 음악에 접할 수 있게 되는 것을 음공간(音空間)을 오관(悟觀)하게 된 것이라 할 수 있다. 범패의 소리가 기본적으로 거울 표면과 같이 매끄럽고 하자가 없는 상태로 되어 있어 그것이 무한하게 연속되는 것처럼 들려오게 된다. 그리하여 그 속에서 한순간의 움직임이 생각난다. 즉 정(靜)의 연속 가운데 한 순간의 변화가 생겨나고 그 정(靜)과 동(動)의 대비(對比), 양자의 관계 자체가 범패의 음구조(音溝造)를 이루고 그 속에 존재하는 것이다.

한국의 전통음악을 생각할 때 그 대부분이 인간의 소리가 응용되고 있음을 알게 된다. 즉 소리야말로 인간의 직접적 혼의 절규라 할 수 있다. 그 근원적 행위라고 할 수 있는 음성에 의한 표현력이 하나의 문화적 행위의 결과로서 존재하는 음악의 영역에 응축되어 형성된 것이 성악이다. 앞에서 말한 정과 동의 존재는 동서양을 막론하고 음악의 본질로서 이해할 수 있게 된다.

성악을 함에 있어서는 자신의 마음을 무(無)로 하여 그 가사를 이해하고 그 속에 자기가 몰입함에서 비롯한다. 때로는 이때 감정이입이라는 용어가 쓰이기도 하지만 그것은 부적당한 용어이다. 왜냐하면 음악이란 자기의 감정을 어떤 대상에게 이입(移入)시키는 것이 아니라 자기를 그 대상과 합일하게 하는 것이 불가결하기 때문이다. 그리하여 여기서 우러나오는 것은 나 자신이면서 내가 아닌, 작품이면서 작품이 아닌 단순히 만들어진 것의 존재가 아닌 파동이 생명을 지니고 창출되어 사람들의 마음속에서 마음으로 전해져 그 기억 속에 머물면서 하나의 완결을 맞이하는 것이다.

여기서 음악행위를 한다는 것은, 첫째 구한다는 것, 둘째 몰아(沒我)의 경지에 들 것, 셋째 새롭게 태어나는 것, 넷째 전하며 넓게 가는 것이라 할 수 있다.

첫째, 구한다는 것은 무엇인가를 느끼고 그것을 향해 자신을 회귀시켜 그 방향에 가까워지도록 노력하는 것이다.

둘째, 구해서 얻는 것과 내가 일체화하는 것이다. 나는 그것이며 그것이 나라는 상태가 되는 것이다.

셋째, 거기에서 새로운 것이 생명을 지니게 되는 것이다. 그것이 구한 것에 대한 이상의 것이 되어 약동하게 되는 것이다.

넷째, 그것은 한 사람만의 것이 아니라 타인을 향해 전파되는 것이다.

그리하여 음악을 듣는 자는 그 최후의 전파 과정만을 감지할 수 있게 되므로 그와 같은 것을 향수(享受)함에 지나지 않으나 그를 창작하는 자는 반드시 이상의 과정을 거치고 있는 것이다. 의식적이거나 무의식적인 것을 불문하고 말이다. 이와 같은 과정은 불교음악에 있어서도 마찬가지이다. 보리심(菩提心)을 일으킴 없이 불린 불교음악은 사공의 콧노래에 지나지 않는다. 즉 불교음악은 음악의 연주이면서 동시에 수행행위(修行行爲)가 아니어서는 안 된다는 것이다.

이어 보리심에서 신(身)・구(口)・의(意)가 일체의 경지에 이르기까지의 수행(修行) 행자(行者)는 음악연주에 있어서 실행되는 것으로 그와 같은 의미에서도 음악의 연주가 종교의 수행과 같은 것이라는 본질에 접근할 수 있다.

3) 불교음악으로서의 범패

범패란 전통적인 불교음악을 지칭하는 말이다. 불교의 기원을 인도에서 찾듯이 이 범패도 인도에서 그 기원을 찾게 된다. 그리고 불교의 경전이 범어 내지 파리어로 동방에 전해지듯 불교음악도 범어의 가사와 그 발성법을 토대로 하여 동방에 전해졌다. 이러한 연유로 범패란 이름이 붙여진 것이다. 그런데 이와 같은 불교음악인 범패는 단순한 감상 음악에 머물지 않고, 불덕을 찬탄하는 불전의식음악으로 많이 불림에 따라 교화의 기능을 하게 되고 아울러 불교의식의 발전과 더불어 크게 성행하게 되었다. 이러한 연유로 범패는 그를 부르는 사람이나 듣는 자가 모두 경건한 마음가짐과 수행의 자세를 필요로 하게 되고 범패를 부르는 것은 음성 공양이라고 하게 된 것이다. 그리고 이와 같은 범패는 능히 불심을 불러일으킬 수 있고 청정한 열반의 경지에 들 수 있게 한다는 신앙적 바탕까지 마련하기에 이르렀던 것이다.

우리는 가끔 범패의 이와 같은 성격을 전해 주는 많은 전설에서 접하게 된다. 즉 『삼국유사』 〈월명사조〉에 “해가 두 개로 나타난 이변을 관단 작범(關壇作梵)하여 막으려 하였다”는 기사나 “지옥에 떨어진 중생이 범패소리를 듣고 지옥을 벗어날 수 있었다”는 이야기 등은 모두가 앞에서 말한 것처럼 범패가 지닌 성격을 잘 나타내는 것이라 하겠다. 당나라로부터 진감국사에 의해 전해졌다는 소위 어산 범새(魚山梵唄)에 대해서는, 중국의 범패를 흔히 어산 혹은 어산 범패라 하고, 이는 위나라 조식의 작이라 하는데 조식이 어느 날 천태산에 올라 깊은 명상에 잠겨 있으려니까 어디서 미묘한 천상의 음악이 들려오는지라, 자세히 살펴보니 어디선가 고기떼가 나타나 그 음률에 맞추어 너울너울 춤을 추고 있었다. 이에 조식은 물고기가 너울너울 춤추는 그와 같은 모습에서 미묘한 음률을 익히게 되고, 또한 그를 중국에 전하게 되었으며, 고기떼로부터 음률을 익혔다고 하여 어산 혹은 어산 범패라는 새로운 명칭이 생겼다는 것이다.

범패의 내용과 성격을 밝혀보자. 문헌상에 의한 우리나라 범패의 기원은 진감국사가 신라시대에 당나라에서 전해온 것으로 되어 있다. 물론 그 전에도 『삼국유사』에 전하는 것처럼 같은 범패가 불교의식과 더불어 존재하였을 것으로 짐작되나 일단 당나라 문물을 수용하여 민족문화의 보다 낳은 창조적 발전을 이룩하려 하였던 당시의 추세로 보아 새로운 당나라의 어산 범패를 통해 중흥의 기원을 삼으려고 한 진감국사의 범패를 그 시원(始源)으로 삼게 된 것이 아닌가 생각된다.

고려시대에는 많은 법회 도량과 더불어 수백 명의 범패승이 범패를 불러 온 누리를 불음으로 가득 차게 했다는 기록을 남기고 있다. 그러나 그보다 좀 더 주체적으로 범패의 모습을 살필 수 있는 것은 조선 시대에 이르러서이다. 즉 조선시대에 이르면 많은 불교의식집이 정비된다. 여기에는 여러 가지 이유가 있지만 그 중 범패의 중흥에 큰 목적을 두고 있다는데 주목할 필요가 있다. 그 후 몇 차례 의식집이 정리되나 오늘날의 석문의범(釋門儀範) 등의 서문과 발문에서 진감국사가 범패를 다시 중흥시켜야 한다고 강조한 것을 볼 수 있음은 의식에 있어 범패음악의 중요성이 어떠한 것인가를 짐작하게 한다. 그러면 이처럼 의식 절차와 더불어 전해진 우리나라 범패의 핵심은 어떤 것이었는지 의식의 내용과 절차를 담고 있는 의식집을 중심으로 살펴보자.

4) 우리나라의 범패

범패는 대체로 의식 절차에 따라서 불명호(佛名號)나 게송(偈頌) 등을 가사로 하여 부른다. 그러나 단순히 불명호나 게송 등으로는 큰 뜻을 지니지 못한다. 왜냐하면 범패음악은 의식 음악이기 때문이다. 그러므로 범패는 의식절차나 의식 내용과 밀접한 관계를 지닌다. 예를 들면 범패의 유형 혹은 그 곡명을 분류할 때 상주 권공 소리, 각배 소리, 영산소리 등으로 하는데 이는 상주 권공 의식, 각배 의식, 영산 의식 등의 의식 음악이란 뜻이다. 이를 다른 말로 바꾸어 말하면 하나의 의식 절차를 각본으로 한 가극의 성격을 지니는 것이라 할 수 있다. 그러면 이와 같이 가극의 성격을 지니는 범패의 내용을 영산소리의 예를 들어 좀 더 구체적으로 살펴보기로 하자.

원래 범패(梵唄)란 그 자체가 가극으로서의 성격을 나타내는 말이다. 즉 범패란 범음(梵音)과는 다른 것으로 범음이 성악, 선율 혹은 범음성 자체만을 의미하는 것이라면 범패는 기악의 반주와 의식 무용까지를 합해 연출하는 종합적인 뜻을 지니는 것이 된다. 이렇게 보면 범패는 하나의 가극임에 틀림없다. 그러면 왜 범패가 이 같이 가극적인 성격을 지니게 되는 것일까. 이는 범패가 의식 음악이요, 그 의식은 석존 설법장(영산 의식의 경우)의 재현이란 상징적인 의미가 있기 때문이다. 흔히 가장 이상적인 범패, 혹은 최고의 범패라 하면 영산소리를 든다. 이는 영산회상에 대한 신앙심의 일단이며, 영산소리를 연출함으로써 영산회상을 재현하는 것이라 할 수 있다.

영산회상이란 석가모니 부처님의 영축산 법회를 지칭하는 것인데, 이 회상에서 부처님의 설법을 듣고는 모든 청문중(聽聞衆) 외호중(外護衆)이 환희심을 일으키고, 천지는 6종으로 진동하고 천화(天花)가 내리고 제천(諸天)은 기악으로 공양하였다고 한다. 영산소리는 이 같은 영산회상을 오늘에 능히 재현할 수 있는 소리란 뜻을 지닌다. 왜냐하면 영산소리의 범패는 영산회상의 환희심이며 그에 따른 기악 공양인 것이기 때문이다.

한편 오늘날 범패음악의 현실은 어떤가. 오늘날의 한국 사원은 영산회상의 환희심을 잃은 지 오래다. 그리하여 범패소리는 좀처럼 들을 수 없게 되었다. 비록 몇몇 특수 사원에 범패가 보존되고 있으나 이것만으로는 부족하다. 왜냐하면 오늘날의 범패는 문화재의 보존이란 의미에서 겨우 명맥을 유지하고 있기 때문이다. 문화재의 보존이란 조상이 남긴 훌륭한 문화유산을 우리 후손들이 보다 잘 가꾸고 전승해 나간다는 데 목적이 있다. 그러나 그 보존 방법이 어떤 것이냐에 따라 보존의 의미는 사뭇 달라지는 것이다. 보다 바람직한 문화재의 보존이란 외형적인 것과 아울러 정신적인 것을 겸하여 보존되어야 한다. 범패의 문화재로서의 보존이 범패 선율이란 외형적인 데만 치중한다면, 범패가 지닌 원래적인 뜻은 되살릴 수 없다. 그러므로 범패의 보존은 의식과 아울러 보존되어야 하고 또한 그와 같은 의식은 신앙과 수행의 의미를 아울러야 하는 것이다. 왜냐하면 의식이란 강한 신앙심의 상징적 표현이요, 수행의 의미를 동시에 지니고 있기 때문이다. 그러면 다음에는 범패 선율의 특징을 통하여 범패의 내용을 살펴보고 나아가 진감국사가 아선범패(雅善梵唄) 금옥기금(金玉基金)이라고 한 그 소리는 어떤 소리를 뜻하는 것이었던가를 다시 한 번 생각해보자.

5) 범패음악의 특징

범패도 하나의 음악이라면 우리들 인간이 창조해낸 훌륭한 예술작품임에는 틀림없으나 이에 대한 논증은 범패의 음악적 분석에 의해 더욱 정확해질 것으로 믿는다.

『과거현재인과경』에서는 석존 성도의 관경을 묘사할 때 천신(天神)이 석존의 성도를 즐거워하는 미성(美聲)을 연주했다고 하고, 또 성도 후 삼일 째 팔정도를 사유할 때는 천고(天鼓)을 울리며 제천(諸天)은 기악을 연주하고 산화(散花), 소향(燒香)하며 찬탄했다고 기술되어 있다. 그리고 석존 열반 시에는 시방세계의 모든 제천이 허공에 편만하여 애비탄(哀悲歎)하고 대천세계를 진동하며 상공 가운데에서 무수히 미묘한 천상음악을 연주하여 현가(絃歌)를 행하였다고 기술하고 있다. 이와 같은 음악은 물론 실제로 불리고 연주된 음악이 아니라 문학적으로 묘사된 음악이기는 하나, 그래도 여기에는 후대의 범패 등이 훌륭한 음악미를 향유할 수 있도록 좋은 통로를 열어 놓은 것이라 할 수 있을 것이다. 왜냐하면 이와 같은 기술은 종교적 체험에 의한 주관적 실체의 객관적 표출이라 보이기 때문이다. 그리고 원래 예술이란 주관적 사상(事象)에 객관적 상징(Symbol)을 부여하는 것으로 천상음악, 극락음악 등의 문학적 표현의 환상은 예술에 있어서는 하나의 원칙이 되기 때문이다.

이상은 불교음악이 득오(得悟)의 경지인 종교적 체험을 감정적 기본으로 하는 음악임을 밝히는 것이다. 이와 같은 음악으로서의 범패가 인도에서 언제부터 시작되었고, 또한 어떻게 불렸는가는 구체적으로 밝힐 수 없으나 다만 앞에서 말한 각종 경전상에 나타난 천상음악, 극락 음악 등이 상징화된 음악이었음은 틀림없을 것이며, 여기서 범패의 종교적 의미를 찾아볼 수 있는 것이다. 이와 같은 기사를 좀 더 구체적으로 살펴보기 위해 중국에 있어서의 범패의 수용 과정을 보면, 일반적으로 중국의 범패는 삼국시대 진시왕(陳試王) 때 조식의 어산 범패에서 비롯하였다고 전하고 있다. 그러나 이에 대해서는 아직 자세한 논증을 할 만한 구체적 자료를 찾아볼 수 없다. 다만 중국 강남(江南) 불교의 사정을 살피건대 초기에 들어온 외국 승려 및 외국 봉불(奉佛)은 예배 의식에 있어 범어 혹은 호어(胡語)로 되어 한인들의 호기심을 끌었으며, 그 의미가 분명한 찬가 중에는 한인들에게 불가사의한 힘을 갖는 술사(術師)로서 외경을 갖도록 했다고 하여 이는 당시 중국인의 범패에 대한 신앙의 일단을 단적으로 표현하는 기사라 할 수 있다. 이와 같이 수용된 중국의 범패에서 한문으로 된 찬가의 범식(範式) 영창은 대단히 어려웠을 것이나, 그와 같은 어려움을 극복하며, 많은 수련을 통하여 범패의 발전을 기하려 했다고 함은 후대 음악적 불교의례의 성행을 기약하는 것으로 또 하나의 종교적 의미를 간과할 수 없는 것이다.

다음에는, 실제적으로 범패 선율이 갖는 성격과 그 음악미의 특질을 밝혀야 하나 이를 기술한다는 것은 여간 어려운 일이 아니다. 그러나 몇 가지 근거에 의하여 다음과 같이 범패 선율의 특성을 살필 수 있다.

6) 범패의 미학적 추론

불교의식에서 행하는 음악이라 하더라고 불교적 종교 감정을 불러일으킬 수 없다고 한다면 불교음악이라 할 수 없을 것이다. 또한 듣는 사람으로 하여금 불교적 종교 감정을 불러일으킬 만큼 아름다운 것이 아니면 불교음악이라 할 수 없을 것이다. 이와 같은 특질을 모두 지닌 범패의 선율은 장인 굴곡(長人屈曲)을 그 특질로 하고 있다. 그렇다면 이와 같은 범패의 장인 굴곡의 음악적 특질은 음악미로서는 어떤 성격의 것인가 하는 점이 문제로 남는다.

음악이란 음계의 배열을 법칙적으로 질서 있게 한 것으로서 감정 작용을 추출(抽出)할 수 있으므로 음악적 성격이 주어지는 것이다. 즉 감정 상태와 음악 표현과의 연관은 그 특정 형식 중 특정의 감정 상태를 질서 지은 것으로 만들어지는 운동이며, 이 같은 운동은 음과 정서내용의 교감(交感)일 것이다.

범패 선율 특징을 장인 굴곡이라 표현했으나 이를 환언하면 템포의 완만성과 리듬의 균제, 불균제라 할 수 있는 것으로 이를 음악 심리학의 입장에서 보면 템포의 원만성은 입념(入念), 침착(沈着), 평온(平穩), 냉담(冷談)을 의미하고 리듬의 균제를 나타내는 것이라 할 수 있다. 그리고 범패의 내용은 자비성(慈悲聲), 원만성(圓滿聲), 청정성(淸淨聲), 묘음성(妙音聲) 등을 말하고 있는데 이와 같은 범패의 내용을 중심으로 불교음악의 성격을 추찰(推察)할 수 있는 것으로 본다.

원만성이란 불교에 있어 지혜와 자비의 원만한 화합을 이상으로 하는 완전미가 아닐까, 의식에 있어 불보살의 명호를 창할 때 범패의 원만성으로 부른다고 하는 것은, 극락, 천상음악 등의 완전미를 이상으로 한 것이 아닌가 한다. 다음 청정성이란 무후성을 기초로 한 음악미로 볼 수 있으며 무후한 인간이 짓는 업(業)은 오탁(汚濁) 속에 있더라도 청정인 것이다. 또한 착어성(着語聲)이란 것이 있는데 이는 추선의례(追善儀禮)에 있어 영가를 천도하기 위해 창하는 소리이다. 이는 균제의 미를 근거로 하는 것으로 보인다. 즉 다시 말하면 이는 조화라고 하는 성격의 것으로 '원이차공덕 개공성불도 원공제중생(願以此功德 皆共成佛道 願共諸衆生)' 등을 이상으로 하는 음악미로 느껴진다.

다음은 묘음성을 생각해 보기로 하자. 이는 탈격이라고 할 성격의 것이 아닐는지, 탈격의 세계는 진공에 대하여 묘유의 세계이며 대비에 의해 장엄되어진 세계라고도 할 수 있을 것이다. 그리고 또한 묘음은 자연이라고 하더라도 이때의 자연은 자연 상태의 자연이 아니라 무심히 불린 것이라고 할 수 있을 것이다. 이와 같이 자연성이 없는 것은 조화롭지 못하며 아무리 해도 안정감이 없게 된다. 중국에 있어 조식의 어산 범패도 범패의 이와 같은 자연성을 말하는 것이 아닌가 한다. 한편 범음집의 발제에서

> 非本師之嫋嫋餘音乎 若然則 掩卑偸鈴
> 嘔哦阿乎 而昇降之曲節者 非所謂淸音之於
> 宮音字乎 回匿當魚山之正聲 流於玉泉

라 하여 범패는 단지 인위적으로, 입으로만 내는 소리는 정성(正聲)이 아니라고 하는 것은 범패미가 자연성을 내포하고 있어야 한다는 것이며, 진감국사는 이 같은 소리를 옥천사, 즉 하동 쌍계사에 전했다는 것이다.

이상에서 밝힌 범패의 미학적 추론은 극히 개연적인 것이나 적어도 범패가 불교음악이란 하나의 근거를 밝혀 낼 수 있는 것으로 생각한다. 그리하여

이상과 같은 범패의 내용이 자연히 '장인 굴곡'이란 형식으로 표현되지 않을 수 없었던 것으로 생각됨은 음악 심리학의 입장에서 본 입념(入念)·침착(沈着), 평온·냉담, 균제·불균제의 표현성과 관련성이 있는 것으로 생각되기 때문이다. 그리고 또 하나 빠뜨릴 수 없는 것은 범패에 장식음이 많다고 하는 것인데 이는 범패의 장엄성을 나타내는 것이라 하겠다. 장식음이란 선율을 아름답게 하여 주의를 환기시키고 음악의 내용을 분명히 하는 구실을 한다. 장식음이 의식 중에 중요한 위치를 차지하고 있는 장엄미를 나타나게 한다는 데 큰 뜻을 지니고 있다.

지금까지 범패의 내용과 성격을 살핌에 있어 종교적, 미학적 측면에서의 고찰을 시도해보았다. 여기서 보면 범패는 불교적 종교 체험의 환희이며, 그 환희는 장인 굴곡이란 특수한 선율을 통해 표현되고 있다. 따라서 이 같은 선율은 불교에 귀의하게 하는 교화적 기능을 지니게 되고, 이러한 범패의 교화적 기능을 구체화한 것이 의식 음악으로서의 범패라 할 수 있다. 이 같은 주관적 경험이 상징 형식에 조건자격의 역할을 하게 됨으로써 음악화된 것이라 할 수 있다. 왜냐하면 어떤 음악이든 음악과 주관적 경험과의 사이에는 함축적인 관계가 있어야 하며 음악의 모든 형식은 이들 각종의 성질을 상징 체계로 하여 성립되는 것이 때문이다. 이처럼 범패는 그가 지니는 종교적 특질을 상실했을 때 교화적 기능을 상실함은 물론 그 본연이 상징 형식도 허물어지고 말 것이다. 여기서 상기된 것이 선승 진감국사에 의한 범패인 것이다.

7) 진감국사의 범패

신라의 선(禪)은 신라 불교에 있어 이념의 고정화가 낳은 병폐를 없애고 생동감 있는 불교를 지향하려는 실천적 관심에 의해 수용되었다. 그러므로 선가(禪家)의 입장은 형식을 불허하고 본질의 추구에 몰두하게 된다. 진감국사에 의해 새로 유입된 어산 범패란 것이 형식화한 범패를 배제하고 본질을 추구하려는 입장에서 수용된 것이 아닌가 한다. 이와 같은 입장은 범패가 지닌 음악적 특성의 본연의 자세를 되찾게 한 것이라고도 할 수 있다. 왜냐하면 음악이란 것은 수식물로서가 아니라 본질로서 나타나기 때문이다. 그리고 이과 같이 음악의 깊은 활동은 자기 변화이며 자아의 해방이며 구제라 할 수 있다. 즉 다시 말하면 자기를 일상적인 환경에서 해방시켜 자아의 체험을 일반적, 초인간적, 절대적인 형식으로 형이상학이나 신비주의를 수반하게 된다. 이와 같은 음악(音樂)의 본질은 선(禪)의 본질과 유사성을 지니고 있다는 추측이 진감국사의 범패를 이해하는 데 도움이 될 것이다. 이렇게 보면 진감국사는 불교의 본질과 음악의 본질을 동시에 추구함으로써 범패를 '금옥기음일능사제천환희(金玉其音一能使諸天歡喜)' 한 것으로 체득, 이를 널리 세상에 펴고자 한 것이라 할 수 있을 것이다.

당시 많은 입당 유학승이 당나라의 문물을 배워 들어왔는데, 누구에게도 관심의 대상이 되지 않았던 범패가 진감국사에게는 그렇게도 묘한 '금옥기음'으로 받아들여졌을까? 모르기는 해도 대사는 일찍부터 음악에 대한 묘리(妙理)를 체득하고 있었는지 모를 일이다. 여기서 금마인(金馬人)으로서의 진감을 다시 한 번 생각하게 한다. 우리 음악의 전통적 본고장인 호남에서 어린 시절을 보냈기에 음악에 대한 지혜를 일찍이 체득하고 있었던 것은 아닌가 생각되기 때문이다. 이는 지나친 추론만은 아닌 게 오늘날 전주 지방을 중심으로 전승되고 있는 가곡창은 범패 선율의 영향을 많이 받고 있다는 점을 간과할 수 없기 때문이다. 선과 금마인으로서의 범패, 그리고 전주지방을 본고장으로 한 가곡창에의 영향은 진감국사와 일련의 관계가 있는 것으로 생각된다.

4. 불교의식에서의 범패승과 그 계보

1) 머리말

고대 원시신앙에서 행한 제천의식 혹은 기도의식에서 절대 신에 대한 찬탄과 소원을 바라는 간절한 마음을 노래와 춤으로 표현하였고 아울러 이와 같은 음악은 그들 신앙인에게는 불가결의 것이었음을 고기(古記)에 의하여 살필 수 있는 것이다. 즉 부여의 영고, 고구려의 동맹, 옥저의 무천 등 제천의식에서 가무음곡을 수반하여 신에게 드리는 무한한 감사와 후일의 무사함을 기도드렸다는 것은 전기한 사실을 뒷받침하여 주고 있거니와 아무튼 그러한 종교든 그 종교적 환희심 내지 발원사상이 하나의 음악을 발생시킨다고 함은 결국 종교적인 경지와 예술적인 경지가 하나의 귀일점을 이루는데서 연유한 것이 아닌가 한다. 이 땅에 불교가 전래된 이래 많은 문화유산을 남기고 그 가치는 높이 평가받고 있다. 특히 문학, 미술, 음악 등의 각 예술분야에서 불후의 명작을 창작할 수 있었음은 불타의 심오한 진리를 부각시킬 수 있었던 투철한 불교정신의 발로라 하지 않을 수 없는 것이다.

석존은 대각의 자리에 올라 그 법열에 못 이겨 성도게를 지어 자신만만한 심경을 피력했고 후세 석존의 전기를 저술한 옛 성인들도 성도의 장엄한 광경을 묘사하여 대지는 18종으로 진동하고 천우묘화(天雨妙花) 천주묘악(天奏妙樂)하여 천용팔부의 모든 신들이 석존의 어전에 천공(天供)을 올리고 찬가를 드렸다고 한다. 뿐만 아니라 역대의 대덕 선사들이 득오(得悟)의 경지를 최고의 표현인 침묵으로 일관하려 하지만 때로는 부득이 시를 지어 나타내는데 이를 게송이라 하며, 이 게송은 또한 청정심오한 음률로 소리 내어 부르지 않을 수 없게 된다함은 다름 아닌 종교와 예술의 일치점을 말해주는 것이다.

삼국시대에 불교가 들어온 이후 새로운 종교적 감각에 의하여 불교음악의 발전을 요구하지 않을 수 없었으니, 즉 극락정토의 왕생을 얻으려고 하던 발원이 보다 고차원적이고 신비성을 내포한 불교음악을 발전시키게 되었던 것이다. 이는 불신력(佛信力)과 신통력을 가지고 열반의 세계를 심증하게 했으며 이것이 빠지면 세속화와 민속음악으로 고조되어 갔다. 그 후 불교의 발전과 더불어 다양한 불교의식에서 많은 불교음악을 발전시키리라 기대했으나 대부분 민속음악적인 것으로 고조되고 그 중 오직 심오한 불신력을 가진 음곡이 있으니 이를 범패라고 하는 것이다.

이 소리는 밖으로 모든 외연(外緣)을 끊고 내심을 정(淨)히 하는 소리이며 또한 불・보살에게 드리는 음성공양의 하나이기도 하다. 그런데 이와 같은 범패는 그가 지닌바 기능을 충분히 발휘하기 위하여 의식음악으로 사용되어 왔다. 그러면 여기서는 이와 같은 의식음악으로서의 범패가 불교문화에 어떠한 영향을 미쳐왔으며 또한 그 변천과정이 어떠하였는가를 살펴봄으로써 범패에 대한 좀 더 상세한 것을 알 수 있지 않을까 한다.

2) 범패의 전승

(1) 범패의 기원

범패의 기원에 대해 문헌에 나타난 자료는 얻을 길이 없으며 다만 다음과 같은 몇 가지 전설이 전할 뿐이다.

① 영산회상 기원설

석가세존께서 영취산에서 법화경을 설할 때 장엄한 광경을 노래한 것에서 비롯한다는 설. 즉 이는 불교의 악신(樂神) 건달바가 부처님 설법장소에 나타나 정법을 찬탄하고 불법을 수호하는 뜻에서 공양을 올리는 데서 비롯되었다는 설이다.

② 묘음보살(妙音菩薩)의 음악공양에서 기원한다는 설

십만 종의 풍류를 운뇌음왕불(雲雷音王佛)께 공양하고 일체정광장엄국(一切淨光莊嚴國)에 나타나 한량없는 삼매를 얻고 영산회상에서 부처님께 음성공양을 올리는 데서 비롯한다는 설이다.

③ 자건(子建) 창작설

중국 위무제(魏武帝)의 4남 조자건(조식)이 천태산에 올라 있으니 하늘에서 이상한 소리가 들려오는데 그 소리가 무척 맑고도 부드러우며 환희의 음절이 때마침 부근 연못에서 놀던 고기떼까지 감동시켜 너울너울 춤을 추므로 이 소리를 본 따서 범패라고 했다는 설이다.

(2) 우리나라 범패의 유래

우리나라에 범패가 전해진 것은 신라 진감국사가 정원(貞元) 20년(804) 세공사(歲貢使)로 당나라에 건너갔다가 서기 830년에 귀국한 후 옥천사(현 하동 쌍계사)에서 많은 제자들에게 범패를 가르친 것이 처음인 것으로 현 쌍계사의 진감국사비문에 의하여 알 수 있다. 그러나 이 같은 진감국사 범패 이전에도 신라에는 이미 범패가 있었음을 알 수 있는바 『삼국유사』의 월명사 도솔가조에 의하면 그보다 백여 년이나 앞서 이미 범패가 있었음을 말해주고 있다. 즉 천사로부터 개단을 만들고 산화공덕가(散花功德歌)를 범음으로 부를 것을 월명사가 소명 받고 하는 말이 '신승단속어 국선지도지향가 불한성범(臣僧且屬於國仙之徒只鄕歌 不閑梵聲)'이라 하여 자기는 오로지 국선지도 이기 때문에 향가는 할 줄 알아도 범패는 부를 수 없다고 밝힌 것은 당시에도 이미 범패가 있었다는 것을 암시해 주는 것이다. 그렇다면 앞에서 진감국사가 처음으로 전했다는 당나라의 범패와 월명사 당시 있었다는 범패가 다른 것인지 혹은 진감국사 이전에도 이미 동류의 당나라 범패가 전해지고 있었는지는 일본승려 원인(圓仁) 자각국사의 『입당구법순례행기』에 의해 다소 의문을 해결하게 한다(이혜구 박사 "신라의 범패의거").

일본승 원인은 개성(開成) 3, 4년경(서기 838~839)에 당에 들어가 일본 승화(承和) 14년(서기 847년)에 귀국하여 천태성명(天台聲明)을 일으킨 사람으로, 신라 진감국사보다 17년 늦게 당에서 귀국했으나 거의 동시대 사람이다. 그의 저서 『입당구법순례행기』에 의하면 당시 당나라에서의 신라사원 적산원에서 강경의식, 송경의식에 대한 새로운 기록이 있다. 이들은 모두 중국에서 거행된 것이지만 신라 본국의 것과 별 차이가 없으리라 본다. 왜냐면 그 절은 신라인에 의하여 유지되었고 몇몇 의식만 제외하고는 모두 신라류의 의식으로 행하였으며 그 법회에 모인 승속은 모두 신라인이었던 것이다. 그 절에는 대중동음칭탄불명 음곡일의신라(大衆同音稱歎佛名 音曲一依新羅)이었고 또 추석의 신라 고유풍속이 그대로 지켜지고 있었다. 그렇다면 당나라에서 행한 신라의 고유한 범패는 신라 본국의 것과 다를 것이 없을 것이며 따라서 신라에는 당나라식의 범패 이외에 이미 신라류의 범패가 있었음을 시사해 주는 것이다. 그러면 위의 월명사 당시에 있었다는 범패는 신라 고유의 범패요 진감국사가 우리나라에 처음 전했다는 범패는 당풍의 범패임을 알 수 있는 것이다.

3) 우리나라 범패의 전승과정

이상에서 살핀 바와 같이 신라에는 신라고유의 범패와 진감국사가 당나라에서 배워 왔다는 당풍의 범패가 있었는데 이 두 가지 소리는 여러 가지 불교의식에서 혼용된 듯하다. 이 두 종의 범패 성음이 어떻게 차이가 있었는지는 아직 그에 대한 문헌을 찾을 수 없을 뿐 아니라 고려, 조선시대에는 신라와 같은 의식의 내용도 상고할 길이 없으며 다만 전남 가지산 실상사에 전하는

『범음종보(梵音宗譜)』 판본에 의해 조선시대의 범음계보를 알 수 있을 뿐이다. 즉 영조 24년 전라도 장흥 가지산 실상사의 대휘화상의 『범음종보』에 의하면 이조 초 국융(國融)이 애완수영(哀婉愁永)의 아름다운 가락으로 일국을 풍미하였고 제2세 응위(應僞), 제3세 혜운, 제4세 천휘, 제5세 빈청, 제6세 상황, 제7세 설호, 제8세 운계황 법민, 제9세 혜감이 그의 대를 계승했다. 혜감에 이르러 낙안 증광사의 순영 등 많은 제자가 경상 전라의 거찰에 퍼졌다. 이와 같이 조선범패 원류에 관한 문헌은 이상의 『범음종보』에 의거할 수밖에 없다.

대휘는 당시 범패의 명수 중 한 사람이었다. 일찍이 이과의 원류가 명확하지 않는 것을 유감으로 생각하고 널리 각처를 찾아다니면서 자료를 찾아 이 책을 썼다. 용암, 승숙, 연담, 유일이 이 책의 서문을 썼다. 두 노사도 어느 정도 범패를 배워 그 맛을 안 것 같다. 두 노사의 서문과 대휘의 서술에 의하면 진감대사의 옥음금성(玉音金聲)의 범패는 신라 고려를 거쳐 조선에 이르렀고 국초에 국융이라는 사람을 출현시켰다. 그러나 다만 국융이 그 소리 전통을 이어받았는지는 알 수 없다. 그 뒤 줄곧 제9세 혜감에 이르러서는 많은 제자를 출현시켰으니 그를 소개하면 다음과 같다.

도갑사(주소미상)	채청
불회사(남평군)	찬오
개천사(후성)	성각
대흥사(해남)	입찰
보림사(장흥)	대휘
증광사(낙안)	시진 풍식
미황사(영암)	시명
흥국사(미상)	휴운

선암사(순천)	융학 재방
금탑사(고흥군)	연기
화엄사(구례군)	각휘
대광사(순천)	도인

화엄사 각휘의 제자는 화엄사, 태안사, 선암사, 청암사, 개흥사, 인관사, 관음사, 흥국사, 백천사에 많고, 종림사 대휘의 제자는 개천사, 유마사, 수인사, 법천사, 천관사, 만연사, 미황사, 쌍계사, 봉림사 등에 많으며, 미황사 시명의 제자는 금탑사, 성불사, 피근사, 대흥사, 송광사, 태안사, 화엄사에 많고 그 중에도 화엄사 계환의 문도가 번성하여 화엄사, 선국사, 감로사, 도림사, 송천사, 옥천사, 대흥사, 쌍계사에 퍼졌고 그 중에서도 선구사의 홍해는 그 문도가 번창한 점에서 그 스승 못지않았다 한다. 주로 그 제자는 감로사, 화엄사, 지국사, 도림사, 송광사, 오탑사에 많았다. 증광사 시진의 제자는 증광사, 개흥사 풍식의 제자는 쌍봉사, 개천사, 봉압사, 대광사 도인의 제자는 불탑사, 중흥사, 능가사, 대흥사, 태안사, 실상사, 선암사, 화엄사, 송천사(이상 불교통사 인용)이다. 다음의 이 『범음종보』보다 먼저 간행된 신간책 『보범음집』(서기 1713년)에는 팔공의 반운과 속리의 응휘가 보인다. 이 반운과 응휘가 범패에 능하였다면 그 법통이 오늘에 전할 좋은 증좌를 남겨주고 있는 것이다. 왜냐하면 이 범음집은 영산회 작법에 한하여 『석문의범』과 거의 같은 점으로 미루어 그 범패도현행하는 것과 같은 계통의 것이라 볼 수 있기 때문이다.

다음 도광 6년(1826년)에 백파가 지었다는 『작법구감』은 당시의 작법절차가 완비한 것이 없었고 범패승이 한자의 고저를 바르게 읽지 못했던 실정을 보여준다. 그리고 근자에 와서 필자가 현지조사를 통하여 얻은 자료를 중심으로 그 종보를 정리해 보면 다음과 같다.

① **서울중심**

ㄱ. 동교소리

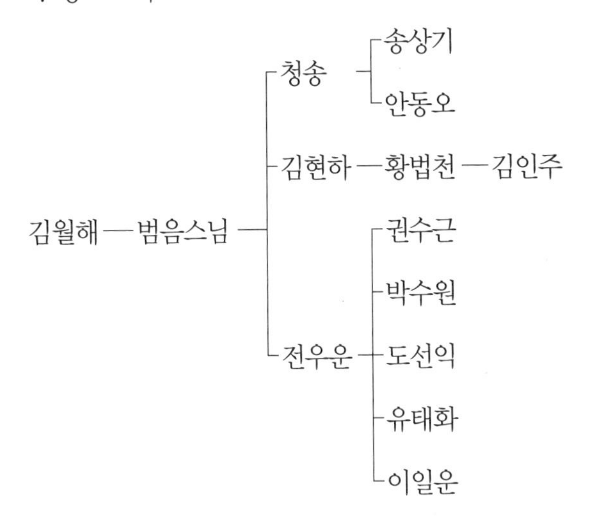

ㄴ. 서교소리

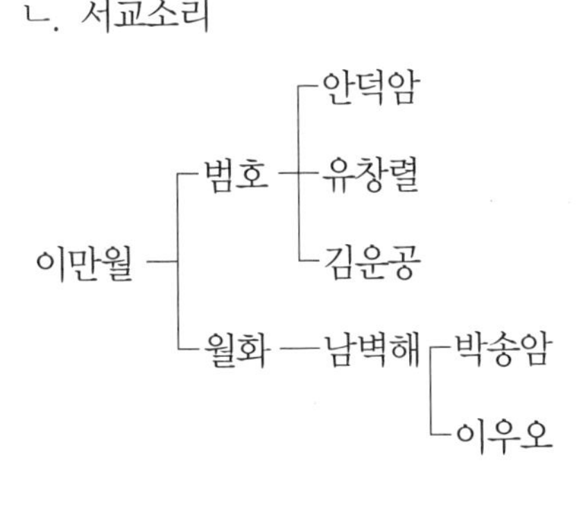

② **전라도 중심소리**

ㄱ.

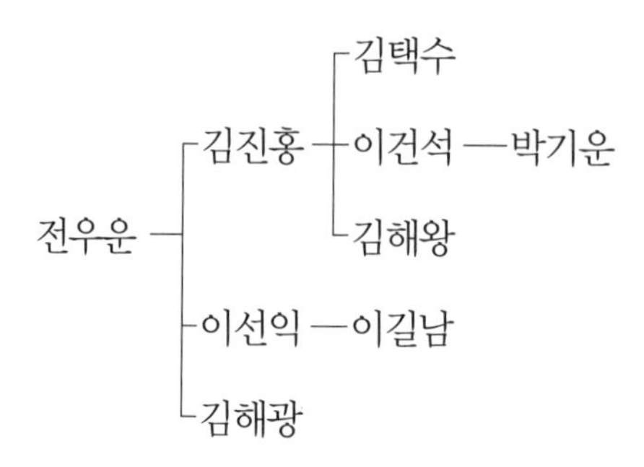

ㄴ.

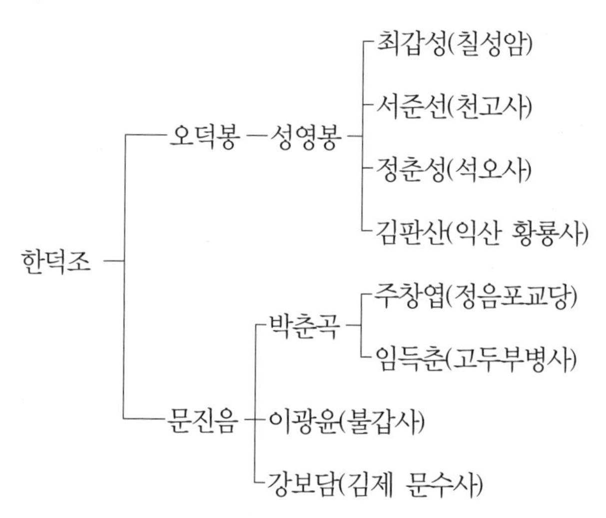

ㄷ.

월하 ― 이우오 ― 임석정

ㄹ.

김석담 ― 김응제 ― 김상현

③ 부산중심소리

ㄱ.

- 벽파
  - 안관해
    - 김용운
      - 박용해
      - 박대붕
    - 김은적

ㄴ.

- 증흥
  - 오경명
  - 설호

④ 충청도 중심소리

- 김금운
  - 박동선
  - 임은산
    - 구결운

⑤ 쌍계사 화엄사 중심소리

- 박포월
  - 유춘파
  - 장보운
  - 박유산
    - 이월영
      - 박춘광
      - 남시명
      - 김수현
      - 황보경
    - 최대운
    - 김벽운
    - 박동운

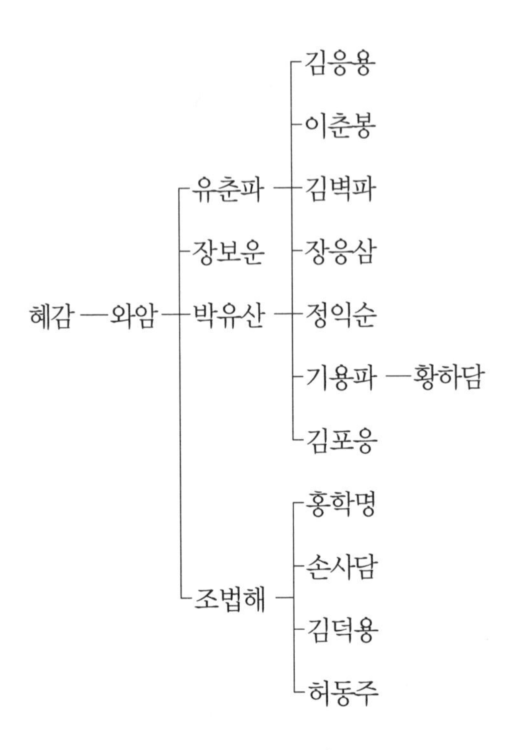

이상은 필자가 가능한 찾을 수 있었던 범음 보유자를 대상으로 녹음 채록과 구술에 의하여 계통을 정리해본 것이다. 여기에 의하면 대휘의 『범음종보』나 그 전에 발간된 『보범음집』에 소개된 계통과는 거의 계통이 닿지 않고 다만 쌍계사 화엄사에서만 전기 범음 종보에서 본 제9세 혜감의 법통을 이은 제자가 1964년까지 생존하고 있었음을 찾을 수 있었다. 전술한 바와 같이 대략 이상과 같은 경로를 거쳐 범패는 현재까지 전승되고 있으나 다만 명치14년(1911년)6월 사찰령이 발포되고 그 취지에 따라 다음해에 다시 본말사법이 제정되자 조선승려의 범패와 무용이 금지되었다. 그 후부터 범패는 점점 쇠미해진 것 같다.

이능화 선생은 『불교통사』에서 "지금 더러 노승으로 범패를 기억하는 자 있어도 평소 수련하지 않는 까닭에 묘음 원전(圓轉)이 왕년 같은 수 없다"고 하고 본말사법 시행 이래 화청, 법고와 함께 범패가 쇠미한 것을 애석히 하고 있다.

4) 범패의 기능

범패의 기능은 찬불찬탄(讚佛讚嘆)이다. 다만 이와 같은 범패를 의식을 통하여 나타낼 때 그 기능을 백분 발휘할 수 있는 것이다. 범패는 일면 청아한 음률을 통한 찬불로 청정한 마음을 얻고 환희를 일으킨다는 일의적(一義的)인 뜻이 있고 또한 불명을 낭송 예경의 뜻을 표함에 보다 장엄한 형식을 갖추고자 하는 이의적(二義的)인 뜻이 있다.

전자를 자리적 자증문(自證門)이라 하면 후자를 타리적 행원문(行願門)이라 하겠다. 그러면 여기서는 주로 후자에 속하는 범패를 중심으로 의식상의 기능을 살펴보자.

불교의 근본교리가 자기완성과 중생을 제도한다는 데 있지만 그 자기완성인 부처가 되는 길과 중생을 제도하는 방법이 수없이 많다. 이를 두 가지로 구분하면 자력에 의한 방법과 타력에 의한 방법이 있다. 즉 선가(禪家)에서 말하는 자성을 보아 부처가 된다는 것은 자력에 의거함이요 정토종에서 말하는 염불공덕으로 극락에 왕생한다고 함은 타력에 의거함이다. 그런데 여기서 말하고자 하는 의식이란 것도 결국 타력왕생을 도모하는 것임을 잊어서는 안 된다. 막연히 의식이라고 하면 불가의 의식주에 관한 모든 생활의식까지도 포함해서 논급되어야 될 일이나 이에 대한 것은 고(稿)를 달리하기로 한다.

(1) 의식에 있어 범패의 사상적 기능

의식의 구성절차를 보면 제불보살을 청하여 그 공덕을 찬탄하고 또한 불보살께 공양드림으로서 불과를 얻어 정토에 왕생하려는 것임을 알 수 있다. 그러나 대체적인 면에서 볼 때는 정토왕생이 근간을 이루고 있음이 틀림없으나 부분적으로 다시 분석해 본다면 밀교적인 유가사상이 큰 비중을 차지하고 있음을 알 수 있다. 즉 의식절차에 수많은 진언이 있음은 그를 말하여 주는 것이다. 제청사(諸請詞)에 이어 정례, 게송 그리고 가지게(加持偈)에 이어 반드시 진언이 따르고 있음은 주술성에 의거 가피력을 입으려는 사상적 요인이 뒤따르고 있음을 알 수 있다. 이는 한국불교의 토착화과정에서 이루어진 의식형태로 보아지거나 불교의 교의에서 볼 때는 방편품의 하나이다.

진제적(眞諦的)인 면에서 볼 때는 절대 진리의 본체면을 가리킴이니 초세속적인 것이어서 무엇과도 타협할 수 없는 것이지만 속제(俗諦)면으로 볼 때는 모든 것을 다 포용할 수 있고 타협할 수 있다. 진제에서는 한 티끌도 용납할 수 없지만 속제에서는 한 법도 버리지 않는다는 것이다. 그런데 이 속제에서 방편이란 말을 쓰게 된다. 즉 속제편의 교화문에서는 사람의 근성과 시대의 처소에 따라서 그에 부응하도록 설법하며 인도하는 것이다. 이러한 방편문으로 때와 곳을 따라서 교화할 적에 불교의 토착화라는 것이 이루어진다.

한국불교의 토착화도 이렇게 이루어진 것이다. 불교가 우리나라에 전래함에 있어 재앙을 없애고 기복적 속신을 그대로 불교에 회향시킴으로 기복신앙 호국신앙으로 토착화 된 것인데 그것이 바로 속제적 밀교화이다. 이와 같은 밀교가 한국적 의식의 형성에 참여하고 그에 의한 신앙을 하고 있는 것이다. 우리나라의 밀교는 신라시대 대현이 유가종, 명랑이 신인종, 혜통이 총지종을 창종했지만 이들만이 밀교가 아니라 황용사 구층탑을 비롯한 8대명산 건탑불사가 모두 호국불교이며 백고좌강(百高座講)을 비롯하여 의상대사의 법계

도인(法界圖印)과 화엄종은 일종의 호국다라니로 십사찰이 이룩되었고 모든 종파를 통일했다는 현 조계종도 상기한 바와 같이 의식에서 밀교적인 요소를 대부분 차지하고 있는 것이다.

그런데 이와 같은 정토왕생사상 혹은 밀교사상으로 이루어진 의식에 범패를 행함은 무엇인가. 우리나라에 당나라 범패를 처음으로 전 했다는 진감대사의 비문에는 범패를 청아한 소리이며 환희심을 일으키는 법열의 소리이다. 이 소리에 감응되어 능히 불과를 얻을 수 있는 소리이다. 이와 같은 소리가 의식에 사용될 때는 의식을 더욱 장엄하게 한다는데 일차적인 뜻이 있으나 정토왕생을 발원하는 의식의 사상적 배경에서 볼 때 범패는 보통 인간의 소리에서 끝나는 것만은 아니다. 대승경전 상에 나타난 모든 악신(樂神)은 부처님의 설법이 있을 때마다 천악을 연주했다고 한다. 뿐만 아니라 『무량수경』 정토 장엄품에는 무량수불의 위신력 본원력 만족원 명료원 등에 의하여 정토는 청풍시(淸風時)에 오음성을 이어 미묘하게 자연에 상화되어 장엄이 극에 달하게 하였다고 한다. 물론 이와 같은 것이 범패의 사상적 동기에 직접적인 요인이 될 수는 없으나 범패가 환희심을 일으키는 소리이며 의식을 장엄하게 한다는 데는 이의가 없고 또한 의식 자체의 사상성이 정토사상에 있다면 그 소리 자체를 천악의 소리, 장엄의 소리로 승화시킬 수 있다는 것이 무리는 아닐 것이다.

이는 의식승이 소리를 함에 있어 어장(魚丈)의 엄격한 규제를 받아야한다는 사실로도 그 뒷받침이 되고 있다. 소리를 배울 때도 매를 맞으며 6, 7년이나 걸려 이를 이수한다고 하지만 의식을 행함에 있어 유나소(維那所)에서 처음부터 끝까지 소리의 증명을 하여 조금이라도 격조에서 어긋날 때는 이를 퇴장시킴은 물론 심한 벌을 받게 한다는 것도 상기 사실을 연상케 한다는 것이다. 또 소리하는 범패승을 인도(引導)라고 함은 무엇을 뜻함인가. 범패를 일명 인도가 하는 소리라고 하며 인도 소리라고 하는데 혹자는 이를 범(梵)은 인도를 가르치므로 인도의 소리란 뜻으로 풀이하지만 범의 뜻은 범토(梵土)란 뜻도 있지만 그보다는 오히려 이속(離俗) 청정, 적정의 뜻으로 많이 쓰인다. 그리고 이 인도란 말이 인도 소리라는 말로만 쓰여 진다면 인도 소리란 말에 해당 될지는 모르지만 인도 소리란 결국 인도(引導)가 하는 소리란 뜻으로 더 많이 쓰이며 그러기에 그냥 인도란 말도 쓰는 것이다.

그러면 이 인도(引導)란 무엇을 뜻함인가. 하필 모든 의식승 중에 범패하는 승려만을 인도라고 함은 무슨 뜻인가. 인도의 원래 뜻은 사람을 이끌어 불도에 들게 하는 일을 말함인데 의식에 있어서의 인도란 범패로 극락에 이끌어 드리게 하는 승려를 말하고, 인도 소리란 결국 극락에 인도하는 소리라고 생각할 수 있는 것이다(천도제 의식에서). 이 같은 뜻은 영혼천도의식에서뿐 아니라 선가(禪家)에서도 산림시(山林時)에 송자성(頌子聲)이란 범패를 행함은 청정한 소리에 능히 외연을 끊고 득오의 경지에 인도되기 때문이다. 그리고 수계의식 때도 작범아사리(作梵阿舍梨)가 있어 범패로 수계자를 불문으로 인도하는 예가 있음은 범패가 대중에게 미치는 교화의 힘이 얼마나 큰 것인가를 알 수 있다. 이를 다시 요약하면 범패의 청아한 소리는 교화의 방편으로 큰 비중을 차지하고 있으며 그러므로 이 소리는 묘음(妙音) 금옥음(金玉音)으로 일컬어지는 동시에 그 맑고 깨끗한 음성은 불보살의 음성으로 그 음성을 듣는 이는 모두 불과를 얻는다고 생각하여 모든 의식에 이 범음으로서 불보살께 공양드리는 것이다.

다음은 염불공덕에 의해 극락에 왕생하고자 함에 있어 의식의 장엄을 하려는데 뜻이 있다. 그냥 쓸어젓수는 소리보다 홑소리가 더 장엄하고 홑소리보다는 짓소리가 더욱 장엄한 의식인 것이다. 장엄한 의식 그는 곧 정토의 장엄을 상징케 하는 것이다.

진봉국(秦封國)의 궁예가 스스로 미륵불이라 칭하고 머리에는 금책(金幘)을 쓰고 방포를 입고 장자를 청광보살, 차자를 신광보살이라 하여 밖으로 나갈 때는 백마를 타고 비단으로 말 머리와 꼬리를 장식하며 용남용녀(龍男龍女)로 하여금 번개향화(幡蓋香花)를 받들어 그 앞에서 인도하게 하며 또 비구승 200 여명이 범패를 하면서 그 뒤를 따르게 했다고 함은 장엄한 의식을 통해 스스로가 미륵불임을 심증케 하려는 사상적 동기가 있었음을 엿볼 수 있다.

다음은 불교가 이 땅에 토착화하는 과정에 있어 무속적 요소를 영합하면서 주술적 성격을 갖게 되었다는 것이다. 이는 의식의 절차에서 많은 진언이 범패로 불리고 있는 데서도 짐작되지만 신라시대 월명사의 개단작계(開壇作啓)에서도 엿볼 수 있는 것이다. 그리고 이와 같은 범패의 주술적 성격의 일면은 티베트 불교가 몽고를 거쳐 고려에 전래되면서 신라 이후 전승된 고려의 범패에 영향을 미친 것이 아닌가 하는 생각이 든다.

5) 범패와 민속음악과의 관계

범패와 민속음악과의 관계를 살펴본다면 우선 가곡(歌曲)이 범패만큼 장인(長引)하다는 것이다. 가곡이란 시조류에 담아 부르는 우리나라 고대의 가창으로 고려 말엽부터 현재까지 주로 선비층의 풍류객들에 의하여 전승되어온 것이다. 그런데 이 가곡의 창조(唱調)는 다른 음악에서 찾아볼 수 없고 그 장인하고 굴곡이 많은 것이 범패에서만 찾아볼 수 있는 것이다. 그래서 이 가곡은 범패의 영향을 받은 것으로 보는 것이다.

그러나 여기서는 그와 같은 음악적 관계만 말하고자 하는 것이 아니라 가곡 발달의 사회적 배경을 중심으로 범패와의 관계를 살펴보고자 한다. 시조시의 문학사적인 입장에서 본다면 그 창작동기를 일률적으로 무엇이라 말하기는 어려우나 대체적으로 고고한 정신을 반영시킨 것이라 볼 수 있겠으며 따라서 세속적인 현실성보다는 이상적인 세계를 추구한 것이라 볼 수 있겠다. 이와 같은 시조시의 문학적 창작동기가 자연 종교적인 감정과도 교섭이 이루어져 음율적으로 된 게송으로 소리함에 시조시 창법의 한 형태인 가곡에 영향을 준 것이 아닌가 한다. 다음은 염불곡의 기악화이다.

민속음악의 창사(唱詞)에 "나무아미타불"의 명호가 흔히 섞여 있는 것을 볼 수 있는데 이는 "미타신앙"에 의한 불교사상의 대중화에 기인한다고 보겠으며 특히 이와 같은 창사의 기악화에서 현전하는 "영산회상곡"이 발생했다는 것이다. 이 곡은 원래 "나무영산회상불보살"이란 창사를 가진 성악곡이 있었는데 창사를 잃고 기악화하여 현재의 "영산회상곡"이 되었다는 것이다. 그런데 이 "영산회상곡"의 선율이 범패만큼 유창하여 범패의 한 줄기가 훌륭한 관현악곡으로 변모된 것이 아닌가 한다.

또 이어 남도민요인 보렴의 경우를 살펴보자. 이 보렴의 음악적 선율은 민요곡으로 범패와 비교할 수 있는 성질의 것은 아니나 그 가사가 의식과 밀접한 관계를 갖고 있다. 즉 보렴이란 속칭 보시염불을 줄인 보렴(布念)이란 뜻 이라고 하는데 그 내용은 축원문의 하나이다. 그리고 앞에서 선율적으로 범패의 영향을 받았다고 한 가곡이 선비층의 노래라면 이 보렴은 일반 서민층의 노래이다. 또한 가곡이 선비층의 고고한 정신을 초자연적인 종교적 감정과 상통한 바 있었다면 보렴은 서민층의 애환을 호소하는 애절한 노래라 할 것이다. 이렇게 본다면 양자가 다 같이 종교적 감정을 노래한 것이라 하겠으나 전자는 청정한 심성을 노래한 것이고 후자는 서민층의 애절한 발원을 노래한 것이다. 그러기에 의식의 축원문을 받아들인 것이다.

또 탑돌이 같은 민속놀이도 원래 탑을 중심으로 한 정진(精進) 도는 의식이 세속화된 것이라 보겠다. 이외에도 불교의식의 영향을 받은 민속가악이 무가(巫歌) 속에서 많이 찾아볼 수 있는 것이다. 그러나 이와 같은 가악(歌樂)이 불교의식의 영향을 받았으되 범패의 직접적인 영향을 받은 것은 아니라 하겠으나 의식은 곧 범패로 행함을 볼 때 결코 그런 것만도 아닌 것 같다. 의식과 관계있는 음악이라면 애초에는 범패의 모방에서 차차 세속적인 소리로 변조된 것이 아닌가 한다. 왜냐하면 범패 자체도 요즈음에 와서는 보다 세속적인 흥미 본위로 차차 변조되고 있음을 발견할 수 있기 때문이다. 아무튼 범패는 우리나라 전통적인 가악 중 판소리 가곡과 더불어 빼놓을 수 없는 고전음악의 하나인 것이다.

6) 결언

이상에서 불교의식을 중심으로 범패가 어떤 음악인가를 살펴보았다. 이를 요약해 보면 다음과 같다.

첫째, 범패는 의식음악이란 것이다. 의식이 대중을 대상으로 한 교화방편이며 아울러 그 내용이 불덕(佛德)을 찬탄한 것이라면 범패는 이를 더욱 장엄한 의식이 되어 대중으로 하여금 환희심을 일으키게 하는 음악이다. 그래서 의식의 구성요소는 대개 음악적 바탕을 중심으로 이루어져 있다. 여기서 음악적 바탕이란 의식에서 불덕을 찬탄하고 불법을 일러주는데 게송과 진언을 사용하고 있음을 말함인데 이 게송과 진언이 그 성질상 음악적 음률을 지니고 있다는 점이다. 이를 다시 바꾸어 말하면 의식은 음악을 전제로 하여 이루어졌으며 따라서 음악이 없는 의식은 무의미한 것임을 알 수 있다. 전술한 바와 같이 의식을 제대로 하려면 범패를 뺄 수 없으며 범패가 빠진 의식은 본래의 의의를 상실하고 만다는 것이다.

둘째, 범패는 청아한 소리임에 능히 제천을 환희시키고 심성을 청정하게 하여 스스로 불과를 얻게 하는 법열의 소리이다. 그래서 이 소리를 범패성 불보살의 소리라 한다. 그런데 이와 같은 범음성이 선가(禪家)의 입장에서 본다면 청아한 소리 자체가 중요시되지만 타력왕생을 기원하는 정토사상에서 볼 때는 불보살의 소리라는 데 더욱 큰 뜻을 갖는다. 신이와 기적에 대한 종교적 희구가 기도를 행하게 되고 사원을 중심으로 개단작법(開壇作法)함에 있어 의식을 따른 염불찬탄이 범패의 직접적인 수용의 기반이 된 것이다.

그리고 이를 일반문화와의 관계에서 볼 때 선가의 범패는 대중과 영합되지 못하고 오히려 고고한 생활정신을 이상으로 한 선비층에 영향을 미쳐 가곡 같은 고전음악의 창법을 분가하게 되었고 대중에 기반을 둔 타력신앙에서는 범패 전문승이라고 하는 한계점이 범패의 대중화 보급에 저지를 가져오고 다만 국력을 토대로 한 대리모의 제의식에서만이 대중과 영합이 될 수 있었던 것이다. 그러나 불교의 쇠퇴로 그와 같은 장엄한 대규모의 의식이 차차 줄어들자 범패의 쇠미가 뒤따르게 된 것이다.

의식은 대중의 신앙생활이다. 이와 같은 신앙생활의 종교적 감정이 예술면에 미친 공적 또한 큰 것이다. 범패도 이와 같은 의식을 통한 신앙생활의 소산이다. 현재 우리의 불교는 이와 같은 의식을 잃어버렸다. 따라서 종교적 감정도 잃어가고 있는 것이 아닌지 생각건대 고귀한 종교적 감정과 이성간의 교섭이 이루어지는 곳에 문화의 발전을 기대할 수 있을 것으로 생각한다.

5. 범패를 찾는 고통과 희열

1) 경북지방의 범패 조사

궂은 비 내리는 청량리역의 아침, 여행 목적과 임무에 비해 너무나 마음의 준비가 없는 나에게는 가볍게 내려지는 출발 신호마저 마음을 더욱 무겁게만 해주었다. 차창 밖으로 보이는 오랜만의 시외 풍경이건만 날씨조차 내 마음을 닮은 듯 잔뜩 찌푸려 있는데 차는 미끄러져 가기만 한다.

태백산맥의 험준한 줄기를 요리조리 해치며 오후 3시경 이윽고 안동역에 도착, 여정의 첫발을 내딛게 되었다. 출발 때와는 달리 구름 한 점 없이 활짝 갠 날씨는 나를 반겨 주는 듯 마음의 문을 넓혀 주었고, 환희의 세계로 들어가는 듯싶었다. 누구나 이 고장을 찾으면 먼저 이퇴계 선생의 도산 서원과 안동 모시, 제비원의 유적을 찾는 것이 상례이지, 범패를 비롯하여 탱화, 단청에 이르기까지 전통적인 불교예술의 재능을 한 몸에 지니고 조상들이 남긴 문화적 유산을 고이 간직해온 대원사(大圓寺)의 권수근(權守根) 스님을 방문함은 그리 흔치 않을 것이다. 혹시 부재중은 아닐까 하는 염려와 함께 대원사에 도착하니 마침 스님께서는 그 염천의 오후에 탱화를 그리고 계셨다. 그동안 서로 이해하는 사이가 되어 친분이 두터운 분이라 열중하시던 화필을 걷어치우시고 반겨 주시는 데 뜨거운 감사를 느끼지 않을 수 없었다. 8시간 이상이나 복잡한 완행열차에서 극도로 피곤했던 몸을 편히 쉴 수 있다는 것도 여간 반가운 일이 아니었다. 피차 오랜만의 상봉이라 서로의 정회(情懷)를 한껏 나누고 여정의 첫날을 안동에서 쉬게 되었다.

녹음 수집을 마치고 곧 영동지방으로 떠날 예정이었으나 그 다음날인 1월 29일이 시내 법룡사(法龍寺)에 사십구제가 있으니 참석하고 가라는 만류에 서울 지방에서는 수차 실황을 본 적이 있으나 영남 지방에서는 처음 보는 일이라 범패 자료 조사와 지방별 차이점을 비교·연구하는 데 큰 도움을 줄 수 있을 것이라 생각되어 하루를 더 묵게 되었다.

우선, 전에도 몇 번 녹음한 일이 있었으나 좀 더 체계 있는 자료를 수집하기 위하여 스님의 범패를 오전 중에 녹음하고, 기타 자료가 될 만한 이야기를 문헌과 비교해 보았다. 잠깐 여기서 스님을 소개한다면, 12세에 서울 화계사를 본사(本寺)로 입산하여 14세부터 약 10여 년 간을 범패 및 불교의 의식 요법(儀式要法)을 이수하였으며(주로 서울 지방), 다시 금강산 유점사에 들어가서 이력을 마치신, 성(聲)과 교(敎)를 겸비한 어장(魚丈)이였다. 범패의 지역적인 분포로 보아 영남조의 소리가 있음직한데 이 고장에서는 찾아볼 수 없고 오직 안동 지방에서는 서울에서 배워 경산조(京山調)를 보유하고 있는 유일한 분이 권수근 스님이라는 것을 알았다.

한 가지 새로운 관점으로 조사한 것은, 지역적인 분류에 앞서 계보에 따른 분류를 한 다음 지역적인 특색을 비교 조사하는 것이 문화사적인 견지에서 문화의 형성 과정을 연구하는 정당한 차례가 됨을 느끼고 이 점에 세심한 주의를 기울였다. 오후에는 시내에서 약 6km로 떨어진 제비원의 유적을 잠시 찾았다. 자연 암석에 불상을 조각한 웅장한 모습은 천 년 이래 이 고장의 신화로 남아, 신앙의 대상이 됨은 물론 관광지로 명성을 떨치고 있다. 이곳에 전하는 전설만 해도 연마사(燕摩寺), 성주풀이, 대부송(大夫松) 등 12가지가 있으나 여기서는 예외가 되므로 다음 기회로 미루겠다.

오늘 12시부터 제가 있을 예정이었기에 법룡사(法龍寺)도 구경할 겸 스님의 친절한 안내로 오전 중에 그곳에 가기로 했다. 6·25 때 폐허가 되어 그 넓은 유적만이 쓸쓸히 남아 있던 곳에 주지 김오학(金五學) 스님과 신도 김대선행, 서병노, 김자성화, 김상품화 등의 원력으로 중건되고 권수근 스님의 단청으로 말쑥하게 단장을 한 이름 높은 수도장으로 명목을 갖춘 법룡사엔 영가의 넋을 위안한다는 재의식의 엄숙한 분위기보다 며칠 전에 낙성을 해서 아직도 축제의 기분에 가득 차 있었다. 이윽고 정오가 지나자 시간을 알리는 태징 소리와 함께 분위기가 바뀌어 지옥 중생을 구제하는 염원의 기도장이 되었다. "나무 대성 인로왕 보살(南無大聖引路王菩薩)"에서 소리를 지어 시련 대령을 마치고 아미타불의 강림과 발원, 관욕 등의 의식을 차례차례 행하는 동안 아직도 나이 어린 상주는 철없는 푸념에 성화만 하는 듯싶었으나 백 년 상을 입은 30대의 소복부인(素服夫人)은 미망인이 된 비운을 잠깐 잊은 채 부처님의 말씀, 부처님의 소리에 자신을 의지하며 유한한 생명에서 무한한 생명을 체험하고 불국토에서 천부(天夫)의 진면목(眞面目)을 다시금 찾은 듯싶었다.

그래서 나는 이렇게 생각하였다. '적어도 우리 중생이 의식을 행하는 동안 불국토를 체험하게 되는 것은 거기서 듣는 범패성(梵唄聲)이 인간의 소리가 아닌 범천(梵天)의 소리요 부처님의 소리여서, 그 소리를 들으면 발심(發心)하고 마음의 정화(精華)를 가져오기 때문이리라 · · · · · ·.' 그러나 인멸(湮滅) 직전에 놓인 이 보중(保重)한 법요 의식(法要儀式)을 어떻게 하면 다시금 되찾을 수 있으며, 또한 무관심과 무질서한 전수로 어지럽혀진 신성한 의식을 어떻게 하면 바로 잡느냐 하는 것도 우리의 커다란 책임이리라. 이 재는 줄곧 계속되어 밤을 새울 예정이었고 나는 또 다음 일정이 기다리고 있기에, 스님과 몇몇 신도들의 굳은 만류를 물리치고 저녁 9시 야간 열차로 영동지방을 향했다. 그리고 혼자 이렇게 되뇌어 보았다.

불신보편시방중(佛身普篇十方中)이요,

자광조처연화출(慈光照處蓮花出)이라.

2) 강원지방의 범패 조사

기차는 철암, 도계의 협곡을 어둠 속에 지나고 태백 분수령을 넘어 동쪽으로 달려갔다. 훤히 밝아 오는 동쪽 하늘과 함께 전개되는 동해안의 절경은 희망의 새아침을 맞이하게 하였다. 오랜 장마 끝에 무더위를 동반하고 찾아온 쾌청한 날씨 때문에 차 안은 피서객으로 붐볐고, 동해안을 끼고 상행하는 차창 밖으로 내다보이는 잔잔한 바다는 부처님의 대자 대비하신 각해(覺海)를 생각하게 하였다. 잠시 후 세련되고 유창한 목소리로 관동 팔경을 소개하는 차장의 관광 안내 방송이 끝나자 차는 강릉역에 도착했다. 마침 이곳에 오래 전부터 나를 친자식처럼 아껴 주시던 박상빈(朴商彬) 역장님이 계셔 낯선 영동

땅의 첫발을 가벼이 디딜 수 있었다.

10시경 아침을 먹고 잠깐 휴식을 취하며 이 지방의 여정을 짜고 난 다음 먼저 포교당인 관음사에 들르기로 했다. 불교 도시로 이름 높은 옛 도시인 강릉에서 특색 있는 자료 수집을 할 수 있으리라는 기대를 걸로 그곳을 찾았다. 종래 강원도 종무원(宗務院)으로 강원지방의 불교 중심이었던 관음사엔 행자 한 분이 있을 뿐 주지스님 이하 대중스님 모두가 출타 중이었다. 부득하게 스님들이 돌아오시기를 기다려 석양이 되었다. 총무스님, 원주스님이 돌아오셨다. 우선 이곳의 범패 보유자와 문헌을 찾았으나 찾을 길이 없고 삼척포교당 신흥사 주지스님이 아실 것이라는 소개를 받았을 뿐이다. 적이 실망한 나머지 하루를 관음사에서 쉬기로 하였다. 저녁에 예불에 참례하고 정진(精進)에 들어갔다. 밤이 되자 불교청년회 회원들이 몇몇 찾아와 동참하였으며, 2시간 동안이나 계속되는 정진에서 모처럼 수련의 기회를 가졌다.

다음날은 무더위를 무릅쓰고 이곳에 들른 보람을 찾기 위해서 명주군, 삼척군 일대를 사설 사암에 이르기까지 두루 찾아다니지 않을 수 없었다. 하루에 수십 리씩 걸어, 태산준령을 넘어 범패를 찾아 헤매었으나 며칠 동안을 돌아다닌 아무런 보람도 없이 다시 강릉으로 돌아오고 말았다. 애당초 이곳에서 수집한 범패로 방송을 하려고 했으나 그런 자료가 없어 부득이 안동에서 녹음한 테이프를 가지고 강릉방송국을 찾았다. 국장님의 친절한 안내로 방송 과장을 소개 받았다. 마침 방송 과장은 우리나라 고전음악에 대한 소양이 깊은 분이라 쉽게 시간을 얻어 범패를 방송할 수 있었다. 밤 7시 40분 안테나를 통하여 흘러나간 범음성(梵音聲)은 관동지방의 방방곡곡으로 스며들기 시작하였다. 강릉에서 이렇게 4일을 보내고 8월 3일 아침 일찍 설악산 신흥사(神興寺)로 떠났다. 6·25 때 우리 국군 용사들의 고투로 수복한 설악의 절경을 찾는다는 무량한 감개를 안고 오후 2시경 신흥사 일주문에 들어섰다. 마침 이곳엔 동국학원 사무국장인 법안스님과 동국대 총장실의 김 선생이 와 계셔 내의(來意)를 밝히지 않아도 쉽게 내사(來寺)의 목적을 이해시킬 수 있었다.

먼저 주지스님께 인사드리고 미리 강릉서 알고 왔던 사실이라 스님의 범음성을 부탁드리니 첫마디에 사양을 하신다. 나의 바쁜 일정만 생각하며 연습해볼 여유도 드리지 않고 마이크를 들이댄 것이 결례인 것 같아 잠시 범패(梵唄)에 대해 여러 가지 이야기를 나누고 다시 부탁하니 쾌히 승낙하셨다. 거불(擧佛), 봉헌(奉獻), 일편향(一片香), 복청게(伏請偈) 등 몇 곡을 녹음한 다음 릴 테이프를 통하여 대중들이 이를 감상할 수 있는 시간을 가졌다.

스님은 원래 성음(聲音)에 대해 천재적인 소질을 갖춘 분이라 얼마 안 되는 시일에 이를 습득할 수 있었다고 하며 당시 좀 더 이를 충분히 배워두지 못한 것을 후회하고 계셨다. 애당초 이곳에 올 때는 범패의 영동지방의 특징을 찾아보려는 것이 목적이었으나, 스님은 서울 우운(雨運)스님에게 배운 소리라 경산조(京山調)와 별 차이를 느낄 수 없었다. 그러나 심산(深山) 설악의 대찰에 범음이 보존되어 있다는 사실만으로도 얼마나 다행한 일인지 몰랐다. 이외에 문헌상 자료가 될 만한 것은 별로 찾아볼 수 없었고 참고가 될 만한 몇 가지 이야기를 스님께서 들려 주셨다.

오후 5시경 잠시 도량을 살펴보고 설악산 구경을 하기로 했다. 부슬부슬 내리기 시작한 비에도 불구하고 주지스님의 친절한 안내에 따라 먼저 계조암(繼祖庵) 코스를 택하기로 했다. 깎은 듯 우뚝 솟은 층암 절벽은 금강산의 풍치를 방불케 하였고 더욱이 금강산 일만 이천 봉의 한 봉우리는 차지하려다 낙오되었다는 울산바위는 멀리 금강의 후방에서 통일의 염원을 한 몸에 지닌 채, 분열된 조국의 비운을 묵묵히 지켜보고 있는 듯 했다. 한 모퉁이 돌아서 계조암에 들어서니 울산바위의 기슭을 교묘히 이용하여 석굴을 만들고 관음상을 모신 이 휴전선상의 도량은 기필코 통일의 숙원을 이루게 할 것 같았다.

잠시 법당에 참배하고 문을 나서니 발아래 전개된 설악의 절경은 어느새 황혼에 잠겨 있었다.

다음날 아침, 비선대(飛仙臺)의 구경도 못한 채 스님들의 만류를 굳이 뿌리치고 행장을 갖추어 일주문을 나섰다. 남겨둔 미련이 너무도 많아 떨어지지 않는 발길을 한참 옮기다가 기어이 비선대 구경을 해야 될 것 같아 다시 발길을 돌리지 않을 수 없었다. 계곡을 따라 울창한 송림을 끼고, 와선대(臥仙臺)를 지나 비선대에 이르니 사면엔 깎은 듯한 절벽이고, 태고적 선인(仙人)들의 신화를 가득 담은 계곡은 정화수에 잠겨 있다. 간간이 넘쳐흐르는 맑디맑은 물결은 때 묻은 속세를 정화시키는 듯했다. 이 물에 목욕재계하고 대(臺)에 오르니, 이 선경(仙境)을 무엇으로 말하리오. 때마침 가져갔던 녹음테이프를 통하여 범음성(梵音聲)을 들으니 사방은 고요하고 범천은 환희에 가득 차 있어 서방 정토가 이를 두고 한 것 같았다. 각처의 관광객이 다투어 귀를 기울이고, 그 감개를 어찌 말로 다 표현하리오. 어느새 한 여름의 햇살은 점점 뜨거워져 미리 정한 일정대로 발길을 재촉하여 아침 9시경 이 선경을 뒤로 하지 않을 수 없었다. 신비의 꿈에 잠긴 설악의 신흥사를 좀 더 샅샅이 뒤져 보지 못한 후회감과 다시 찾을 기약만을 남긴 채 속초 시내로 빠져 나왔다.

심산계곡의 풍치에 잠시 속진의 육신을 묻어 대자연의 진리에 안겨 보려던 나의 조그마한 불심은 이제 다시 망망 고해(苦海)에서 스스로의 귀의처를 찾아 헤매는 것이다. 우선 속초 방송국을 찾았다. 민족 분열의 갈등선인 휴전선상에서 일체의 번뇌(煩惱)를 떨쳐버리게 할 범음성을 전하고 싶었던 것이다. 마침 방송 과장님의 성의 있는 주선으로 설악의 밤 시간을 이용하여 신흥사 이일운 주지스님의 소리를 방송하기로 했다.

"나무불타부중광림법회(南無佛陀府中光臨法會). . ."

부처님의 소리가 다시금 문명의 이기를 빌어 방방곡곡으로 퍼져 나가는 것이었다. 8월의 오후 하늘, 동해의 푸른 바다, 이제 나는 어디로 갈 것인가? 발길을 다시 재촉하여 떠나야 할 몸, 잠시 낙산사에 들러 참배하고 의상대에 이르니 바다는 잔잔하고 끝 간 데가 없었다. 이따금 지나가는 고깃배들이 무심한 대양의 웅지(雄志)를 전하는 듯싶었다.

천척사륜 직하수(千尺絲綸 直下垂)요,

일파자동 만파수(一波自動 萬波水)라.

8월 5일 밤을 강릉에서 보내고 다음날 아침 포항행 버스를 탔다. 낙산사에 들렀을 때 주지스님께서 보경사(寶鏡寺)를 중심으로 좋은 자료를 수집할 수 있을 것이라는 이야기를 들었기 때문에 당초의 계획을 약간 변경한 것이다. 가는 길에 잠시 삼척포교당에 들러 몇몇 어장(魚丈)들을 소개 받아 역대 어장(魚丈)들의 계보를 밝히는 데 참고자료를 택할 수 있었다. 다시 그 길로 동해의 절경을 발 아래로 굽어보며 장장 8시간 동안의 버스 여행에서 지칠 대로 지친 피로한 몸을 끌고 석양의 나그네가 울진 포교당인 동림사(東林寺)에 찾아든 때는 밤 8시가 훨씬 넘어서였다.

이곳 박지산(朴志山) 주지스님은 신문을 통해 잘 알고 있었던 분이고, 나의 뜻을 쉽게 이해해 주셔서 하루 저녁을 편히 쉬게 해주는데 여간 감사함을 느끼지 않을 수 없었다. 때마침 이곳에는 대구 청구대학 불교학생회 회원들이 와 있었고 그 회장 학생은 언젠가 삼각산 도선사에서 서로 인사를 나눈 바 있는 사이라 서로의 저녁 한때를 값있게 보낼 수 있었다. 그런데 나에게 반가움을 준 박지산 스님의 앰프를 이용한 불음의 포교사 역을 할 수 있다는 것이었다. 둘이서 시청각을 통한 불음 전파의 아쉬움을 나누며 장차 불교방송국 설치에 대한 스님의 계획을 듣고 내가 녹음한 테이프를 방송하려 했으나 불행히 엠프 고장으로 이루지 못했다. 다음날은 스님의 따뜻한 환송을 받으며 불교 학생회 회원들과 같이 울진을 떠났다.

중도에서 관광지로 이름 높은 성류굴을 학생들과 같이 구경하고 이들과 헤어져 염하의 오후 산길을 따라 경북 영일 보경사를 찾았다. 낙산사에서 들은 바도 있고 하여 커다란 기대를 갖고 이곳을 찾았으나 그토록 성의 있게 협조해 주신 주지스님의 노고에도 보람 없이 아무런 자료도 찾아볼 수 없었음은 여간 섭섭한 일이 아니었다. 다만 포항 시내에 생존해 계신 몇몇 어장(漁丈)들을 소개 받았을 뿐이다. 이렇듯 실망하여 그 길로 포항으로 떠나려고 하였으나 주지스님이 한사코 만류하셔서 하루 저녁을 그곳에서 쉬게 되었다. 저녁 공양 이후 예불을 마치고 절에 있던 대중 스님들이 내가 있는 방으로 모여들기 시작하였다. 비록 내가 찾던 이곳의 범패는 녹음하지 못했을망정 범패를 전하자고 마음먹고 아직 범패가 무엇인지 잘 모르고 있는 스님들께 이를 감상할 수 있는 기회를 마련하였다.

다음날은 보경사 주지스님의 안내에 따라 포항 시내 극락사(極樂寺)를 찾았다. 이곳은 비록 폐허에 가깝기는 했으나 한때의 융성기를 과시하는 듯 범패의 옛 모습을 그대로 간직하고 있었다. 극락사에 최삼암(崔三岩) 스님, 관음사에 이법운(李法雲) 스님, 이밖에도 안락사의 이벽암(李碧庵) 스님, 박각운(朴覺雲) 스님 등을 차례로 방문할 수 있었다. 그 스님들은 대부분이 은해사(銀海寺)를 중심으로 전습(傳習)되어 온 범패를 할 줄 알았다. 그 소리를 대별하면 영남조에 속하는 소리이나 이 지방만의 특이한 점을 발견할 수 있다는 것이 반가웠다. 그리고 이 지방 소리의 대표적인 보유자는 영천 신흥사(新興寺, 일명 탑절)에 계시는 장경파 스님이란 것을 이 분들로부터 알게 되었다. 이 날은 마침 일요일이라 이곳 소리를 방송하지 못함을 심히 유감스럽게 생각하며 황혼의 객은 신라의 고도 경주로 발길을 옮기는 것이다. 범패를 찾아 떠난 지 장장 수 천리, 이제 서라벌의 고토(古土)에 발을 내딛는 나그네의 심정은 어둡기만 했다. 서라벌의 하늘에 태양이 사라지고, 숨결은 차기만 한데 이 어두운 밤을 지새울 찬가(讚歌)마저 없이 경주의 밤은 깊어만 가고 있었다. 은은히 들려오는 불국사의 종소리가 천년의 꿈을 안고 비명을 울리는 것 같아 녹음한 범패소리로 부처님의 성업(聖業)을 찬탄하니 서라벌의 넋은 다시금 생동하고 찬찬히 터오는 동해의 새벽 언덕에서 조용히 손을 모을 수 있었다.

일엽홍연임해중(一葉紅蓮任海中) 작야보타관자재(昨夜寶陀觀自在)

이렇듯 토함산 기슭에서 한 밤을 지내고 모처럼의 일출 광경을 여러 관광객들과 함께 환희에 찬 눈으로 바라보며 석굴암에서 아침을 맞았다. 불국사로 내려와 아침 공양을 하고 잠시 도량을 살핀 후 총무스님께 작별 인사를 하고 행장을 차리니 아쉬움이 담긴 발걸음은 무겁기만 하였다.

안압지, 첨성대, 괘능 등을 차창 밖으로 내다보며 8월의 태양이 중천에 이를 무렵 영천의 붉은 고개를 넘어 장경파(張鏡波) 스님이 계시는 신흥사에 다다랐다. 호반을 끼고, 들판을 바라보며 아담하게 세워진 이 도량엔 멀리 신라 때 것으로 알려진 탑 하나가 유난히 눈이 띄었다. 먼저 찾아온 뜻을 밝히고 스님께 인사를 드리며 포항 안락사에서 소개받고 왔다고 했더니, 겸손을 표하시며 무척 인자하신 얼굴로 자리를 권하고 이야기를 계속하셨다. 원래 이 절터엔 신라 때 것으로 알려진 탑 하나만 오랫동안 들판에 방치되어 있었는데 폐허가 되는 것이 슬프게 생각돼 탑을 수호하기 위해 절을 지었다고 하시는 스님의 얼굴에는 불심이 충만하였다. 스님께서는 은해사에 오랫동안 계시면서 범패를 전승, 여러 제자를 두셨으며 "범패가 성할 때는 우리 불교도 한창이었다"고 강조하시는 모습이 당대의 이름난 어장(漁丈)이었음을 과시하는 듯싶었다. 이렇게 서로가 한동안 이야기를 나누고 또 귀중히 간직한 문헌까지 보여 주시는 데 필자는 감격의 두 주먹을 불끈 쥐었다. 칠순이 넘어 여든을 바라보는 스님의 기력(氣力)에 녹음을 부탁드린다는 것이 무리인 것 같았으나 귀중한 소리를 간직하고 싶은 욕심에 마이크를 스님 앞에 놓으니, 쾌히 승낙하시고 몇 곡을 장장이 해내신다.

"나무대성인로왕보살(南無大聖引路王菩薩)"

석양 무렵 스님의 따뜻한 환송을 받으며 몇 번을 찾다가 찾지 못한 그 유명하였던 대구 팔공산 쇳성을 다시 찾아보기로 하고 발길을 옮겼다. 대구를 중심으로 여러 사찰을 두루 다니며 쇳성의 보유자를 탐지해 보았으나 알 길이 없고, 간신히 경원사(慶圓寺)를 찾아 역대 팔공산 어장들의 계보를 어렴풋이나마 더듬을 수 있었다. 혹시나 하는 생각에 동화사를 찾아 팔공산 방면으로 가는 버스에 올랐다. 10여 년 전 내가 처음으로 불문에 뜻을 두고 파계사를 찾던 감회를 되새기며 일주문을 들어섰다. 해탈교를 건너 도량으로 들어가니 간간이 들려오는 목탁 소리는 일체를 정화하려는 듯 모든 생명이 부처님의 법력 앞에 경건히 고개를 숙이는 것 같았다.

주지스님은 출타 중이라 계시지 않고 총무스님이 반가이 맞아주셨다. 우선 부처님 전에 참배하고 총무스님과 같이 선방에 들러 종정스님께 인사를 드리고 난 후 종성(鐘聲)을 찾을 길을 모색했으나 20여 년 전 박추월(朴秋月) 스님을 최후로 영영 자취를 감추었다는 섭섭한 소식이었다. 때마침 들려오는 저녁 예불 종소리도 그 안타까움을 전해주는 듯 구슬프게 들리는 것 같았다. 그래서 그 종소리를 녹음하여 이렇게 마음속으로 되뇌었다.

'비록 지금은 그 소리가 사라진 지 오래나 언젠가 한 번은 찾을 날이 올 것이라고 댕댕 댕댕댕 . . . 댕

원차종성변법계(願此鍾聲邊法界) 철위유암실개명(鐵圍幽暗悉開明) 삼도이고파도산(三道離苦破刀山) 일체중생성정각(一切衆生成正覺)

아－일체를 일깨우고 일체를 밝혀 주는 그 종소리. . .'

이렇듯 섭섭한 가운데도 또한 반가운 일은 비록 그 팔공산의 전통적인 쇳성만은 못할지라도 범패를 간직하고 계시는 박인세(朴仁世) 스님이 계셨다. 경

산조(京山調)의 소리를 하시는 스님께서는 연세에 비해 그래도 특이한 소리를 보유하고 계셔 이를 녹음하면서 아직 팔공산의 범패성을 부흥시킬 소지는 남아 있음을 무척 희망적으로 생각하였다. 이렇게 동화사에서 하루를 보내고 다음날 아침 떠나려 하니 마침 주지스님께서 돌아오셨다. 평소에 나를 잘 이해해 주시는 분이라 반갑게 맞아 주시며 격려의 말씀과 하루를 쉬어 가라는 당부가 계셨으나 이를 받아들일 수 없었음이 무척 안타까웠다.

6. 영산회상곡에 대하여

우리 불교에서는 영산(靈山)이라는 말을 많이 쓰고 있다. 영산설법(靈山說法), 영산작법(靈山作法), 영산재(靈山齋), 영산기경(靈山起耕), 영산회상(靈山會上) 등 . . . 그리고 으레 영산이라는 낱말이 나오면 불교적인 것으로 해석된다. 현재 우리 민속음악 중 정악(正樂)에 속하는 영산회상곡도 불교적인 연유에서 창작 내지 연주되는 것으로 보고 있다. 원래 영산이라는 말은 인도 영축산의 준말이며, 영산회상이란 부처님께서 영축산에서 법화경을 설하실 때의 광경을 말하며 이때 건달바(乾達)라는 악신(樂紳)이 있어 그 장엄한 광경을 노래했다고 한다. 그 중 상영산(上靈山)은 부처님께서 설법하시는 것을 그렸으며 세영산(細靈山)은 설법을 마치고 하산하시는 것을 그린 것이라고 한다. 그러나 현존하는 영산회상곡의 창작 연대 및 그 유래는 불확실하며 원래는 다만 영산회상 불보살이라는 창사(唱詞)를 가진, 순수한 불교음악이던 것이 차차 세속화 하여 현재의 민속음악으로 변하게 된 것임을 알 수 있다.

『악학궤범(樂學軌範)』, 『용재총화(慵齋叢話)』의 문헌에 의하면 영산회상곡은 일전한 가사를 가진 유일한 관현반주(管絃伴奏)의 불교음악이었다. 『악학궤범(樂學軌範)』에는 여기(女妓)와 악공(樂工)들이 회선하면서 제창으로 "영산회상

불보살"을 부르고 이 곡 외에도 미타찬(彌陀讚), 본사찬(本師讚), 관음찬(觀音讚) 등이 있었다고 하는데 현재는 전하지 않는다. 그러면 불교음악이었던 "영산회상곡"이 어떤 과정을 밟아서 세속화하였는지를 살펴보기로 하겠다.

첫째, 현존 영산회상곡이 불교음악이었던 영산회상곡과 계통을 같이 한다는 것은, 세조(世祖) 때의 대악후보(大樂後譜)와 정조(正祖) 때 서유(徐有)가 편찬한 유예지(遊藝志) 소장 영산회상 악보의 비교에서 현존 곡과 거의 대동소이하다는 데서 확실시 되며, 다만 이상과 같은 동일 계통의 곡이 중종(中宗) 때에 와서 변화됨으로써 일단 세속화되어졌음을 알 수 있게 된다. 그리고 이후에는 다시 가사를 잃어버리고 성악곡(聲樂曲)이던 것이 기악곡(器樂曲)으로 변하여 현존 영산회상곡으로 전해졌음을 알 수 있는 것이다.

원래 불교음악이었던 영산회상곡에서 창인(唱人)이 제창하면서 선회하는 것은, 현행 재의식(齋儀式)에서 괘불(掛佛)의 주의를 승속(僧俗)이 악인(樂人)과 함께 취타(吹打)와 주악함에 비교되는 것이며 영산회에서 연(輦)이 있을 때에 영산기경(靈山起耕)의 "영산회상 불보살"을 부르는 것은, 앞의 모든 요소와 관련시켜 주는 것으로 남아 있다. 참고로 현존 영산회상곡의 내용을 소개하면 대략 다음과 같다.

본영산(本靈山), 중영산(中靈山), 세영산(細靈山), 상현 염불(上絃念佛)타령, 군악(軍樂) 가락 도도리, 양청 도도리 우조(羽調) 가락 도도리 등 48장으로 된 조곡(組曲)인 것이다. 그러면 앞으로 남은 문제는 잃었던 가사를 어떻게 복원하며 또한 가사를 다시 붙임으로써 원래의 불교음악이었던 영산회상곡으로 돌아갈 수 있느냐 하는 것이다.

七. 불교미술의 아름다움과 그 희열

1. 불교와 예술

「오늘을 사는 승가」란 문제를 가지고 심포지엄을 가졌을 때의 일이다. 토론에 참석한 어느 스님이 "우리 불교에는 공간예술은 있으나 시간예술이 없다"는 의미심장한 말씀을 하신 적이 있었다. 석굴암, 불국사 등의 유형문화재는 찾아볼 수 있어도 무형문화재는 찾아볼 수 없다는 뜻으로 필자는 이해했다. 다시 말해 이는 불교예술의 창작이 이미 중지되었고 따라서 이는 최고의 선을 지향하는 종교 활동도 그 방향을 잃고 있다는 것이다. 종교의 본질인 최고의 선은 모든 아름다움과 착함을 아울러 말하는 것이라 볼 때 그 아름다움의 열정을 나타내는 예술의 창작이 없다는 것은 본래의 종교적 의미를 흐리게 한다는 뜻으로 보기 때문이다.

플라톤이 밝힌 아름다움은 사랑의 대상이며 그 사랑은 육체적 사랑, 정신적 사랑, 지성적 사랑에 보다 나아가서 선(善)의 사랑이 있다는 것이다. 불교에서 말하는 자비가 가장 이상적인 사랑으로, 득오(得悟)의 경지에서 찾을 수 있는 사랑이라면 이는 최고의 아름다움을 말하는 것이라 하겠다. 아름다운 세계의 이상으로 극락이 있고 열반이 있으며 정토왕생이 있는 것이다. 그리고 이 세계의 길은 직관에서 얻어지는 법열로써 여러 가지 감정적 소재를 매개로 자연 현상을 발견하게 되며 또한 그 의미를 파악하게 된다. 이를 우리는 예술이라 하고 그를 사명으로 하는 예술가는 순수한 형상의 아름다움에 끌려 그 형상과 사귀며 일반이 보지 못하고, 듣지 못하는 것을 찾아 전한다.

견성오도(見性悟道)를 위한 정진은 미의 세계를 찾는 한편 또 다른 면도 포함하고 있다. 왜냐하면 아름다움을 찾고 표현한다는 것은 좁은 의미의 선을 구현하는 사명감을 갖게 되는 것이며, 진리에 접근하여 그 아름다움을 표현하고 그를 빌려 인간의 마음을 정화시키고 세계를 이루게 함이 예술의 진의이기 때문이다. 그러기에 인류 역사를 통해 위대한 예술가가 종교적 소재를 다루지 않은 바가 없었으면 만고의 명작이라 일컬어지는 예술작품도 대부분이 이와 같은 것들이다. 그렇다면 예술 활동을 한갓 사치 쪽으로만 생각하는 우리 종단의 종교적 위치는 어디쯤 와 있느냐 하는 것이다. 예술을 모르고 예술을 갖고 있지 못한 종교는 이미 그 생명력을 잃은 것이라 하겠다.

오랫동안 기본적인 전통을 유지하여 온 한국불교의 특성에서 자성을 찾고 법열을 감지한다는 것은 어려운 일일 수 있으나 한편으로 선종의 전통을 지켜온 우리 승단이 오도의 경지를 시로 읊을 줄은 알면서 예술을 도외시한다 함은 이해가 가지 않는 점이다. 물론 의식과 더불어 명맥을 유지해온 우리 불교예술은 창작의 존엄성이 상실되면서부터 차차 예술의 내용도 그 가치를 잃어가긴 하였으나 다시 그 원형의 발굴과 새로운 창작에 힘을 기울여야 할 것이 아닌가. 정토의 장엄, 이는 무엇을 말하는 것인가. 탄생한 보살의 행덕(行德)을 상징하고, 그 장엄은 공덕의 형상인 것이며 그 공덕에 의하여 우리는 미의 세계에 근접하게 되는 것이다.

불교예술의 발굴이나 새로운 창작도 이와 같은 공덕이 없이는 기대할 수 없으며 따라서 불교예술이 없다는 것도 공덕이 없음을 말하는 것이다. 결국 선과 미는 일치하는 것이고 그러기에 종교와 예술은 불가분의 관계에 있는 것이 아닐까. 대덕선사(大德禪師)의 법담에도 예술이 있고 위대한 예술가의 작품에도 불법이 담겨져 있을 것이다. 그러므로 지금까지 소외되었던 불교예술에 새삼 접근하게 되리라는 부질없는 생각을 해보는 것이다.

2. 불교미술의 고민

불교미술이 미술 작품임에 틀림없는 것이라면 아름다운 것이 아니어서는 안 된다. 그러나 한편 불교미술이 일반미술과 구분되는 것이라고 한다면 이는 단순한 아름다움을 창조해내는 것만으로도 불교미술로서 충분한 것이라고 할 수 없다는 것이다. 왜냐하면 불교미술도 아름다운 것임에는 틀림없으나 그 아름다움은 불교적 신앙심을 불러일으킬 만한 아름다움이 아니어서는 안 되기 때문이다.

그런데 불교미술이 이같이 두 가지 의미를 지니게 된 데는 그것이 처음부터 미술 작품을 제작한다는 목적에서 만들어진 것이 아니기 때문이다. 즉 불교미술은 어디까지나 예배의 대상으로 만들어진 것이지 처음부터 감상의 대상으로 만들어진 것이 아니란 의미이다. 불교미술이 예배의 대상으로 만들어진 것이지만 그것이 일반 미술 작품이 지니는 양식과 일치하는 점이 많아 이를 불교미술이라 하게 된 것이다. 그러므로 불교미술의 예술적 의미는 부차적인 것이지 결코 일차적인 것이 아니란 점을 잊어서는 안 된다. 이렇게 말하면 불교미술의 범위는 넓은 의미로 파악하게 된다. 즉 예배의 대상이 되는 불상(佛像), 불화(佛畵), 불탑(佛塔) 등과 그에 따르는 장엄물(莊嚴物)들, 설사 그것이 직접적인 예배의 대상이 아니더라도 간접적인 예배의 대상으로 의미를 갖고 있기 때문에 불교미술이라고 할 수 있다.

이상과 같이 불교미술에 대한 정의를 보다 명확하게 할 필요성을 느끼게 되는 것은 불교미술에 대한 앞으로의 전망이 어떠냐 하는 문제와 연관이 되고, 또한 앞으로의 불교미술의 전망이 어떻겠느냐 하는 문제와도 직결하여 생각해야 하기 때문이다. 즉, 미술적인 기법의 발전은 오히려 부차적인 것이지 결코 본질적인 것이 아니기 때문에 이차적 의미로서의 미술적 수법이 아무리 발전된다 하더라도 일차적 의미가 결여되었다면 그것은 불교미술일 수 없다는 것이다.

대한불교조계종이 주최하는 불교미술 공모전이 12번이나 개최되었다. 그것은 우리 전통문화의 근간을 이루다시피 한 불교미술의 전통을 오늘에 계승 발전시킨다는 취지에서 시작된 보람찬 일로써 이는 조계종단만을 위한 일이 아니라 민족문화의 전통을 계승·발전시킨다는 의미에서도 바람직한 일이라고 생각한다. 불교미술 공모전을 처음으로 계획했고 몇 차례에 거쳐 심사를 담당하면서 불교미술 공모전에 대한 남다른 깊은 관심을 갖지 않을 수 없었다. 그것은 과거에 훌륭한 우리의 문화 전통을 이룩하였던 불교미술을 오늘에 와서 꽃피우게 하기 위해서는 어떻게 해야 되느냐 하는 간절한 소망이 언제나 나의 뇌리를 떠나지 않았고, 따라서 불교미술은 어떤 것이어야 하며 또 그 발전을 위한 방향 설정은 어떻게 해야 하느냐 하는 문제를 두고 언제나 고심하지 않을 수 없었음이 그것이다. 그 결과 불교미술은 불교의 신앙형태가 어떤 것이냐에 따라 그 양상이 달라진다는 사실을 알게 되었다. 왜냐하면 한 시대의 불교미술이 양식적 특징을 지니게 되는 데는 그 시대의 어떤 신앙형태가 성행했느냐 하는 사실과 직결되는 것이라 생각했기 때문이다. 그리하여 불교미술의 작가는 그 시대의 주류를 이루었던 신앙형태가 어떤 것이었는가 하는데 깊은 관심을 기울이면서 그 시대의 불교미술을 창작해 나갔을 것이라고 생각한다.

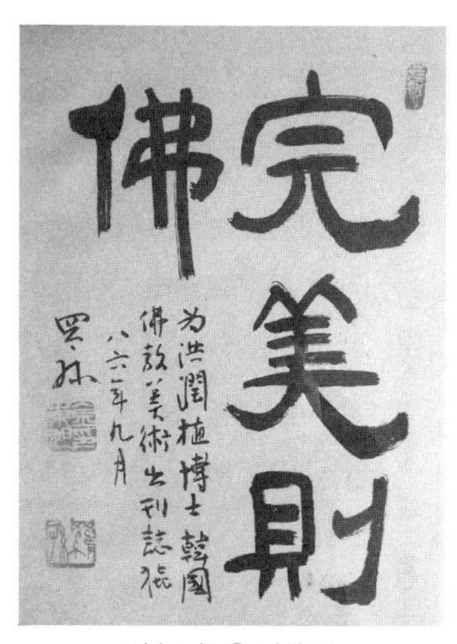

라손 김동욱 선생 글

그러면 오늘의 불교는 어떤 신앙형태가 주류를 이루고 있는 것일까, 불교의 신앙형태는 다양한 것이어서 이것이 오늘의 불교신앙형태다 라고 꼬집어 말할 수는 없지만 대체적인 추세를 보면 오늘의 한국불교는 선불교(禪佛敎)를 지향하고 있는 것이라 할 수 있다. 이는 주체의 자각을 목표로 하는 선사상의 특질이 오늘의 문화 자각과 잘 합치되는 것이기 때문이라 생각된다. 만약 그렇다고 한다면 선불교를 지향하는 오늘의 한국불교가 지니는 불교미술에 대한 예술 의지 혹은 예술적 감각 등은 어떤 것일까 하는 점에 다시 한 번 주의력을 기울여 보지 않으면 안 된다. 왜냐하면 이것이야말로 오늘의 한국불교미술의 현주소가 된다고 생각하기 때문이다.

일반적으로 보면 불교미술품에 대한 우리의 마음가짐은 불교미술품을 귀의의 대상 또는 예배의 대상으로 삼으려는 경우와, 그 대상과 같이 되려고 하는 마음가짐을 갖는 두 가지 경우가 있는 것으로 생각된다. 즉 불상을 예배의 대상으로 삼고 귀의하려는 감정과 그 불상을 대하면서 그 불상과 같이 되고자 하는 마음가짐이 있다는 것이다. 여기 후자의 경우가 선불교적 신앙에서 연유된 것이라고 생각하며, 불상을 대하면서 그 불상과 같이 되고 싶다는 마음을 일으키는 선종적 신앙형태가 오늘의 신앙형태의 주류를 이루고 있는 것이라면 그를 바탕으로 한 불교미술품은 어떤 양상을 지니게 되는가를 생각해 보게 된다. 대체로 보면 귀의의 대상으로 삼으려는 불상은 크고 우람하게 조성되어 있음을 볼 수 있는 반면 그 불상과 같이 되고자 하는 경우에는 불상을 작고, 섬세하게 조성함을 볼 수 있다.

「'86 아주 대회 기념 특별 불교미술전」에서 대작도 많이 출품되었지만 불감 등의 소품에서 우수작이 많이 있었다. 여기 두 가지를 놓고 어느 쪽이 더 훌륭한 작품이냐를 논한다면 보는 견해에 따라 다를 것이나, 오늘의 불교신앙에서 선불교가 중심을 이루고 있다고 본다면 소품 쪽이 오늘의 불교미술의 경향을 반영하고 있는 것이라 하겠다. 따라서 앞으로의 선불교가 계속 한국불교의 주류를 이루어 나아간다면, 귀의의 대상으로 삼으려는 경향으로의 불교미술은 다만 전통적인 기법을 전승하는 데 머물고 새로운 창조적 발전은 크게 기대하기 어렵게 된다. 신앙의 대상인 불상과 같이 되고 싶다는 마음가짐에서의 불교미술은 우선 소품의 제작에서 오늘의 불교미술의 경향을 나타내고 있으며 앞으로 새로운 창조적 발전에 대한 기대를 가질 수 있을 것이라고 보아진다. 그리고 여기서 전통적 불교미술의 사실적 경향이 추상적인 경향으로 나타나게 되지 않을까 생각된다. 왜냐하면 선사상이 지니는 불균제(不均齊)의 특질은 달마상, 십우도 등에서 볼 수 있는 것과 같이 추상적 경향을 나타내고 있기 때문이다.

오늘의 불교미술은 내일의 발전적 발돋움을 위한 전환기의 고뇌를 안고 있는 것이다. 그런 의미에서 불교미술 공모전의 매년 개최에 기대를 걸어본다. 그리고 여기 덧붙여 말하고 싶은 것은 귀의의 대상으로서의 전통은 계승, 발전될 수 있는 소지가 남아 있다는 것이다. 그것은 아무리 오늘의 한국불교가 선(禪) 위주의 불교를 지향하지만 귀의의 감정을 바탕으로 한 신앙적 기반이 뿌리 깊고, 그 본질적 성격을 떠날 수 없기 때문이다. 그래서 이 분야 불교미술의 발전적 전망에도 기대를 걸어 보는 것이다.

글을 맺으면서 꼭 덧붙이고 싶은 것은 앞에서 몇 가지 소견들을 말했지만 이는 오늘의 불교미술, 그리고 내일의 불교미술을 전망해 보려는 애타는 발돋움에 지나지 않는 것이지 결코 정견임을 고집하지 않는다는 것이다. 오직 더욱 많은 고민과 그 해결책이 나왔으면 하는 간절한 소망이 있을 뿐이다.

3. 불교미술전에 거는 기대

조계종 총무원이 주최하는 불교미술전람회가 오는 10월에 다시 열리게 되었다니 우리는 이를 환영하는 바이다. 지난날에 우수한 문화재를 창작했던 불교문화의 전통을 오늘에 계승, 발전시킨다는 취지로 1969년에 처음으로 시작하여 10회에 걸쳐 실시해왔던 유일한 불교미술전은 전 국민의 여망에 무한한 발전가능성을 제시해왔었다. 그러기에 그동안 종단 사정에 의하여 중단되었던 이 불미전의 재개를 우리는 애타게 기다려 왔고 또한 이를 기다리는 동안 자세를 가다듬어 다시 재개될 불미전에 대비한 창작 의욕을 계속 돋워 왔던 것이다.

제11회 불미전은 전통미술 부문과 현대미술 부문으로 나누어 실시했는데,

이는 불교미술의 전통적 가치를 계승, 발전시킨다는 의미와 불교미술의 새로운 창작을 도모한다는 두 가지 뜻을 아울러 지니고 있는 것으로 생각된다. 전통문화의 현대적 계승 내지 전통과 현대와의 조화를 기할 수 있는 획기적인 전람회로서 그 가치가 있다. 그러나 한편 우리는 이 전람회가 지니는 참뜻을 올바르게 알지 않으면 안 된다. 즉 불미전이 그 특성을 잃어버리면 그 존재 의의를 찾을 수 없게 된다는 것이다. 불교미술은 모름지기 불교미술로서의 특성을 지닐 때 일반 미술과 구분된다. 그리고 일반 미술과 구분될 수 없는 불교미술품이 출품되었다면 이는 불미전에 절실할 하등의 의미가 없는 것이다. 하나의 미술 작품이 불교미술품이기 위해서는 적어도 다음과 같은 조건을 갖춘 것이어야 한다.

첫째, 불교미술도 미술의 범주 속에 포함되니 아름다운 것이어야 한다.

둘째, 그러나 그 아름다움은 불교적 신앙심을 북돋을 수 있는 아름다움이어야 한다는 것이다. 그를 감상하는 입장에서 보면 그저 아름답기만 한 것이 아니라 그 아름다움은 불교적 신앙심을 불러일으키고도 남을 충분한 아름다움이어야 하는 것이다. 일반적으로 불교미술이 어떤 것이냐 했을 때 그에 대한 일반적인 답변은 예배의 대상이 되는 것으로서 불상, 불화, 불탑 등이라 하게 됨은 바로 이를 일러 주고 있는 것이다. 어떻게 생각하면 불상, 불화, 불탑 등은 직접 신앙의 대상을 조형화한 것이기에 예배의 대상이 되는 것은 아니나 그래도 불상, 불화 등을 불교미술의 대상으로 볼 때 그러하다는 것이다. 왜냐하면 같은 불상이라도 불교미술로서 손색이 없는 것일수록 더욱 깊은 불교적 신심을 자아내게 하고 있기 때문이다. 그리고 한편 이와 같은 불교적 아름다움은 일반적인 아름다움에까지 아름다움의 근원을 제공하게 된다는 데서 불교미술의 참뜻을 발견할 수 있게 되는 것이다. 불교에 있어 아름다움이란 비록 불교 자체가 지니는 본질적인 것은 아닐지라도 불교가 올바르게 구현되는 곳에 비로소 찾아지는 가치임에는 틀림없는 것이다. 즉 불교가 인간 세계에 구현됨에 의하여 전개되는 환희의 세계 그것이 바로 불교에 있어 미의 세계인 것이다. 그렇다면 오늘에 있어 불교미술은 불교적 환희심이 조형물이어야 한다.

오늘에서 보면 불상이다, 불화다, 불탑이다 하는 것들이 그저 모방만을 거듭하여 온 듯 하지만 그것이 초창기에 조정될 때는 부처님과의 만남이 가져다 준 환희의 소산이었다. 이후에 조성된 불교미술의 걸작들도 모두가 다 그와 같은 경지에서 이룩된 것이다. 그리하여 불교미술의 전통을 계승한다는 것은 부처님과 인간과의 만남에서 느껴진 환희심을 계승하자는 것이지 그저 불교미술의 형상만을 전승하자는 것은 아니다. 여기서 오늘날에 갖는 불교미술 전람회에 출품될 예술품에 대해 다음과 같은 몇 가지 기대를 걸어 본다.

첫째, 지난날에 아름답게 꽃피웠던 불교미술의 전통을 오늘에 계승·발전시킨다는 것이다. 여기서 말하는 전통의 계승이란 단순히 기법의 형식적 전승을 의미하는 것이 아니라 그와 같은 기법을 전승케 한 불교의 문화적 작용력까지 아울러 말하는 것이다. 이와 같은 의미에서의 불교미술이 있게 하자면 작가 한 사람의 의식만으로는 부족하고 전 종단적 문화의식의 고양이 필요하다.

둘째, 불교미술 전람회를 다시 개최하겠다는 종단적 의지는 불교미술의 새로운 발전을 기약하는 것일 뿐 아니라 새 시대의 조류를 흡수, 조화하며 국민 문화의 선도적 발전에 기여하게 될 것으로 기대된다. 왜냐하면 종단이 주도하는 문화행사는 단순히 종단을 위한 문화행사만이 아닌 불법을 일반 사회에 회향한다는 의미를 지니므로 일반 문화의 발전에도 기여하게 되기 때문이다. 요컨대 불교미술 전람회는 단순한 불교미술 작품만을 위한 전람회가 아니라 우리 민족의 전통적인 문화 예술을 계승, 창달한다는 의미를 아울러 지니고 있는 것임을 잊어서는 안 된다. 때문에 불교미술 전람회는 불교 종단의 관심사일 뿐 아니라 온 국민의 국가적 관심사이기도 한 것이다. 아무쪼록 그 참뜻이 보다 훌륭하게 구현되기를 기대하는 바이다.

4. 불교미술의 의의

이 땅에 불교가 전래된 이래 많은 문화유산을 남기고 그 가치를 높이 평가받고 있다. 특히 문학, 미술, 음악 등의 각 예술 분야에서 뛰어난 명작을 창작할 수 있었음은 무엇을 뜻함인가? 이는 두말할 것도 없이 붓다의 심오한 진리를 부각시킬 수 있었던 투철한 불교 정신의 발로라 하지 않을 수 없는 것이다.

세존은 대각의 자리에 올라 그 법열에 여성일번사자(勵聲一番獅子)하여 성도게를 지어 그 자신만만한 심경을 피력했다고 하며 후세에 붓다의 전기를 저술하는 고현(古賢)들은 성도의 장엄한 광경을 묘사하여 대지는 18종으로 진동하고 천우묘화(天雨妙花)와 천주묘락(天奏妙樂)이 있었고, 천룡팔부(天龍八部)의 제신들이 붓다의 어전에 천공을 올렸다는 찬사를 드리고 있다. 뿐만 아니라 역대의 대덕 선사(大德禪師)들은 득오한 경지를 최고의 표현인 침묵으로 일관하지만 때론 부득이 시를 지어 나타내려는데 이를 게송(偈頌)이라 하며 이 게송은 또 청정 심오(淸淨深奧)한 음율로 소리 내어 부르게 된다. 또 나아가서는 행위 동작의 표현으로까지 나타내며 이 광경을 장엄하는 일까지도 겸하게 된다. 이렇게 법열을 못내 겨워하던 결과가 하나의 양식을 이룩하고 일단 하나의 의식으로 등장한 후에는 신앙의 대상으로 발전되었던 것이다. 여기 게송은 불교문학의 발전적 소지를 마련하여 팔만대장경 같은 일대 명작을 낳게 했고 게송을 읊은 음율은 음악으로 승화되어 범패(梵唄)라는 가곡으로 도량을 장엄하게 되고 불교예술의 극치를 이루게 되었던 것이다. 신라시대에 불교예술이 그렇게 발전할 수 있었던 것은 우연한 일이 아니며 불국사(佛國寺) 건설에 충만했던 것도 거룩한 불교 정신의 적나라한 표현이 아니었나 생각한다.

현대 불교는 과연 노쇠하였는가? 그래서 살아서 움직이는 것 같은 석굴암의 조각도, 불국사의 건축도 다시 해낼 수 없단 말인가? 물론 이것만이 불교의 전부는 아니다. 그러나 좀 더 우리 불교는 살아서 움직여야 하겠고, 젊어져야 되겠고, 자신만만한 힘을 길러야 되겠다. 무릎을 탁 치며 정말 이것이다 하고 외칠 수 있는 자신과 용기를 가져야만 되겠다. 그러면 다시 이 땅에 문화의 꽃은 피리라. 하나의 관례에 따른 수동적인 불교가 아니라 천상천하 유아독존(天上天下 唯我獨尊)이라 할 수 있는 능동적인 자신만만한 불교로 발전할 수 있을 것이다. 그동안 석가탑의 파손, 사리병의 파손 등으로 우리 종단은 많은 시련을 겪어왔다. 그러나 이 모든 것을 사월 파일 새벽하늘에 반짝이는 샛별을 보고 극복하지 않으면 안 된다. 탑 하나의 모서리에도 만고의 진리인 불법은 살아 있다. 그러기에 민족의 문화재로 소중히 하고 있지 않은가. 성보의 보존도 창작도 모두가 충만한 불교 정신을 기르는 데 있고 또한 그런 지혜를 갖게 함이 불자로서의 사명감을 다 하는 것이 아닌가 생각된다.

5. 오대산 문수신앙과 그 미술

1) 머리말

문수신앙하면 그 미술적 양상은 석가3존의 협시보살로서의 관음보살상과 더불어 문수보살상을 일반적인 문수보살의 미술로 생각한다. 그 외 독존으로서의 문수보살상은 쉽게 찾아볼 수 없다. 그것은 석가협시로서의 문수보살상이 지혜의 상징으로 조성된 예는 있으나 독자적인 문수신앙의 형태가 양식화되지 않았기 때문이다. 그러나 예외인 사례로 오대산 상원사의 문수동자상과 문수보살상이 국보나 보물로 지정되어 보존되고 있어 주목의 대상이 된다. 그것은 신라시대 이래 오대산을 근거지로 문수신앙의 형태가 설정되어 그 조형화와 더불어 문수미술의 전통이 전승되고 있었기 때문이라 생각한다.

2) 오대산과 문수신앙

오대산 문수신앙의 기원은 신라시대 자장율사에서 비롯된다. 즉 『삼국유사』에 의하면 자장은 중국 오대산의 문수진신을 친견하고자 정관 10년(636)에 당나라에 건너갔고 처음에 중국 태화지(太和池) 가의 돌부처 문수가 있는 곳에 이르러 경건하게 7일 동안 기도했더니 꿈에 대성(大聖)이 나타나서 사구게(四句偈)의 게(偈)를 주었고, 그 게에 대한 궁금증을 다시 어느 노승이 나타나서 풀어주면서 말하기를 "당신은 본국의 명주경계에 오대산이 있는데 일만의 문수가 항상 그곳에 거주하니 당신은 가서 뵈오시오" 하고 말을 마치자 보이지 않았다. 그 뒤 자장율사가 영적(靈蹟)을 두루 살펴보고 장차 본국으로 돌아오려 할 때 태화지(太和池)의 용이 현신하여 재를 청하고 7일 동안 공양하며 말하기를 "전날 게(偈)를 전하던 노승은 진짜 문수입니다"고 하였다.

이상과 같은 자장에 의한 문수신앙의 체험은 화엄사상의 바탕에 의한 것임을 잊어서는 안 된다. 왜냐하면 자장이 중국 오대산 문수진신을 만나려 하였다고 함은 60화엄의 보살주처품 제 27에 동지방의 청량산에 문수보살이 계시면서 일만의 권속을 거느리고 설법하고 있다고 한 화엄사상에 근거하고 있는 것이라 믿기 때문이다. 그리고 이와 같은 중국 오대산의 화엄사상에 의한 문수신앙을 자장은 한국에 이식한 것으로 보인다.

3) 문수동자상 조성의 배경과 불교미술사상의 위치

문수동자상이 오대산에서 조성된 배경을 한마디로 말하면 문수신앙이 강조된 결과라 할 수 있을 것이다. 그러나 왜 문수신앙이 강조되어졌을까 했을 때 한마디로 대답하기 어렵다. 왜냐하면 여기에는 역사적 사회적 전개를 생각하지 않을 수 없기 때문이다. 그러면 이제 이 문제를 풀기 위하여 문수신앙이 지니는 특질이 어떤 것인가를 살펴보기로 하자.

자장이 구법 차 중국 오대산에 이르렀을 때 문수진신을 친견했다고 함은 전술한 바이나 처음에 문수석상 앞에서 7일간 기도했더니 문수대성이 나타나 게(偈)를 주셨고 게문의 뜻을 알지 못하였는데 노승이 이를 풀어주셨다. 여기서 보면 문수는 우리들에게 지혜를 밝혀주는 안내의 기능을 다하고 있는 것 같아 보인다. 따라서 자장이 문수진신을 만나려 하였다고 함은 지혜를 구하고자 하는데 목적이 있었음을 쉽게 알 수 있다.

이와 같은 문수의 기능은 화엄경에 의하여 더욱 분명해진다. 즉, 화엄경 보광법당회에서는 문수가 게(偈)로서 불덕을 찬탄하고 여래광명각품에서는 문수를 통하여 불(佛) 광명을 알리고 문수가 신(信)에 의한 행(行)을 사구게(四句偈)에 의하여 설하게 된다. 즉 여기서 보면 문수보살을 통해 우리는 화엄경에 대한 신(信)과 해(解), 증(證)에 접할 수 있게 된다. 말하자면 우리를 일깨워주는 안내자로서의 기능을 문수는 다하고 있는 셈이다. 그런데 문수는 지혜광명을 밝혀주는 안내의 기능을 충분히 다하기 위해 여러 몸으로 변신하게 된다는 사실을 또한 잊을 수 없다. 자장이 구법 차 중국에 갔을 때 문수는 문수대성으로 직접 나타나기도 하였으나 그가 전한 게(偈)를 자장이 알지 못하자 노승으로 화하여 게문의 내용을 풀이해주기도 했다고 함은 전술했다. 성덕대왕의 진여원(眞如院) 오늘의 상원사를 개창하고 문수대성의 니상(泥像)을 만들어 당안에 보안하고 화엄경을 전사하게 하여 화엄사(華嚴社)를 조직하였다고 하는데 여기서도 문수를 통하여 화엄경의 세계에 이르게 하고 있는 신행동기를 우리는 살필 수 있게 된다.

한편 자장이 중국에서 돌아오려 할 때 우리나라 강원도의 오대산에 일만의 문수가 그 곳에 항상 거주한다고 하고 그 곳에 가서 만나보려고 노승으로 변신한 문수가 일러주었다고 함도 문수를 통한 화엄사상의 이해를 일러준 것이라 할 수 있다. 또한 오대산에 일만의 문수가 나타난다고 함은 불법에 이르기 위해서는 그만큼 많은 문수의 안내를 받아야 했음을 일러주는 셈이 된다. 그리고 문수대성이 진여원에 이르러서는 36종의 형상으로 변화한다고 함은 당시 사회에 지혜를 전해주기 위해서는 36종의 방편을 쓰지 않을 수 없을 정도로 전통문화의 벽이 있었음을 일러주는 것이라 할 수 있다.

우리는 변화신하면 무엇보다 관세음보살을 먼저 생각한다. 즉 천수천안관음이니 11면관음 등이 그와 같은 것이라 하겠는데 이와 같은 변화신의 관음에서 우리는 관음의 무한한 자비광명을 생각할 수 있다면 문수의 변화신에서는 불지(佛智)의 무한한 지혜광명을 생각할 수 있다. 따라서 우리가 문수신앙을 하게 된다는 것은 무한한 불지의 세계에 들고자 하는 바람에 기인하고 있는 것이라 할 수 있다.

문수동자상 조성의 배경설화를 이루고 있는 세조가 문수동자를 만났다고 함은 이상과 같은 세조의 문수신앙에 의한 것임이 틀림없을 것이다. 문수신앙의 특질을 정리해보면 화엄사상의 체계 위에서 비로소 그 이해가 가능한 것이라 할 수 있는데 그를 요약하면 문수보살은 종교적 실천에 있어서의 지혜를 나타내는 것이라 할 수 있으며 한편 수행문에 있어 지혜와 덕을 나타내는 것이라 할 수 있다.

4) 문수동자상 조성의 신앙적 배경

상원사에 문수동자상을 조성하게 된 인연에 대해서는 다음과 같은 전설이 전한다.

세조는 왕위에 오른 이후 온 몽에 종기가 생기는 괴질에 걸렸다 의약에서는 효험을 얻지 못하고 영산 오대산 문수도량에서 기도하여 불력(佛力)을 빌리고자 하였다. 그리하여 세조가 상원사로 가던 중 맑은 계곡을 만나 그곳에서 목욕을 하였다. 마침 뜻밖의 동자 하나가 숲속에서 놀고 있었다. 세조는 그 동자에게 자신의 등을 밀어달라고 부탁하였다. 목욕을 마친 세조는 동자에게 부탁하기를 "임금의 옥체를 씻어 주었다고 말하지 말라"고 말하자 동자가 말하기를 "대왕께서는 어디 가시면 문수동자를 만났다고 하지 말라"는 말을 마치자 동자는 홀연히 자취를 감추고 말았다. 왕은 놀라서 주위를 살폈다. 그때 왕은 자기 몸의 종기가 씻은 듯이 나은 것을 보고 놀라고 기뻐하였다. 이에 왕은 화공에게 명하여 그 동자상을 조성하게 하고 이상과 같은 체험담을 널리 유포하도록 하였다.

오늘에 전하는 상원사의 문수동자상은 이렇게 하여 조성되었다고 하며 문수동자가 세조의 몸을 씻어주는 장면을 그린 벽화가 해인사에 전한다. 아마 이상과 같은 문수신앙의 체험담은 널리 유포되어 있었던 것으로 생각된다. 이상의 전설은 허무맹랑하게 생각되기도 하지만 신라 이후의 오대산 문수신앙의 전통이 조선조 세조의 신불을 계기로 문화화 하는 과정을 일러 주고 있는 것임에 틀림없는 것이라 생각된다. 세조의 상원사에서의 신불(信佛)을 일러주는 오대산 상원사 중창권선문(보물 140호)이 월정사에 전한다. 이 문서는 왕가에서 사찰에 보낸 중요 문서일 뿐 아니라 배불사회에서 세조와 신미 등 고승과의 관계를 전해주는 귀중한 사료가 되기도 한다. 이 권선문에 의하면 당시 사회의 조성과 승단에 비친 오대산과 상원사는 다음과 같은 것이었다.

강릉의 오대산은 천하명산으로서 문수가 사는 곳이라 우리 의발(衣鉢)을 다 내어 이 절을 다시 지으려 한다고 발원하니 양전(兩殿)이 이를 듣고 령을 내려 상원사의 중창을 크게 도왔다는 것이다.

여기서 보면 세조가 상원사로 가는 도중 문수동자를 만났다고 함은 상원사가 명산으로 알려져 문수가 사는 곳이며 영이함을 잘 나타내는데 그 중에서도 상원사가 뛰어나다고 하는 과거의 신앙 관념이 세조의 신불을 만나 나타나게 되었던 것이라 하겠다.

문수보살이란 위에서도 여러 번 언급했지만 결국 지혜를 표방하는 보살이다. 그러나 오대산 문수신앙에서 나타나는 문수보살은 본유(本有)의 지(智) 즉 이성(理性) 그 자체를 나타내는 것이 아니라 관조의 지 혹은 수생(修生)의 지(智)라 할 수 있는 인간의 인식상에 나타난 지혜를 표방하고 있다는 사실을 잊어서는 안 된다. 그러기에 문수보살은 어디에나 있는 것이 아니라 오대산이라고 하는 명산을 빌려 거주하고 인간의 필요에 따라 여러 몸으로 변하여 나타나기도 한다. 말하자면 화엄밀교적 신앙체계상의 문수라는 것이다. 문수동자상 조성의 직접 동기가 되었다고 하는 문수동자의 출현도 인간의 의식을 바탕으로 한 지혜의 표방이었음을 두말할 여지가 없다. 이와 같은 문수동자상이 인간 인식상에 나타난 지혜의 표방자로서의 문수로 조성되어 졌다면 여기에는 문수신앙에 대한 역사성과 활동성 등이 배제될 수 없는 것이다. 즉, 신라 이래의 오대산 문수신앙의 전설이 세조의 신불(信佛)을 계기로 문수동자상을 조성하게 된다는 것이다. 오늘에 전하는 상원사의 문수동자상이나 문수보살상 등 문수관계 불교미술은 오대산 화엄밀교의 전통을 바탕으로 조성되어진 것임은 전술한 문수동자상을 포함한 오대산 소장의 여타의 불상군과 그 배치에 의해서도 그 구조적 성격을 알 수 있는 것이다. 예컨대 월정사의 비로자나불상과 상원사의 문수보살이나 문수동자상은 특수한 오대산 화엄밀교의 체계상에서 이해되어야 한다는 것이다.

이 문제를 풀기 위해서는 먼저 문수보살과 문수동자와의 관계가 어떤 것인가를 살피지 않으면 안 된다. 문수는 문수대사, 문수보살, 문수동자 등으로 표현되고 있다. 여기 문수대사는 문수보살을 지칭하는 것이나 문수동자는 문수보살의 변화신이나 원래는 같은 것이다. 즉 인간의 인식이 동자상을 통하여 문수보살을 수용하게 되는 것이다.

화엄경에서 말하는 다음과 같은 구절을 주목할 필요가 있다.

> 동북방의 청량산에 문수보살이 상주하면서 일만의 권속을 거느리고 항상 설법하고 있다"라고 있는데 문수사리에 오정(五頂)이라는 산이 있고 문수사리동자가 유행 거주하며 모든 중생을 위하며 설법하고 있다.

그런데 여기서도 화엄경에서 말하는 문수보살이나 문수사리법보장다라니경에서 말하고 있는 문수사리동자는 결국 지혜의 표방자로서의 문수와 같은 것임을 일러주고 있다. 그런데 상원사에는 문수동자상 이외에 3동자상이 전하여 또한 주목을 끌게 한다. 그런가 하면 한편 화엄경에서는 문수동자상 이외에도 동자상을 많이 표방하고 있지만 그 중에서도 화엄경상의 동자 중 가장 유명한 3동자에 주목할 필요가 있다. 즉 그 하나는 보장엄동자(普莊嚴童子)로서 사나품(舍那品)에 나오는 동자이며 그 둘은 자옥동자 도솔천 동자라 하는 것으로서 이는 소상품(小相品)에 나오는 동자이다.

그 셋은 선재동자로서 입법계품의 주인공이다. 여기 제 1동자는 신(信)을 인격화 한 것이라 하겠고 제 2동자는 해(解)의 인격화, 제 3동자는 증(證)의 인격화라 할 수 있다. 이를 좀 더 구체적으로 증명해 보면 보장엄동자는 부처의 무량자재의 공덕을 보고 그 인연에 의해 삼매를 얻게 되었다는 것인데 여기서는 견불(見佛)과 문불(聞佛)이 중요시된다(信). 한편 지옥동자 혹은 도솔천동자는 도솔천상 당왕여래(幢王如來)의 출현에 의하여 지금까지 지옥의 밑바닥에 있었으나 일약 하늘까지 승천하는 동자인데 이는 해(解)의 체험자임을 나타낸다. 선재동자는 증(證)의 인격화라 하였으나 입법계품에서 보면 불심을 지상의 일보 일보상에 나타내고 있는 불심의 체험자라 할 수 있다. 그런데 상원사 문수동자상 주변에 배열된 3동자상은 이 화엄경상의 3동자임에 틀림없다. 그러면 이제 이들 문수동자상과 3동자상과의 관계는 어떤 것일까.

문수동자상이 문수보살의 지(智)를 인간인식상에서 살린 일차적인 전개라 한다면 3동자는 이차적인 전개라 할 수 있다. 즉 여기 전자를 동자 일반을 표방한 것이라면 후자는 동자의 개성을 표방한 것이라 할 수 있다. 그런데 상원사에서는 문수동자상을 단순히 동자승으로 봉안하지 않고 화엄경상의 문수동자의 위치를 질서지운 화엄만다라로 배열하고 있다는데 주목을 끈다. 즉 문수보살신앙을 모태로 한 문수미술(文殊美術)의 세계가 그와 같은 것이다.

5) 맺는말

이제까지 우리나라 불상에 대한 연구는 여래상, 보살상 그리고 신중상 등에 중점을 두어 왔다. 간혹 나한상과 고승상에 관심을 가진 바도 있으나 동자상에 관심을 가진 바는 없었다. 여래상과 보살의 상호가 성취상, 청정상, 원만상 등을 바탕으로 하고 있으며 신중상은 청정상과 용맹상을 바탕으로 한다면 나한상은 수행상을 나타내고 있는 것이라 할 수 있다. 그런데 동자상은 이성의 제불상의 어느 유형에도 속하지 않는 독특한 장르를 이루고 있다. 한편 많은 경전에는 동자를 통해 불심을 표현하고 있다는 사실을 아울러 생각하면 동자상에 대한 관심은 더욱 깊어진다. 동자에게는 아무런 속박이 없다. 인간으로서 아무런 하자도 없다. 그저 자유 천지에 뛰어 들고 있을 따름이다.

부처는 언제나 자유의 주인공이다. 이 같은 불심을 표현하기 위하여 특히 화엄경에서는 많은 동자를 등용시키고 있다. 상원사의 문수동자상을 통해 우리는 천진한 동심으로 돌아갈 수 있게 하는 한편 자유세계를 발견한데 대한 희열을 느낄 수 있게 된다. 동심으로 돌아간다고 함은 자연으로 돌아감을 의미하기도 한다. 왜냐하면 문수동자가 청량산, 즉 영산으로서의 오대산에 거주한다고 함은 그를 일러주고 있기 때문이다. 그리하여 오대산 신앙과 문수신앙은 서로 짝하고 있는 것으로 믿어진다.

상원사의 문수동자상은 문수보살상과 더불어 세조의 신불을 계기로 조성된 조선 초기의 우수한 불상의 한 예로 오늘에 전한다. 그러나 이 불상이 조선 초기에 조성되었다고 하나 그것은 신라 이래의 오대산 문수신앙의 신앙적 전통이 세조와 왕실의 문수신앙의 계기를 만나 조성되어졌다는 데서 오랜 전통적 의미를 지닌다. 그리고 결론적으로 상원사의 문수보살상과 문수동자상은 『삼국유사』가 전하고 있는 월정사 대적광전의 비로자니불과의 상관관계에서 이해되고 신앙되어야 한다. 왜냐하면 이들 불상군은 화엄상상을 근거로 한 화엄만다로서의 성격을 지니고 있기 때문이다. 즉 이 같은 만다라적인 불상의 조성과 배열을 통하여 우리는 잠재적 미전개의 인식상 수행상의 능력을 살필 수 있게 되기 때문이다. 그리고 이와 같은 인식은 신라 불국토사상과도 깊은 연관이 있음을 주목할 필요가 있다.

6. 십일면 관음상의 참뜻

"열 길 물속은 알아도 한 길 사람 속은 알 수 없다"는 말이 있다. 이는 인간세계의 복잡성을 단적으로 지적하고 있는 것이다. 즉 인간 의식의 밑바탕에 있는 인간의 복잡성과 괴기성의 통찰이 필요한 것임을 일러 주고 있는 것이 아닌가 생각된다. 사람의 마음속은 이것인가 하면 저것이고, 저것인가 하면 이것 같아서 좀처럼 그 정체를 파악할 수 없다.

고대 인도인들은 이와 같은 인간의 다면성(多面性)을 일찍부터 파악하여 많은 다면상(多面像)을 제작해 왔다. 그러나 이러한 다면상은 우리를 무척 당혹하게 한다. 마치 다면성을 지닌 인간의 정체를 평가할 수 없을 때 느끼는 당혹성과 같다. 그런데 불교에서는 인간의 인식을 다면성에서 파악하되 이를 하나로 통일시키는 지혜를 얻도록 이끌어 주는데 십일면 관음보살상은 그 좋은 예의 하나인 것이다. 『십일면경소(十一面經疏)』에 의하면 십일면 관음보살상의 앞 세 면은 선량한 중생에게 대자심(大慈心)을 나타내는 상이며, 왼쪽 세 면은 분노상인데 이는 나쁜 중생에게 대비심(大悲心)을 나타내는 상이라 한다. 한편 오른쪽 세 면은 수행자에게 불도를 정진하게 하는 상이며, 뒤의 한 면은 권선징악 하는 상이라 한다. 그리고 정상의 한 면은 여래상으로서 이는 다면성을 지니는 인간성도 결국 불도에 의하여 하나로 통일되는 것임을 나타낸 것이라 한다. 관음의 본질은 자비이나 보다 철저한 자비행을 실천하기 위해서는 복잡한 인간성에 대응할 수 있는 여러 면이 필요하다는 의미일 것이다.

이상과 같은 다면의 관음상을 훌륭한 종교의 상이며, 교육자적 상이 틀림없다. 즉 다면의 관음상은 인간 변화성의 인식에 기초한 천재적 교육자 상이며 종교적 상으로서 만인에게 고루 그 교화력을 다하게 된다는 것이다. 하지만 과학적인 입장이나 도덕적인 입장에서는 관음의 다면상은 설득력을 잃게 된다. 왜냐하면 과학은 일면의 원리이며 도덕에 있어서 다면은 위선을 면치 못하게 되기 때문이다. 그리고 교육이나 종교에 있어서의 다면도 그 다면이 하나로 통일될 때 비로소 그 참뜻이 나타난다는 것을 잊어서는 안 되겠다.

7. 불상과 웃음의 미학 ―웃음의 미학을 되살리는 사회와 불상

흔히 불상의 모습을 보고 "상호가 좋다" 또는 "상호가 그저 그렇다"고 하는 일반 민중들의 불상관을 살피면서 불상에 거는 일반인들의 기대감이 어떤 것인가를 쉽게 짐작할 수 있게 된다. 즉 불상의 양식은 미소를 머금은 자비스러운 모습이 아니어서는 안 된다는 것이다. 이와 같은 사실은 어쩌면 우리 사회 저변에 깔려 있는 사회구성원의 심층심리를 단적으로 표현하고 있는 것이 아닌가 한다. 즉 우리 사회는 언제부터인가 참된 마음에서 우러나오는 웃음에 대한 기대를 불상의 양식을 통하여 찾으려 하고 있었다고 생각된다.

불상의 양식은 흔히 제작자의 모습을 잘 닮게 표현된다고 하고, 또한 당해 사회의 문화 양식을 잘 반영하고 있다고도 한다. 따라서 우리는 어떤 특징의 불상을 놓고 제작자의 인품을 짐작할 수 있게 되고 한편 그 불상이 제작된 사회적 · 시대적 배경을 가늠할 수 있게 된다. 그리고 나아가 이와 같은 기준은 불상의 양식을 시대적으로 편년하는 좋은 자료가 되기도 한다. 어떻든 이상과 같은 사실은 불교의 원래의 모습이 웃음을 만끽할 수 있는 인품을 되찾는데 있으며, 다른 한편 웃음이 넘치는 사회를 만들어 나가는 데 있는 것임을 잘 말해준다. 그리하여 우리의 불상 조각사는 고졸(古拙)의 미소 · 백제의 미소 또는 입술에 미소는 표현하지 않았으나 마음속으로 웃음을 감추는 자신에 넘치는 당당한 체구에 표현된 미소를 언제나 주목하게 된다.

그러면 불상의 미소상 그것은 무엇을 의미하는 것일까? 흔히 불상은 희랍 조각의 영향을 받은 간다라 미술에서 그 근원을 찾는다. 그렇다면 불상의 미소상이 희랍 조각의 미소상에서 유래하는 것이라 믿기 쉽다. 그러나 희랍 조각의 미소상을 불상의 미소상에 견주기에는 너무나 근원적인 차이점이 있는 것임을 명심하지 않으면 안 된다. 왜냐하면 희랍의 조각상이 표현하고 있는 미소는 삶의 긍정과 상대방을 정복한 데서 오는 우월성에서 우러나오는 미소상인데 반하여 불상의 미소상에서는 그와 같은 웃음의 의미를 우리의 감성은 느낄 수 없기 때문이다.

다행히도 이와 같은 궁금증은 불교적 웃음이 어떤 것인가를 다음과 같은

서산마애불. 백제의 미소로 알려져 있다.

문헌자료에 나타나 있어 이를 우리는 지나쳐 버릴 수 없게 된다. 즉 용수(龍樹)의 『대지도론(大智度論)』에서 웃음에 표현된 여러 인연을 밝히면서, 어떤 사람은 환희심이 일어나 웃고, 또한 어떤 사람은 진심(嗔心)이 일어나서 웃고, 특수한 이속(異俗)을 보고 웃는다 하고, 더 나아가 희유의 난사(難事)를 보고 웃는다고 하였다. 희유의 난사란 고통 받는 중생을 위하여 무엇을 어떻게 설법하여 그들을 해탈할 수 있도록 할 것인가 하는데 대한 어려움이라 하고 있다. 그런데 이와 같은 어려움에 봉착하여 웃는 웃음이 있다는 것이다.

이상 용수가 지적한 여러 유형의 웃음 중에서 당연히 주목되는 것은 고난을 만났을 때 웃는다고 하는 마지막 웃음의 유형이다. 왜냐하면 그와 같은 웃음이야말로 부처님의 웃음이라 생각되기 때문이다. 부처님의 웃음은 희랍의 신상에서 볼 수 있는 상대방의 적을 물리친 승리의 웃음이 아니라 자기 욕망을 승복 받고 무한의 고난에 대한 극복의 의지를 담은 웃음이다. 그러기에 그와 같은 웃음은 중생구제 자비행의 현현이라 할 수 있다. 그 웃음은 자기에게는 엄격하고 남에게는 자비를 베푸는 인간애를 담뿍 머금은 웃음 그것이다. 이와 같은 웃음이야말로 부처님의 웃음이 아니고 무엇이겠는가.

그런데 우리 사회는 언제부터인가 그 같은 웃음을 잃은 지 오래되었다.

타인을 보고 살짝 웃음을 머금을 수 있는 여유를 잃어버리고 살고 있다. 이 얼마나 각박한 사회인가, 타인에 대한 무한한 애정을 머금고 있는 미소 짓는 얼굴 대신 남을 비웃는 냉소, 남을 짓밟고 쾌거를 느끼며 웃는 폭소 등이 난무하는 사회 속에 살지 않을 수 없게 되고 있다. 그것은 왜 그런 것일까? 그 회답은 간단하다. 자기만을 아는 이기주의가 이 사회에 팽배하고 있기 때문이다. 이기주의, 그것은 자신의 욕망을 위하여 남에게 베푸는 마음을 잃어버린 정신상태가 계속되는 생활양식을 낳는다. 여기에는 여유가 있을 수 없다. 언제나 상대방에 대한 경계의 눈초리를 한시도 놓칠 수 없는 것이다. 이 얼마나 불안하고 또한 불행한 일인가. 결코 우리는 혼자의 힘만으로는 살 수 없다는 진실을 너무나 잘 알고 있다. 그런데 왜 혼자만의 삶을 고집하며 남을 괴롭히며 스스로도 외롭고 불안한 삶 속에서 벗어나지 못하고 있는 것일까.

우리의 미술사는 불상의 조각사가 주류를 이룬다. 그리고 불상표현의 자유주의적 기법에 그 핵심이 주어진다. 그것은 불상의 미학은 미소의 미학이며, 여유의 미학임을 말해주고 있는 셈이다. 삼국시대 이래 불상조각을 통하여 우리의 조상들은 미소 미학의 역량을 추적하여 왔다. 그 문화전통이 오늘날의 민중들로 하여금 불상에 거는 기대감을 미소상에서 찾게 하고 있는 것이다. 웃음을 잃는 사회 그것을 치유하는 길은 우리 불상이 지니는 참뜻을 널리 알리는 일이다. 예배의 대상으로서 혹은 우리 민족이 이룩해 낸 문화의 소산으로서 거기에는 여유가 있고, 웃음이 있고, 세상을 보는 넓은 안목이 있어 우리의 마음을 편안하게 해주는 것임을!

8. 백제금동향로의 사상적 배경

1993년 부여에서 발굴된 백제금동향로(百濟金銅香爐)를 둘러싸고 두 가지

의견이 엇갈리고 있다. 즉 그 하나는 도교적(道敎的) 영향을 강조하여 봉래산 향로(蓬萊山香爐)라 하고, 다른 하나는 불교적 측면에서의 연화장세계(蓮華藏世界)를 구현하고 있는 향로라는 최병헌(崔炳憲) 교수의 주장이다. 본인은 최교수의 이 같은 시각에 찬동하면서 몇 가지 다른 의견을 지적해 보고자 한다.

연화장세계에 대해서는 『화엄경(華嚴經)』과 『범망경(梵網經)』에서 설하고 있는데 『화엄경』에서는 세계의 맨 아래층에 풍륜(風輪)이 있고 풍륜 위에 향수해(香水海)가 있어 그 향수해 중에 연화(蓮華)가 있는데, 연화장세계는 그 속에 있다고 한다. 한편 『범망경』에 의하면 비로자나불이 천 잎으로 된 연화대에 앉아 있는데 그 천 잎이 각각 한비세계라고 한다. 『화엄경』과 『범망경』의 관계는 『화엄경』이 인도에서 먼저 성립되고, 『범망경』은 중국에서 성립된 위경(僞經)이나 『화엄경』을 바탕으로 한 소화엄경(小華嚴經)이라 함직한 경전이다. 일찍이 신라에는 『화엄경』과 『범망경』이 수용되고 있었으나 백제에 이들 양 경전이 수용되었다고 하는 아무런 근거가 없다. 그럼에도 불구하고 이상의 백제향로를 『범망경』에 의한 연화장세계보다는 『화엄경』에 의한 연화장세계로 생각하게 됨은 다음과 같은 몇 가지 이유에서이다.

우선 백제에 화엄사상이 전래되고 있었느냐 없었느냐 하는 문제는 동진본(東晋本)의 『60화엄경』이 있으므로 동진에서 불교를 수용한 백제는 『화엄경』을 수용할 수 있는 충분한 계기를 지니고 있었다고 생각된다. 그러나 백제 말기에 와서 신라가 삼국통일의 원리로 화엄사상을 중시하게 되자 미륵사상으로 통일의 원리를 삼으려던 백제가 말기에 와서 화엄사상을 중시하는 경향을 띠게 되면서 연화장세계를 구현한 향로를 제작하여 통일의 염원을 기원하려 한 것이 아닌가 한다. 그러면 백제인들은 『화엄경』의 어떤 부분을 강조하며 이 향로에 연화장세계를 구현하려 하였을까?

『화엄경』은 상본·중본·하본의 3종의 『화엄경』이 있었다고 한다. 그러나

이 중 상·중본의 『화엄경』은 용궁에 있어 아직 이 지상에 전해지지 않고 하본의 『화엄경』만이 전해지고 있다(하본 화엄은 다시 40·60·80의 『화엄경』이 있다). 최교수는 백제향로의 용받침이 향수해를 상징하고 이 용은 연꽃을 떠받들고 있으며 연꽃 위에 불교의 이상향인 연화장세계를 상징하고 있다고 분석한다. 또한 연꽃에 새겨진 그림들은 연꽃에서 모든 생물들이 탄생한다는 연화화생사상 『화엄경』을 표현하고 있다. 그리고 향로 뚜껑 위의 봉래산과 다양한 생물군들은 개성을 갖고 조화된 이상향을 나타내고 있다는 설명이다.

이상에서 보면 최교수는 백제의 금동향로는 화엄사상, 아미타의 정토사상, 도교사상 등이 조화를 이룬 것이라 판단하고 있다. 왜냐하면 기본적으로는 연화장세계를 주장하면서 정토왕생의 연화화생사상과 도교의 이상향인 봉래산을 인정하고 있기 때문이다. 그러나 필자는 여기 다음과 같은 몇 가지 사항을 지적해 보고자 한다.

첫째, 용받침이다. 이는 향수해를 상징할 수도 있지만 아직 용궁에 있어 지상에 전해지지 않고 있는, 대우주에 편만(遍滿)하는 무궁무진의 게문(偈文)에 의하여 성립되고 있다고 하는 상·중본의 최고의 『화엄경』을 백제인에 의해 지상에 전하게 했다는 화엄사상에 대한 백제인의 자존심을 나타내고 있는 것으로 생각된다. 다른 한편 각종 인물상과 동물상 등은 화엄사상의 관법중(灌法中) 해인삼매(海印三昧)의 관법을 중시한데 연유하고 있는 것이 아닌가 한다. 해인삼매의 관법에 의하면 시공을 초월하여 만상(萬象)이 반영되어 나타난다고 하기 때문이다. 즉, 이 향로에 표현된 각종 인물 동물상들은 해인삼매에 의하여 반영된 만상이라 생각되기 때문이다.

다음에는 74개의 산봉우리를 어떻게 볼 것인가 하는 문제가 남는다. 이 향로에 다소의 도교적 영향이 엿보인다고 하는 것은 동진(東晋) 불교가 도교적 영향을 받고 있었다는 데서 그런 추정이 가능하나 전체적 구성이 연화장세계를 상징한 것이라고 한다면 이 산은 봉래산이 아니라 수미산이 되어야 한다. 수미산에 대해서는 『구사론(俱舍論)』에 상세히 밝히고 있는데 금륜(金輪) 위에 9개의 산이 있고 그 중앙의 제일 높은 산이 수미산이다. 수미산을 둘러 싸고 7개의 산이 있고 그 바깥쪽에 4주가 있는데 그 외변(外邊)에 또 많은 산맥으로 된 산이 있다고 하는, 수미산을 중심한 이 두 산들을 이 향로에 나타내고 있는 것이 아닌가 한다. 산정 부분에서 주악상을 나타내고 있는 인물상은 수미산 정상에서 제석천의 천인상(天人像)이 불덕(佛德)을 찬탄하고 있다는 『화엄경』의 경설을 나타내고 있는 것으로 믿어져 더욱 수미산으로 생각된다. 나머지 향로 정상에 앉은 조류(鳥類)를 어떻게 볼 것인가 하는 문제가 남는다.

수미산설에 의하면 지거천(地居天) 위의 공거천(空居天)은 도솔천이다. 그렇다면 이 조류는 천상의 도솔천을 상징하는 것이라 하겠으나, 이를 봉(鳳)이라고 한다면 향로의 용 받침이 용궁에 있는 『화엄경』을 백제가 지상에 전하였다고 하는 백제의 자존심을 더욱 강조하여 최정상의 도솔천궁을 봉(鳳)으로 상징하고 있는 것으로 생각된다. 요컨대 이 백제향로는 백제 말기에 통일의 원리로 화엄사상을 중시하게 되면서 신라에 능가하는 화엄사상의 구현을 목표로 하여 국론을 통일하려는 간절한 기원정신이 담겨 있는 향로라 할 수 있다. 다른 한편 정상의 봉(鳳)이 도솔천을 상징한 것이라면 이는 미래지향적인 미륵사상도 이 향로에 나타내려 하였는지 모를 일이다. 만약 그렇다고

백제금동수미산향로(百濟金銅須彌山香爐)

한다면 백제인들은 화엄사상에 의하여 대우주를 인식하는 대국인의 자존심과 그를 미래지향적으로 희망하는 미륵사상도 반영하고 있는 것이다. 따라서 이 향로는 백제금동수미산향로(百濟金銅須彌山香爐)라고 해야 할 것이다.

9. 신라범종의 아름다움

신라의 범종은 우리나라 금속공예미술의 백미를 차지하고 있을 뿐 아니라 불교미술의 아름다움을 나타내는 극치라는 사실은 널리 알려졌다. 또한 신라범종(新羅梵鍾)의 아름다움은 미술적 아름다움만이 아니라 음악적 아름다움과 문학적 아름다움까지 동시에 종합적으로 지니고 있다는데 주목하지 않으면 안 된다. 원래 불교미술품은 모두가 예배의 대상이거나 아니면 교화적 기능을 다하고자 함에서 제작되었다는 점은 누구나 다 아는 사실이다. 그런데 범종은 예배의 대상으로서는 교화적 기능을 다하고자 하는데 더 큰 목적을 지니고 제작되었다고 생각한다. 왜냐하면 그것은 종을 치게 되는 기능과 종을 치면서 송주(誦呪)하는 게송(偈頌)의 내용에서 충분히 알 수 있기 때문이다.

따라서 범종의 아름다움이 미술품으로서 음악작품으로서 또는 문학작품으로서의 종합적 기능을 지닌 예술작품으로 발전해 나가지 않을 수 없었다는 사실에 주목하지 않으면 안 된다. 왜냐하면 범종의 주된 기능은 소리에 있는 것이고 따라서 미술품으로서의 외형이나 문학의 표현으로서 게송의 독송 없이도 그 기능을 다할 수 있는 것이라 쉽게 생각해 버릴 수 있기 때문이다.

그러면 이상과 같은 범종의 종합적 아름다움은 어떻게 하여 예술작품화하는 것인가를 살피지 않으면 안 된다. 우선 여기서 신라범종은 어떻게 타종되고 있었는가를 살펴볼 필요가 있다고 생각한다. 오늘에 전하는 신라범종은 8세기에 제작된 상원사종(上院寺鐘, 725)과 봉덕사종(奉德寺鍾, 771)이 있고 완형은 아니지만 파편으로 전하는 선림원종(禪林院鍾, 804, 국립중앙박물관 소장)과 실상사종(實相寺鍾, 820, 동국대학교 박물관 소장)을 그 대표적인 것으로 꼽을 수 있다. 그 외 일본에도 신라범종이 상당수 전하고 있음이 여러 차례의 조사를 통해 확인되었다. 이상의 신라범종에 대한 양식적 특징과 그 아름다움에 대해서는 황수영(黃壽永) 박사님과 이호관(李浩官) 관장님께서 상세히 밝힌 적 있어 본인은 이와 같은 신라범종이 어떻게 타종되고 그 효과적 기능은 어떤 것인가를 살핌으로써 신라범종의 종합적 아름다움이 갖은 의미가 무엇인가를 살펴보고자 한다.

신라시대에 범종이 어떻게 타종되고 있었는가는 잘 모를 일이다. 다행이 일본승(日本僧) 엔닌(円仁)이 9세기(839)에 당나라에서의 신라 사찰인 적산법화원(赤山法華院)을 찾아 오랫동안 머물면서 신라승(新羅僧)들이 신라식(新羅式)으로 불교의식을 행하는 것을 당대 신라식, 일본식 등과 비교하면서 신라식의 불교의식을 상세히 적고 있는 가운데 당시 신라인들의 타종 형식을 살필 수 있어 아래에서 그것을 밝혀볼까 한다.

첫째, 강경종(講經鍾)이라는 타종 형식이 있는데 이는 진시(辰時, 새벽)에 치며 그 목적은 사내(寺內) 대중께 잠에서 깨어 정신을 가다듬게 하는데 있다고 한다. 즉 강경(講經)을 시작하기 전에 행하는 타종 형식이다. 다만 여기서는 몇 번 타종하였는지는 밝혀 놓고 있지 않다.

둘째, 신라일일강의식(新羅一日講儀式)에서 치는 타종의 형식을 전하고 있다. 여기서도 종을 치는 시간은 진시(辰時)라 하고 있어 앞에서 말한 강경종(講經鍾)과 같은 시각에 치는 것임을 알 수 있으나 다만 여기서는 〈진시타종 장타의료(辰時打鐘長打擬了)〉라 하여 종을 오랫동안 치는 것임을 알 수 있으나 몇 번 치는 것인지는 밝혀 놓고 있지 않다.

셋째, 신라송경의식(新羅誦經儀式)에서 치는 타종 형식은 좀 더 자세히 전하고 있어 주목된다. 여기서는 〈타종정중료(打鐘定衆了)〉라 하여 종을 치고 대중이 정(定)에 들어 마음을 가다듬고 나면 먼저 종을 한 스님이 앉아서 치게 되었으나 이어서 치는 타종 형식은 종을 치는 스님이 일어서서 다음과 같은 게송을 창(唱)하면서 종을 친다. 〈일체공경경례 상주삼보(一切恭敬敬禮 常住三寶)〉하면 다시 일승(一僧)이 범패(梵唄) 소리로 〈여래묘색신등 양행게(如來妙色身等 兩行偈)〉를 창하게 되는데 이를 작범지종성(作梵之鍾聲)이라 하고 있다. 이와 같은 타종 형식이 끝나고 나면 이어서 분향(焚香), 반야심경독송, 삼귀의례(三歸依禮)가 이어지고 불보살의 명호(名號)를 도사(導師)가 선창(先唱)하면 대중이 후창(後唱)하는 형식의 의식을 행하게 된다. 이처럼 신라시대의 타종 형식은 시간적으로 보면 새벽에 쳐서 대중을 일깨우는 기능을 하고 다른 한편 의식의 첫머리에 종을 치면서 불교의식에 임하는 대중들이 마음을 정(定)에 들게 하는 기능을 다하고 있음을 알 수 있다.

다른 한편 종을 치면서 게송을 읊는 형식이 있어서 그 게송은 범패소리로 창하게 되었다는 데 특수한 타종 형식을 살필 수 있게 된다. 즉 신라종은 미술적 양식으로만 아름답게 조성된 것만이 아니라 그 종소리도 아름다워야 되며, 그 아름다운 종소리가 지닌 의미를 아름다운 말로 전해 주어야 할 뿐 아니라 그 아름다운 종소리의 의미를 전하는 말들은 그냥 읊조리는 것이 아니라 범패라고 하는 최고의 예술성을 지닌 불교음악으로 전해져야 된다는 타종의 형식이 있었음을 알 수 있다.

이상에서 우리는 신라범종이 지니는 종합적 아름다움에 접하게 된다는 사실에 주목해 보지 않으면 안 되리라 생각한다. 그리하여 다음에는 오늘의 범종은 어떻게 조성되고 있으며 그 타종 형식은 신라와 비교하여 어떻게 다른 것인가를 살펴보지 않으면 안 된다. 우선 오늘의 범종 조성 작품의 예에서 충분히 알 수 있기 때문이다. 그 같은 오늘의 창조적 아름다운 범종을 창작해

내지 못하고 있다는 아쉬움을 남기지만 다른 한편 신라범종의 미술적 아름다움을 계승, 발전시키고자 하는 강한 전통의식이 잠재하고 있기 때문에 그러한 것이 아닌가 생각된다.

전통의식이란 과거의 문화유산을 모방할 필요성을 갖는 의식이 아님을 우리는 잘 알고 있다. 그럼에도 불구하고 오늘의 우수한 범종이 신라범종의 전통을 계승하고 있다는 사실은 앞에서 살핀 범종의 아름다움이 미술적 아름다움만이 아닌 종합적 아름다움을 지니고 있어 더욱 아름다울 수 있었다는 신라인의 지혜를 오늘의 우리들이 계승하고 있다고 생각하기 때문이다. 그러면 다음에는 오늘의 타종 형식은 어떤 것인가를 살펴보자. 우선 신라시대의 타종 형식과 같이 새벽종을 치고 모든 의식의 시작을 알리는 종을 친다.

다른 한편 새벽종은 33번을 치고 저녁종은 28번을 친다는 타종 형식이 오늘날의 타종 형식이다. 이는 신라 타종 형식 중에 진시(辰時)에 장타하는 형식이 있었음을 계승하고 있는 것으로 믿어지나 다른 한편 다음과 같은 타종의 의미가 부여되어 있음을 알 수 있다. 33번의 의미는 불교의 우주관에서 말하는 33천까지 종소리가 미치도록 한다는 것이다. 33천이란 욕계(欲界) 이천(二天) 중 지거천(地居天)의 이천(二天)인 도리천을 말하는데 지상에서는 제일 높은 곳을 말한다. 그것은 불교에서 말하는 천상(天上)이 지상천(地上天)만이 아니라 지거천까지 아울러 말하고 있기 때문이다.

한편 저녁종을 28번 친다고 하는 것은 삼태육성(三台六星) 28숙(宿) 주천열요(周天列曜)로 표현되는 천상계의 성좌(星座) 중 28숙의 의미를 따서 이 종소리가 이 지구상에뿐 아니라 전 천상계(天上界)의 우주세계까지 들리게 한다는 의미를 지니고 있는 것이라 한다. 다른 한편 불교의 세계관은 욕계·색계·무색계의 삼계(三界)로 나누고 욕계 6천(天)·색계 18천·무색계 4천으로 이를 합치면 28천이 된다. 여기 무색계의 4천은 색구경천(色究竟天)이므로 교화의 대상이 되는 세계는 아니지만 불교의 우주관을 논하고 있는 구사론(俱舍論)에 의하면 이들 삼계 28천의 높이를 각각 밝혀 놓고 있어 주목의 대상이 있다. 왜냐하면 욕계에서 색계・무색계로 올라갈수록 그 천상의 높이가 훨씬 높아지는데 이는 높이 올라갈수록 시계(視界)가 넓어져 시공을 초월한 색구경의 세계를 조견(照見)할 수 있다는 의미를 내포하고 있는 것이라 생각된다. 이상에서 보면 33번 28번 등의 타종 형식은 멀리 구석구석까지 종소리가 들리게 하며 모든 중생을 구제해야겠다는 뜻을 지니고 있는 것으로 생각된다. 다른 한편 종을 치면서 게송을 칭하는 것은 종을 치는 의미가 무엇인가를 우리들의 가슴깊이 스며들게 하며 또한 이를 주목하지 않을 수 없게 된다. 예컨대 아침 종을 칠 때는 조종송(朝鍾頌)이라 하며 다음과 같은 게송을 칭하게 된다.

원차종성편법계(願此鍾聲遍法界) 철위유암실개명(鐵圍幽暗悉皆明)
삼도리고파도산(三途離苦破刀山) 일체중생성정각(一切衆生成正覺)

즉 '원컨대 이 종소리가 널리 두루 법계에 퍼져 철퇴로 둘러싸인 어두운 지옥세계를 모두 밝게 하고, 또한 삼도의 괴로움을 떠나 칼산으로 된 지옥세계를 모두 파괴하여 일체중생이 모두 정각을 이루도록 하옵소서' 하는 것이다. 그런데 이 같은 게송의 뜻이 아름다운 종소리와 어울러 퍼질 때 그 아름다움은 무엇인가 표현할 수 없는 감동을 우리들에게 안겨줌으로써 범종의 아름다움은 한층 더해 감을 느끼게 된다. 또한 저녁 종을 칠 때는 석례종송(夕禮鍾頌)이라 하여 다음과 같은 게송을 창한다.

문종성번뇌단(聞鍾聲煩惱斷) 지혜장보리생(智慧長菩提生)
이지옥출삼계(離地獄出三界) 원성불도중생(願成佛度衆生)

즉 '종소리를 듣고 번뇌를 모두 끊어 지혜를 길러 보리심을 일으키고, 지옥세계를 떠나 3계를 나와 원컨대 성불하여 중생을 모두 제도하게 하소서' 하는 뜻을 담아 종을 치게 된다는 것이다. 다른 한편 이렇게 종을 치는 의미를 알리는 게송은 또한 아름다운 음악적 선율을 지니고 있다는 데서 종소리의 아름다움은 더욱 우리의 가슴을 넉넉하고 훈훈하게 해준다. 이 같은 타종 형식은 신라시대부터 종을 치면서 읊는 게송이 범패성(梵唄聲)으로 하고 있었다는 기록에서 이미 오래전부터 성행하고 있었음을 알 수 있으나 오늘에도 그 같은 타종 형식은 계승되고 있다. 다만 대단히 유감스럽게 생각되는 것은 종을 치면서 게송을 범패성으로 하는 그 전통적인 소리가 오늘에는 들을 수 없게 되었다는 것이다.

종을 치면서 범패소리로 게송을 소리하는 것은 쇳송이라고 하는데 팔공산(八公山) 쇳송이 가장 유명했다는 건 60세가 넘은 불교인이라면 모두 기억하고 있는 사실이다. 본인은 이 같은 사실을 1960년대 후반에서야 알고 전국 방방곡곡의 절을 누비며 범패소리를 녹음하고 다닌 적이 있지만 그 유명했다는 팔공산의 쇳송은 이미 인멸되어 영원히 들을 수 없는 아쉬움만 남기게 되었다. 불교의식이란 신앙심의 표상(表象)이요 또한 신앙심을 불러일으키게 한다는 기능을 지니기도 한다. 이와 같은 불교의식과 더불어 신라의 범종은 그렇게도 아름답게 조성되어 오늘에 전하고 있다.

범종의 주된 기능은 소리에 있다. 아무리 그 외형이 아름답게 조성되었더라도 범종이 갖는 소리를 제대로 내지 못하면 그것은 범종으로서의 기능을 다할 수 없게 된다. 그러나 신라의 범종은 외형으로서는 훌륭한 미술작품이요 소리로서는 지옥세계를 감동시킬 수 있는 음악적 효과를 지니고 있다는 사실도 오늘에 전하는 신라범종의 소리에서 확인할 수 있게 된다.

그러면 신라 사람들은 왜 그렇게 겉과 속이 다 같이 조화로움을 갖는 아름다움에 대한 미의식을 지닐 수 있었을까. 흔히 신라인들은 영육일치(靈肉一致) 사상을 지니고 있었다고 한다. 즉 아름다운 육체에 아름다운 정신이 깃든다는 것이다. 이와 같은 재래의 정신을 바탕으로 다른 한편 관불삼매경(觀佛三昧經)에 의하면 신행이 돈독하면 부처를 볼 수 있다는 〈정중견불(定中見佛)〉이라는 것이 표출 내지는 구상화(具象化)의 계기를 마련하게 된 것과 결코 무관한 것이 아니었다고 생각된다. 『대지론(大智論)』에 의하면 "사위성(舍衛城)에 9억의 인가(人家)가 있는데 3억의 인가는 눈으로 부처를 본다. 3억의 인가는 귀로 부처가 있다고 듣지만 눈으로 볼 수 없다. 3억의 인가는 귀로 부처가 있다고 들을 수도 없고 눈으로 볼 수도 없다."고 하고 있다. 여기서도 범종의 외향적 아름다움과 소리의 아름다움이 동시에 융합되어 나타나야 된다는 근거를 찾을 수 있게 된다. 그리고 귀로도 들을 수 없고 눈으로도 볼 수 없는 중생을 위하여 종을 치는 의미를 알리는 문학적 표현으로서의 게송을 종을 치면서 창하게 되었던 것이 아닌가 생각된다.

이상과 같이 신라범종의 아름다움은 외형적으로 보면 그렇게 아름다울 수밖에 없고 그 소리를 들으면 전우주의 모든 중생이 감동될 수 있는 아름다운 소리를 낼 수 있었고, 다른 한편 그와 같이 아름다운 종을 치는 의미를 알리는 언어도 아름다울 뿐 아니라 그 언어를 표현하는 소리도 아름다움을 지니지 않을 수 없었다는 데 주의를 기울여야 한다.

끝으로 기독교 교회의 종소리와 불교사원의 범종의 소리를 비교하여 다음과 같이 표현하고 있는 어떤 불교학자의 짧은 한마디가 또한 신라범종의 아름다움에 대한 여운을 남기게 된다. 교회의 종소리는 땡그랑 땡그랑 하지만 그것은 '왔다 갔다' '왔다 갔다' 하는 의미를 전하는 것 같고, 절의 종소리는 궝 궝 하고 울리는데 이는 '어서 진리의 세계로 가거라 가거라' 하는 의미를 전하고 있다는 것이다.

10. 한국불화에 표출된 아름다움

불화(佛畵)가 미술작품이라면 분명 아름다움을 표방한 그림의 일종임이 분명하지만 단순히 아름다움만을 나타낸 것이 아니라 예배의 대상이 되고 있기 때문에 불화가 지니고 있는 멋을 추출해 낸다는 것은 어려움이 따른다. 왜냐하면 그것은 불화의 멋에 접근할 수 있는 미술적 소양과 종교적 소양을 충분히 갖추지 못하면 안 되기 때문이다. 여기서는 불화가 지니고 있는 멋을 한국불화의 특징적 요소를 들어 찾아볼까 한다.

우선 불화를 대하게 되면 여러 존상(尊像)을 접할 수 있게 되는데 여기서 우리는 외롭지 않은 자신을 발견하게 된다. 즉 불화에 도설되어 있는 여러 존상들은 여래상을 비롯하여 보살상, 호법 신장상 그리고 칠성, 산신, 명부의 시왕에 이르기까지 많은 계층의 여러 존상을 한 번에 만나 볼 수 있는 행운을 얻게 되는 것이다. 그러나 이와 같이 불화에 도설된 여러 존상을 놓고 다신교가 아닌가 하는 오해를 가끔 불러일으키기도 하지만 좀 더 자세히 살펴보면, 그것은 불화의 전체적인 모습을 알지 못한 데서 오는 무지의 소산이란 사실을 금방 알게 된다. 중생은, 특히 우리 인간은 갖가지 번뇌에 둘러싸여 살고 있다. 그 같은 번뇌에 대응한 법문을 흔히 8만 4천의 법문이라 한다. 말하자면 우리 인간의 번뇌를 덜어줄 수 있는 회답이 8만 4천이나 된다는 것이며, 그 같은 번뇌에 대응한 가르침을 구상화하여 다양하게 도설하고 있는 것이 불화이다. 그리하여 우리가 불화를 접하게 되면 한꺼번에 여러 스승을 만나 보는 느낌으로 가득 차게 된다.

그런데 불화에서 접할 수 있는 여러 스승님은 근엄한 모습에 의한 큰 가르침을 주시는 분도 있지만 세 살 먹은 어린아이에게도 배울 게 있다는 격의 동자 스승도 있다. 그리하여 불화를 접하게 되면 무엇이든 다 물어보고 싶고,

다 배우고 싶은 충동이 일어난다. 불화가 겸허하게 또는 자비롭고 따스한 모습으로 가까이 다가옴을 느끼는 것이다. 인간이 외로움을 느끼게 된다는 것은 자기가 추구하는 삶에 대한 의문을 풀 수 없기 때문이라 생각한다. 그런 불화는 우리가 바라는 소망을 모두 들어 주고 우리가 궁금해하는 데 대한 모든 회답을 얻게 해준다. 그래서 불화는 우리를 외롭게 하지 않는다. 불화를 접할 때 여러 존상에 둘러싸여 있기 때문만은 아니다. 거기에서 우리는 정연한 질서 속의 자신을 발견할 수 있기 때문이다.

즉 불화가 다양한 여러 존상들을 한 폭에 그리는 특징을 지니지만 그들 각 존상들은 아무렇게나 그려지는 것이 아니라 정연한 질서 속에 조화를 이룰 수 있도록 서로의 색감, 크기, 위치 등을 배정하여 우주의 전체상을 표현하고 그것을 보는 이로 하여금 일체감을 느끼게 하고 있다. 또 여러 존상에 의해 구성된 불화는 우리들에게 다양한 세계상에 접할 수 있게 하고, 그 같은 다양한 세계상 중에서 자기의 세계상에 접할 수 있게 하고, 그 속에서 자기의 세계상을 자유로이 선택할 수 있게 하여 무한한 자유를 구가할 수 있게 한다. 『대방광불화엄경』에 의한 연화장세계를 비롯하여 석존의 교화 대상이 되는 세계로 영산회상의 세계, 서방의 아미타 극락세계, 또 동방의 유리광세계, 관음의 보타락정토 등 불국토의 세계와 산신의 세계, 칠성의 세계, 용왕의 세계, 천부의 세계, 명부의 세계 등을 접할 수 있게 함이 그것이다.

이상과 같은 세계상 외에 불화는 또한 각종 지옥의 모습을 우리들에게 보여준다. 지옥의 종류도 지난날의 업보에 따라 다양한 모습으로 나타난다. 이런 우리의 불화를 통하여 다양한 불국토의 세계와 각 존상들의 세계를, 그리고 여러 가지 지옥의 세계를 두루두루 살피면서 자신이 처한 오늘의 세계를 알게 되고, 한편 앞으로 나아가야 할 내일의 세계를 선택할 수 있게 된다.

앞에서 불화는 각종 불보살의 세계와 각 존상의 세계, 그리고 여러 가지

지옥의 세계를 상징적으로 추측하고 있는 것이라 하였지만 이를 불교교리에 따라 정리해 보면 십계(十界)의 세계를 나타내고 있음을 알게 된다. 즉 여기서 말하는 십계란 불(佛), 보살(菩薩), 성문(聲聞), 연각(緣覺) 등의 출세간(出世間)의 세계와 천상, 인간, 아수라, 축생, 지옥, 아귀 등 육도의 세계가 합쳐진 것이다. 이들 십계는 계층적인 성격을 지니는 것으로서 아래에서 위로 향상적(向上的)인 성격을 지닌다. 즉 아귀보다는 지옥, 지옥보다는 축생, 축생보다는 아수라, 아수라보다는 인간, 인간보다는 천상, 천상보다는 연각, 연각보다는 성문, 성문보다는 보살, 보살보다는 불이 더 상위에 있는 것이다. 흔히 불교는 고(苦)의 세계에서 해탈함을 목적으로 한다. 이를 다른 말로 하면 불교는 고(苦)에서 낙(樂)을 구하는 것이라 할 수 있고, 또한 속박에서 자유를 구하는 것이라 할 수 있다.

불교를 고에서 벗어나 최상의 극락을 구하는 것이라 한다면 십계는 아래로 내려갈수록 더욱 고통스럽고, 위로 올라갈수록 고는 엷어져 극락에 이르게 되는 것이라 할 수 있다. 즉 불의 세계는 보살의 세계보다는 낙이 극치에 이른 세계이며, 천상의 세계는 인간의 세계보다 고가 적고 낙이 많다는 것이다. 불화에서 이들 십계의 세계를 모두 도설(圖說)이라 하고 있음은 괴로움의 세계를 벗어나 즐거움의 세계를 스스로 선택할 수 있게 한다는 것이 주목된다. 즉 소승불교는 인간이 고의 세계에서 하루 속히 벗어날 수 있게 하기 위하여 고의 세계를 강조하고 있다. 『구사론(俱舍論)』에서 각종 지옥세계의 묘사가 좋은 예이다.

이같이 소승불교는 지옥의 고통만을 묘사하여 그것에 자극되어 고에서 벗어나고자 하는 마음을 갖도록 했을 뿐 고에서 벗어나면 어떤 세계가 있는 것인지를 밝혀 놓지 않고 있다. 그러나 한국불화에서는 고에서 낙에 이르는 길을 계층적으로 잘 묘사하여 각 계층의 대상으로 하여금 그에 따른(업보에 따른) 심미감을 잘 자아내게 한데 놀라지 않을 수 없다. 이와 같은 불화와는 좀 다른 차원에서 말할 수 있는 〈십우도(十牛圖)〉란 것이 있다. 이 십우도에 대한 전체적인 해설은 지면이 허락하지 않아 생략하기로 하지만 앞에서 말한 불화와 비교가 되는 것이다. 즉 앞의 불화가 그 전체적인 구도에서 보면 고에서 낙을 추구한다는 의미를 지니지만 이 십우도에 묘사된 열 폭의 그림은 속박에서 자유를 찾는 단계를 묘사하고 있는 그림이라 할 수 있다. 어떻든 이 십우도도 인간이 체험할 수 있는 여러 세계의 모습을 상징적으로 나타내어, 보는 사람들로 하여금 자신의 모습을 자유롭게 비추어 볼 수 있게 한다는 특징을 지니고 있는 것이다.

이렇게 불화는 우리들에게 다양한 세계를 접근시켜 주며 그곳에서 스스로 자기 세계를 찾도록 해주고 있지만 한편 불화는 그렇게 찾아진 세계를 대상의 세계로만 인식하고 느끼게 하는데 머물지 않는다. 즉 불화는 예배의 대상임을 부정할 수 없지만 궁극적으로 불화는 하나의 대상으로만 있는 것이 아니다. 다시 말해 불화의 감상자는 불화 속에 있고 언제나 불화와 함께 있다는 뜻이다. 그래서 불화는 원근법을 쓰지 않는 특징을 지닌다. 달리 생각하면 불화는 원근법을 확실히 잘 나타내야 하는 것이 아닌가 생각될 때도 있다. 왜냐하면 서쪽으로 억만 국토 저쪽에다 극락세계를 설하고 있기 때문이다. 그러나 불교에 있어 이 같은 거리 설정은 어디까지나 마음속의 일이란 것을 생각하면 불화를 단순히 그림으로 인식할 때 결코 그 참뜻을 느낄 수 없다는 것을 알게 된다.

다음으로 불화에서 지적될 수 있는 것은 오색찬란한 모습이다. 즉 불화에서는 원칙적으로 5색을 쓰는데 청, 황, 적, 백, 흑색이 그것이다. 불교에서 색채를 논할 때 현교(顯敎)에서는 청, 황, 백, 적의 4색을 4근본색(四根本色)이라 하지만 밀교에서는 앞에서 말한 5색을 쓰고 있다. 여기서 한국의 불화가 밀교적 성격을 지니는 것이다. 불화에 쓰이는 5색은 5대(五大), 5근(五根) 혹은 5지(五智)라고 하는 정신작용을 색채로 상징화한 것이다. 예컨대 청색은 다른 색에 비하여 뛰어난 힘을 지닌 색, 황색은 다른 색을 가하여도 자성을 잃지 않는 색, 또한 적색은 연소시키는 힘을 갖는 색으로 항복법에 쓰이는 색 등이 그것으로, 불화에서 이런 상징적 의미를 지니는 5색을 사용하고 있음을 생명력 있는 총천연색의 세계를 나타내기 위한 것이다. 여기서도 불화가 지니는 의미가 단순히 어떤 대상을 묘사하거나 표출하려는 것이 아니라 우주의 전체상을 표출하려 하고 있다. 그리하여 불화의 색감은 선명하면서도 생동감을 느끼게 하는 특징을 잘 나타내고 있다. 특히 불화를 보는 사람으로 하여금 불화의 색감은 나와 우주가 같이 있는 것으로 느끼게 하는 것이다. 그래서 불화를 감상하는 우리들의 마음은 허전하지 않다. 무엇인가에 의하여 꽉 채워져 있는 느낌이다.

인간은 언제나 욕구를 채우기 위하여 끊임없이 허덕인다. 그러나 결코 만족하지 못한 채 끝없는 욕구로 치닫기만 한다. 그런데 불화는 이러한 욕구불만에 지쳐 있는 우리 중생의 마음을 가득 채워 주는 느낌을 준다. 여기에 불화가 안겨주는 훈훈함이 있는 것이다. 불화의 화폭은 한 치의 헛된 공간도 남기지 않고 있음이 그것을 잘 표현해주고 있는 셈이지만 그렇다고 아무렇게나 빈 공간을 채워나가는 화법을 쓰지는 않는다. 공간은 서기(瑞氣)에 차 있고, 천음락(天音樂)이 울리고, 단비가 내린다. 이를 서운(瑞雲)으로 묘사하거나 천녀상(天女像)으로 묘사한다. 즉 헛된 욕심으로 채우는 것이 아니라 청정하고 무후한 절대적 존재가 발하는 광명으로 가득 찬다.

불화도 역사적인 변천이 있었다. 오늘에 전하는 한국불화 중 가장 오래된 것은 호암미술관 소장의 〈화엄경변상도〉라고 할 수 있지만 이 그림은 오랜 세속의 풍진에 시달려 불행히도 그 전체상을 볼 수 없게 되었다. 그 다음으로 오래된 불화로는 고려시대의 불화를 들 수 있다. 고려시대의 불화는 80여 점이 전한다고 하지만 이 중 5, 6점이 국내에 있을 뿐 대부분 일본에 있고 미국, 영국 등지에도 몇 점이 전하고 있다.

고려시대의 불화는 그 화법이 매우 섬세하고 아름다울 뿐 아니라 구도적인 면에서 조선시대 불화와 구별된다. 우선 구도적인 면에서 이들 양 시대의 불화를 비교해 보면 고려시대의 불화는 본존불을 보다 뚜렷하게 부각시키는 구도법을 쓰고 있다. 예컨대 고려시대의 불화가 본존불을 화폭의 중앙에 배치하고 있음은 조선시대의 불화와 같으나 본존불처럼 도설되는 여러 존상의 배치가 달라진다. 즉 고려시대의 불화는 주존불 외 여러 상을 본존불이 앉은 대좌 아래에 배치하고 있으나 조선시대의 불화에서는 여러 존상이 주존불을 둘러싼 구도법을 쓰고 있다. 그래서 고려시대의 불화는 자연히 윗부분에 공간이 많이 생기고, 조선시대의 불화는 전 화폭에 각 존상을 배치하는 구도법을 쓰게 되었다. 그렇다고 하여 고려불화가 화폭 윗부분의 빈 공간을 그대로 두는 것은 아니다. 본존불의 광배 또는 모든 존상의 통합된 광배를 묘사하거나 보다 섬세한 서운(瑞雲)을 묘사하였다.

이상과 같은 고려불화의 구도법이 지니는 의미가 어떤 것인지 잘 모를 일이나 고려시대에는 여러 존상을 묘사하되 본존불에 큰 비중을 두었던 것에 연유하는 것이 아닌가 한다. 왜냐하면 본존불 이외의 각 존상은 화폭의 아래쪽에 위치하게 한다는 구도법이 그것을 나타내고 있을 뿐 아니라 본존불 이외의 각 존상은 본존불에 비하여 그 상을 훨씬 작게 묘사하고 있기 때문이다. 조선시대의 불화도 본존불에 비하여 다른 존상은 작게 묘사하지만 그 대소의 비율이 고려불화에 비하여 훨씬 덜하다는 사실이 그를 뒷받침하고 있다.

그러면 이 같은 양 시대 불화의 구도법의 차이에서 우리는 무엇을 느끼는가. 조선시대에는 여래에 관한 신앙보다 보살에 대한 신앙이 더욱 확산된 신앙형태였음을 알게 한다. 불교신앙의 형태가 여래신앙에서 보살신앙으로 변천된다는 것은 다른 한편에서 보면 불교가 더욱 대중화되어 가고 있음을 나타내고 있다. 왜냐하면 보살의 등장은 중생의 구제를 전제로 하지 않고서는 생각할 수 없기 때문이다. 그래서인지 고려불화는 귀족적이고 근엄한 모습을 느끼게 하지만 조선시대의 불화는 좀 더 민중적인 채취를 느끼게 한다.

이상에서 한국불화가 지니고 있는 특징적 요소를 몇 가지 지적해 보았다. 종합해 보면, 불화는 여러 의미를 지니고 우리들 가까이에 있음을 알게 된다. 즉 불화는 우주의 원리를 느끼게 할 뿐 아니라 인생의 원리, 그것도 풍상을 겪고 난 뒤에야 비로소 알 수 있는 삶의 진리를 피부로 느끼게 하고 있다. 우주의 원리를 느끼게 하되 고도로 추상화된 체계에 의한 것이 아니라 불화가 지니고 있는 색감과 구도에 의하여 누구나 쉽게 우주의 본질에 접근할 수 있게 하는 것이다. 또 다른 한편에서 보면 불화는 우리의 역사를 심층적으로 잘 나타내 주고 있다. 왜냐하면 한국의 불화는 우리 민족의 삶의 의미에 대한 변천을 잘 알 수 있게 해주기 때문이다. 즉 한국의 불화는 한국불교의 신앙형태가 변하는 모습을 너무나도 상세히 잘 나타내고 있음이 그것이다.

이제 한국불화가 지니는 멋을 한마디로 무엇이라 할 지 생각해볼 차례이다. 원만성, 조화성, 완전성, 신성성 등 몇 가지가 떠오른다. 그러나 이것으로는 부족하다. 불화는 보기에 따라서는 교화적인 의미를 지니는 관념적인 그림이라 할 수 있지만 그 표현의 세계에 가까이 접해보면 죽음의 세계에서 생생한 삶의 세계로 돌아온 듯 불가사의한 암시를 받고, 자유 천지에 뛰어든 느낌을 갖게 된다. 즉 불화에서는 공간에 실재한다고 생각되는 눈에 보이지 않는 힘을 발견할 수 있다. 눈에 보이지 않는 힘은 과학만능이라고 하는 오늘날에 있어서도 충분히 설득력을 갖는다. 그리고 이 같은 눈에 보이지 않는 힘을 최고도로 표출하려 한다면 이 세상을 만다라로 봄으로써 가능하며, 그러한 의식 속에서만 비로소 불화의 존재가치를 인지할 수 있다. 말하자면 불화란 이 세상 자체라 할 수 있는 것이다. 신라시대의 원효스님은 일찍이 이 같은 생각을 갖고 있었다. 즉 천촌만락을 돌아다니며 무애행각을 벌인 원효스님의 가슴 속에는 이 세상 자체가 만다라라는 인식으로 가득 차 있었다. 그러기에 신라 공간에, 아니 우주 공간에 존재한 불가사의한 힘을 원효스님은 충분히 표출해낼 수 있었고 그에 의해 신라문화는 크게 융성할 수 있었다.

불화의 멋은 무애성(無碍性)에 있다. 비록 한 폭의 화폭을 빌려 불화를 그리지만 그 그림을 한 폭의 그림으로 머물게 하지 않고 이 우주 자체를 한 눈에 볼 수 있는 안목을 그 속에 담는다. 불화도 일종의 그림임에는 틀림없으나 일반 그림과 같이 감상의 대상으로만 생각해서는 안 된다. 즉 불화는 감상자가 그 속에 자기를 투영하여 불아일여(佛我一如), 성속일치(聖俗一致)의 경지를 체현할 수 있는 것으로, 그 회화적 의미는 불보살의 성역 공간을 현출(顯出)한다. 여기서 불화의 신성성, 천정성을 발견할 수 있게 된다. 말하자면 무수한 인간이 표현한 미혹을 초월한 청정미를 불화는 가득 지니고 있다.

불교가 발생한 이후 많은 불화가 여러 나라에서 그려져 왔고, 오늘날에도 그려지고 있다. 그러나 불화의 멋과 더불어 살고 있는 나라는 드물다. 즉 돈황의 불화가 유명하지만 이들 불화는 역사적 유물로서만 전해지고 있을 뿐 그 불화의 멋이 오늘의 돈황인들에게 살아서 움직이고 있지는 않다. 일본 사원도 마찬가지이다. 불화하면 박물관에서만 볼 수 있는 것이지 오늘의 일본인에게 불화의 멋은 살아 있지 못하다. 불화의 멋을 간직한 한국인, 얼마나 넉넉하고 큰 모습인가. 그러나 한편으로는 이 같은 불화로 맺어진 한국인의 멋에 대한 이해가 부족함을 느낀다. 앞으로 한국불화에 대한 일반적인 인식을 더욱 넓혀 가면, 넉넉하고 풍요롭고 그러면서도 질서정연한 한국인상을 정립해 나갈 수 있지 않을까 기대해 본다.

11. 불화와 한국문화

1) 들어가는 말

한국의 불화는 단순한 그림에서 끝나는 것이 아니다. 그것은 역사적으로 우리 민족이 지녀왔던 종교관・우주관・인생관 등의 내면세계를 꾸준히 추구해왔고 그를 표현해온 것이라 할 수 있다. 그리하여 한국문화는 역사적으로 전란과 정변 등 갖가지 요인들에 의해 전통계승의 위협을 수없이 받아왔으나 그런 중에도 불화는 한국문화의 전통을 계승하는 데 커다란 역할을 담당해왔던 것이라 생각된다. 왜냐하면 불교가 전래된 다른 동양제국은 일정한 시기까지는 불화를 제작해왔고 그 문화적 기능이 살아 있었으나 벌써 오래 전부터 이들 나라들의 불화는 옛 조상들의 유산으로만 전할 뿐 오늘에 그 전통이 계승되지 않고 있다. 그러나 한국의 불화는 오늘에도 불화문화의 전통을 계승하여 계속 불화가 제작되고 있으며, 이들 불화에 대한 문화적 체험을 통해 삶에 대한 정황을 잡을 수 있고 삶의 원동력을 얻고 있기 때문이다.

중국에서는 일찍이 돈황불화(敦煌佛畵)에서 볼 수 있는 것처럼 거대한 불화문화를 일으키고 그 전통이 송대, 명대로 이어지면서 수준 높은 불화의 경지를 이룩할 수 있었으나 오늘의 중국은 불화를 잊은 지 이미 오래 되었으며, 이웃 일본에서도 일찍이 고구려・백제・신라 등에서 건너간 화사(畵師)들의 영향을 받아 법륭사(法隆寺) 금당벽화(金堂壁畵)에서 볼 수 있는 바와 같은 훌륭한 명작을 남기고 그 이후에도 가마쿠라시대(鎌倉時代)에 이르기까지 일본불화의 전통이 줄곧 계승되고 있었으나 오늘에 그 전통이 끊어진 지 오래 되었다. 그것은 이들 나라들은 일찍이 한국과 더불어 다 같이 대승불교(大乘佛敎) 문화권에 속해 있으면서 불교문화를 발전시켜 왔으나, 오늘의 그들에게 불화는 단순한 과거의 유산일 뿐 한국에서처럼 내면세계를 움직이는 문화역량으로 살아 움직이지 못하고 있음을 뜻한다. 오늘날 지구상에서 불화의 문화적 기능이 살아서 움직이고 있는 나라는 한국과 티베트뿐이다. 오늘에도 불화가 제작되고 있을 뿐 아니라 불화에 의한 생활이 계속되고 있음을 뜻한다. 그런데 티베트의 불화는 〈만다라〉라 하여 세계적 관심이 집중되고 있음에 반해 한국의 불화는 아직까지 세계적 관심을 끌지 못하고 있다.

1993년 12월에서 1994년 2월에 걸쳐 개최된 〈고려불화전(高麗佛畵展)〉에 대한 '한일학술회의'는 고려불화에 대한 예술적 가치를 조명하는 데 끝난 것이 아니라, 한국불화의 현대적 의의를 티베트의 〈만다라〉와 대비하여 볼 수 있는 좋은 기회를 마련하고 있다는 데서도 커다란 의의를 지니는 것이라 생각된다. 왜냐하면 오늘에 살아 있는 한국의 불화와 티베트의 불화는 공통점을 지니는 가운데 차이점을 지니고 있어 티베트 불화에 대한 세계적 관심은 한국불화에 대한 세계적인 관심으로도 연결될 수 있는 것이라 믿기 때문이다.

2) 한국불화의 시원과 그 전개

한국불교미술의 시원(始原)이 불교 이전의 신화적 세계관을 바탕으로 불교적 표현을 한 데서 비롯되었다고 함은 『삼국유사(三國遺事)』의 탑상편(塔像篇)에 잘 나타나 있다. 즉, 『삼국유사』의 탑상편은 〈동경흥륜사 금당십성(東京興輪寺 金堂十聖)〉을 비롯하여 31건의 불교미술 관계 자료를 전하고 있다. 이들 『삼국유사』에 전하는 불교미술 관계 자료들은 불교미술품 그 자체를 전하는 자료들도 있지만, 대체로 불교미술이 있게 된 경위 등을 밝힌 기사가 많고, 그 경위를 밝힘에 있어 불상이 제작된 경과로는 원래 불교 이전의 신화적(神話的)인 신앙대상에서 불교적 신앙대상으로 옮겨지는 경위 등을 밝히고 있는 기사 등이 있어서 불교의 포용성을 말해주고 있는 것이다. 동시에 불교미술이 한국적 개성을 갖게 되는 계기를 나타내고 있는 것이라 생각되어 주목을 끌게 하고 있음이 그것이며 불화의 시원도 그러했으리라 생각된다.

즉, 『삼국유사』에는 탑상편(塔像篇)뿐만 아니라 다른 기이편(紀異篇) 등에서도 불화와 관계된 기사가 보이는데 이들은 불화 자체의 내용이나 양식 등을 전하고 있는 것이 아니라 그것이 갖는 신앙적 기능 등을 전하고 있는 것이 그와 같은 것이다. 예컨대 "제54대 경명왕대(景明王代)인 정명(貞明) 5년 무인(戊寅)에 사천왕사의 벽화 속에 그린 개가 울어서 사흘 동안이나 불경을 설하여 물리쳤는데 대반일(大半日)에 또 울었다. 7년 경진(庚辰) 2월에는 황룡사탑의 그림자가 금모사지(今毛舍知)의 집 뜰에 한 달 동안이나 거꾸로 비추었다. 또, 10월에 사천왕사 오방신(五方神)에 활줄이 모두 끊어지고 벽화에 그린 개가 뜰로 나왔다가 다시 벽으로 들어갔다"라고 하고 있음은 벽화(壁畵)에 개를 그리고 있었음을 전하고 있을 뿐 아니라 불화의 신앙적 기능 등을 전하고 있는 기사라 주목되고 있기 때문이다. 뿐만 아니라 〈흥륜사벽화보현(興輪寺壁畵普賢)〉조에 전하는 십일면관음상에 대한 기사내용도 모두 그러한 사실 등을 전하고 있는 것이라 생각된다.

현존하는 고구려 벽화에서 보면 불화적 요소가 일부 발견되기는 하지만, 그 주제는 현실생활상이거나 아니면 불교 이전의 신화적 세계를 나타내고 있다. 즉 고구려의 벽화는 3, 4세기경에서 6, 7세기경에 그려진 것이 오늘에 전하고 있는데 5세기 이전은 현실생활을 주제로 한 것이 많고, 5세기 이후 후기가 되면 불교수용 이전의 신화적·종교적 이상세계를 주제로 하고 있는 그림으로 전환되고 있음을 알게 된다. 이와 같은 종교적 주제를 바탕으로 고분벽화(古墳壁畵)의 불화적 전개가 있었음을 고구려 장천리고분벽화(長川里古墳壁畵)에서 찾아볼 수 있다. 이는 아직 불교적 세계관을 주제로 한 불화의 제작이 없었음을 전하고 있는 것이지만, 다른 한편 장차 불화의 전개는 전대의 신화적 세계관을 수용하면서 있게 되었던 것임을 암시하고 있어 주목된다.

아미타여래도, 일본 지은원 소장

한편 고려불화를 비롯한 현존 한국 불화의 주제가 여러 모습의 불국토(淨土)를 나타내려고 했다는데 주목해볼 필요가 있다. 물론, 현존불화 중 〈석가여래도(釋迦如來圖)〉·〈아미타여래도(阿彌陀如來圖)〉, 삼신불의 〈삼존도(三尊圖)〉 등 존상화(尊像畵)가 없는 것은 아니나 이들 존상도(尊像圖)도 여러 정토도(淨土圖)에서의 부분도로서의 존상을 나타내고 있는 것이라면 한국불화의 주제는 일단 불국토 또는 정토의 묘사에 중점을 두었던 것이라 생각된다. 그것은 불상 등의 조각이 나타낼 수 없는 부분을 불화가 담당하게 되었던 것이라 하겠으나 다른 한편 불화의 전개, 발전이 불교적 세계관을 나타내려고 하는데 기인하고 있는 것임을 말해주는 것이다.

불교미술의 시원과 그 전개는 대승불교의 흥기와 발전에서 연유했음은 이미 주지되어온 바이나, 그러한 이유로 불교미술이 대전제하는 것이 불국토에서의 주인공인 여래상만을 표현하고자 한 것이 아닌 불국토의 장엄상까지 모두 표현하려 했던 것에 주목해야 한다. 대승불교가 지향하는 바는 불국토의 건설에 있었고, 불교미술은 그를 구상화함에서 비롯된 것이기 때문이다. 따라서 조각으로서의 불상이나 불화에서의 독존상(獨尊像) 등도 단순히 그 존상만을 나타낸 것이 아니라 불국토에서의 주인공임을 나타내고 있는 것이다.

직지사 대웅전 삼존불 탱화(영산회상도)

불상 등이 장엄한 불당에 안치되고 수미단 위에 봉안되고 또는 삼존불 형식으로 봉안되는 것 등이 모두 그것을 말해주고 있을 뿐 아니라 더 나아가 정연한 체계를 갖춘 가람배치상의 불전에 불상이 봉안된 것도 그것을 말해주고 있는 셈이다. 그러므로 불교미술의 이해는 개체의 양식이나 형식 등을 이해하는 일도 중요하지만 그 개체가 불국토를 장엄하는 주인공이거나 아니면 주인공과 어떤 상관관계를 갖고 있는 것이라는 사실과 그 주인공은 전가람상에서 어떤 의미를 차지하는 것인가 하는 종합적인 이해를 필요로 하게 된다. 왜냐하면 대승불교가 낳은 불교미술의 시원은 불국토, 즉 정토의 표현을 어떻게 하느냐 하는데서 그 근원을 찾을 수 있기 때문이다.

이상과 같이 불교미술은 불국토 그 자체를 표현하려 한 것이었고 따라서 가람의 형성은 그를 목표로 하고 있었던 것이다. 그러나 불국토를 구체적으로 표현한다는 것은 쉬운 일이 아니어서 불국토를 구체적으로 묘사하고자 했던 문화적·신앙적 요소가 불화의 전개·발전을 있게 한 것이라 생각된다. 오늘에 전하는 중요 불화의 개념이 후불탱화(後佛幀畵)로 전해지고 있음이 그것을 말해준다. 즉 앞의 불상의 의미를 불화가 그 뒤에서 보다 구체적으로 이해시켜 주고 있다는 것이 후불탱화이기 때문이다. 그리고 불전의 각종 벽화들도 그러한 의미를 지니고 있는 것이라 생각된다.

한편 불교미술은 불국토를 조각으로도 표현하려 했던 것임을 알 수 있다. 즉 삼국시대에서 통일신라에 걸쳐 유행하였던 사면불(四面佛)의 조각이 그러한 것이었고, 남산 불적 등에서 볼 수 있는 마애불군(磨崖佛群) 등이 그와 같은 것이다. 조각에서의 정토의 표현은 그림에서와 같은 구체적인 모습은 표현하지 못하나 신라인들이 조각에 발휘한 신묘한 기법은 그를 나타내고도 남음이 있어 주목해볼 필요가 있다. 이 같은 사실은 조각에 의해서도 불국토를 나타내려고 했음과 당시 불국토의 주제는 사면불사상(四面佛思想)에 의한 것이었음을 알 수 있게 한다. 당시의 불화가 오늘에 전하고 있지는 않지만 그 주제는 사면불이 주류를 이루고 있었던 것이 아닌가 한다. 이는 삼국시대 불화의 영향으로 제작된 것이라 생각되는 일본 법륭사(法隆寺) 금당벽화(金堂壁畵)의 주제가 사면불이라는 사실에서도 미루어 살필 수 있기 때문이다.

이상에서 보면 삼국시대에서 신라시대까지는 불국토를 표현함에 있어서 조각적 기법과 회화적 기법을 다 같이 쓰고 있었던 것이라 믿어진다. 그것은 후대에서 보는 것처럼 불국토의 이해를 위한 불교적 세계관이 보다 널리 확산되지 않았음에서 연유하는 것이 아닌가 한다. 물론 신라시대의 불교에서 보면 화엄(華嚴)・정토(淨土)・미륵(彌勒) 등의 불국토를 설하여 불교사상에 대한 깊은 이해가 있었고, 원효 등에 의한 불교의 대중화도 이룩되고 있었기 때문에 보다 넓은 세계관에 의한 불국토의 묘사가 가능했으리라 믿지만 신라시대까지의 불교는 고려 이후의 불교처럼 불교적 세계관의 확산과 그 신앙적 대중화가 이룩되지 않았기 때문에 조각적 기법을 대신한 불화적 표현의 요소가 강하지 않았고, 오히려 조각적 기법을 선호하여 입체적으로 불국토를 표현하려 했던 데서 조각발달의 한 계기를 만날 수 있었던 것이 아닌가 한다. 석굴암(石窟庵)이 그러하고 불국사가 그러한 소산의 일단으로 믿어진다.

3) 고려불화와 그 문화적 성격

고려시대가 되면 신라 말기부터 수용되기 시작한 선종사상(禪宗思想)과 밀교신앙(密教信仰)의 유행에 의해 불교문화의 새로운 전개가 있었음은 누구나 다 아는 사실이다. 그런데 이와 같은 고려불교는 불화의 발전에 커다란 영향을 미쳤음에 주목할 필요가 있다.

신라시대의 불교가 고승대덕의 학문승들에 의해 불교사상에 대한 폭넓은 이해가 이루어진 것이라면 고려시대의 불교는 사상적으로 이해된 불교가 신앙화되고 대중화된 불교였다고 할 수 있다. 오늘에 전하는 한국불교관계 자료를 보면 신라시대의 자료는 불교사상에 대한 깊은 이해를 구하려 했던 것이 대부분이고, 고려시대에는 체관(諦觀)・의천(義天)・지눌(知訥) 등의 대사상가들에 의한 몇몇 고승의 저술이 전하기는 하지만 신라시대에 비하여 불교에 대한 이해의 방향이 사상에 대한 이해보다는 그 활용에 더 관심을 쏟고 있었음을 알 수 있게 된다. 왜냐하면 『고려사(高麗史)』 세가편(世家篇)에 전하는 각종 불교행사의 성행이 그를 잘 전해주고 있기 때문이다. 따라서 이와 같은 불교는 인간생활의 구체적 관심사와 결합하여 문화화한 불교였다고 생각된다. 왜냐하면 『고려사(高麗史)』 세가편(世家篇)에 전하는 각종 불교행사의 성행이 그를 잘 전해주고 있기 때문이다. 따라서 이와 같은 불교는 인간생활의 구체적 관심사와 결합하여 문화화한 불교였다고 생각된다. 왜냐하면 『고려사』에서 발견되는 수많은 신앙의례 기사가 비록 궁중을 중심으로 행해진 신앙행사에 대한 기사였다고 하더라도 거기에서 당시 고려사회의 불교가 어떻게 문화적 작용을 하고 있었는가를 살펴볼 수 있게 되기 때문이다.

이들 신앙의례 기사들에 의하면 고려시대 불교신앙은 밀교신앙과 정토신앙이 주류를 이루고 있었음을 알 수 있는데, 이는 고려시대 불화를 이해하는 데 중요한 자료가 된다. 왜냐하면 불화의 발전은 밀교신앙・정토신앙의 발전과 결코 무관한 것이 아니라고 믿기 때문이다.

한편 고려시대의 불교사상은 전기의 화엄(華嚴), 천태(天台)와 후기의 선사상(禪思想)이 흥륭하고 있었음을 알 수 있는데, 이들의 사상적 영향도 고려불화의 문화적 수준과 그 성격을 이해하는 데 도움이 된다. 즉 고려의 태조 왕건은 신라 말기의 선종과 호족세력과의 결합을 통해서 고려 왕조를 세울 수 있었지만, 그를 다시 중앙집권적인 사회로 발전시키고자 하였을 때는 다시 화엄사상을 필요로 하였음을 『고려사(高麗史)』의 첫머리에 개태사(開泰寺)를 짓고 화엄법회(華嚴法會)를 열었다고 하는 데서 알 수 있다. 이는 또한 교종에 의한 선종의 융합을 필요로 하게 되었고, 그를 문제의식으로 삼았던 의천 대각국사가 선(禪)・교(敎)의 융합을 화엄사상과 천태사상에 의거하고자 하였다는 사실은 누구나 다 아는 사실이다.

밀교란 불교가 재래신앙적 요소를 수용하여 이를 불교적으로 재구성한 종교를 말한다. 따라서 밀교는 선종 등의 다른 불교사상에서 보는 것처럼 현상계에 대해 부정적인 입장을 취하는 것이 아니라, 현상에 대한 철저한 긍정주의를 취한다. 그리하여 밀교에서는 불보살의 경지뿐 아니라 어떤 하잘 것 없는 존재일지라도 모두가 진실이란 특징을 지닌다. 그런데 다만 여기서 중요한 것은 이들 여러 현상들에 대한 상호관계성의 본질을 어떻게 파악해야 하는가 하는 것이 문제가 된다. 여기서 밀교는 고도로 발달한 상징주의체계(象徵主義體系)를 이룩하게 되고 다른 한편 신비주의(神秘主義)의 극치를 이루게 하였다. 그리고 그 같은 경지를 어떻게 감득하고 구상화하느냐 하는 표현상의 가능성이 문제가 되어 만다라 등의 고도로 발달한 불화를 발전시키게 되었다고 함은 널리 알려진 사실이다. 이상과 같은 밀교가 고려사회에 크게 유행하고 있었다면 불화가 보다 다양한 주제를 필요로 하고 있었을 뿐 아니라 불화제작의 욕구가 보다 확산되고 있었으리라 생각된다.

정토교란 넓은 의미로 말하면 불국토의 건설을 목표로 하는 대승불교 모두를 지칭하는 것이라 할 수 있으나, 좁은 의미로 말하면 아미타의 극락정토교를 말한다. 그런데 이 같은 아미타의 정토교는 그 극락정토의 모습을 어느 대승경전보다 상세히 묘사하고 있다는 데서 주목된다. 예컨대 『관무량수경(觀無量壽經)』과 같은 경전은 마치 눈앞에 극락의 모습이 와 닿는 듯한 느낌을 줄 정도로 그 묘사법이 치밀하다. 그리하여 이 같은 정토교는 급기야 극락의 모습을 구상화하여 〈관경변상도(觀經變相圖)〉와 같은 불화를 발전시키게 되었다. 그것은 『관무량수경』의 내용이 고뇌의 세계에서 극락세계를 관찰하는 방법을 설하고 그 방법에 의하여 관찰한 결과 얻어진 극락세계의 모습을 아주 치밀한 서술방법에 의하여 나타내고 있어, 이와 같은 『관무량수경』의 내용은 〈관경변상도〉를 그리게 하는 작가로 하여금 그 미학(美學)에 몰두할 수 있는 충분한 계기를 마련해주고 있었던 것이다.

한편 정토교의 교설은 극락의 모습을 치밀하게 묘사함에 있어 정제성(整齊性)과 조화성(調和性)을 강조한다. 이 같은 정토교의 특질은 정토교 미술의 특질을 형성했을 뿐 아니라, 고려불화의 정제성에 크게 기여하였을 것으로 생각된다. 왜냐하면 고려불화의 특징적 요소로서 그 정교하면서도 치밀한 묘사법(描寫法)을 지적하게 됨은 정토사상이 갖는 정제성 등과 결코 무관한 것이 아니라고 생각되기 때문이다. 한편 현존하는 고려불화에서 정토교(淨土教)를 주제로 한 불화와 관음관계(觀音關係)의 불화가 주류를 이루고 있다는 것도 고려불화에 미친 정토교의 영향을 간과할 수 없음을 알려주는 것이라 하겠다.

고려시대에 화엄사상이 널리 유포되고 있었음은 다 아는 사실이지만, 화엄사상의 확산이 고려 밀교사상의 유행에 큰 역할을 했었다는 것을 잊어서는 안 된다. 왜냐하면 고려시대의 밀교는 화엄사상을 바탕으로 한 화엄밀교가 성행하고 있었던 것이라 믿기 때문이다. 고려시대의 불교의식에서 화엄신중신앙(華嚴神衆信仰)이 성행했었다는 것은 이 시대가 신라의 화엄사상을 밀교적으로 전개하고 있었음을 의미하며, 도선국사(道詵國師) 이래의 고려시대 밀교는 화엄 신중사상에 의한 화엄밀교(密教)의 성격을 지니고 있었다고 믿기 때문이다. 즉 고려시대의 밀교는 티베트 밀교에서 볼 수 있는 『대일경(大日經)』·『금광정경(金光頂經)』에 의한 밀교가 아니라 『화엄경』에 의한 화엄성중신앙(華嚴聖衆信仰)이 중시된 밀교였다는 것이 그와 같은 것이다. 그리고 이는 고려불화의 주제가 다양성을 지니면서 상호조화를 갖게 하는데 기여했을 것으로 믿어진다. 왜냐하면 불교미술은 밀교의 발생이 없었다고 한다면 단조로움을 면할 수 없었을 것이며 밀교의 발생에 의하여 주제의 다양성과 상징성이 강조되고, 한편 신비성이 강조되면서 만다라적인 도상(圖像)이 발달되었기 때문이다. 한편 정토교미술이나 선미술이 현상계에 대해 부정적 입장인 데 반해 밀교는 철저한 긍정주의를 취한다는 배경을 지닌다.

고려시대 선종의 유행은 한편으로는 감각적인 미술을 배제하고 있었던 것으로 생각되나, 다른 한편 내면적 정신성에 있어서는 전에 없던 고양을 가져와 오히려 선종이야말로 불화의 발전에 한 전기를 마련하고 있었던 것이 아닌가 한다. 즉 종래의 불교미술이 신앙의 대상화에 주지(主旨)를 두고 있었다면, 선종의 미술은 주객합일체(主客合一體)로서 미술이 곧 자내증(自內證) 그 자체이며 자내증이 곧 미술인 것이다. 따라서 여기서는 조각적인 것보다는 회화적 발전의 계기가 마련된다는 데에서 선종이 고려불화의 품격 형성에 미친 영향을 간과할 수 없게 되는 것이다. 이에 대해 고유섭(高裕燮)은 고려 후기에 발생하기 시작한 선미술의 발생이야말로 한국불교미술의 발전에 큰 계기를 이루게 하고 있었다고 하거니와 이는 선미술이 신앙의 대상이란 차원을 넘어서 다음과 같은 특징을 지니고 있기 때문이다.

첫째, 종래의 예배대상인 불상이나 불화 등에 대해서 중요성을 인정하지 않게 되었다는 것이다. 이는 〈자불시진불(自佛是眞佛)〉로서 자아의 완성을 강조한 나머지 대상불은 불로서의 의미를 상실하게 된다는 것이다. 이 같은 선종의 입장에서 보면 종래 교종이 창작한 불상・불화 등은 모두 부정되지 않으면 안 된다.

둘째, 일반적인 불교미술이 피안성(彼岸性)과 신성성(神聖性)을 더욱 강하게 지니고 있음에 반하여 선미술은 차안성(此岸性)과 성적(聖的)인 것의 부정을 특질로 하고 있다는 것이다. 즉, 선미술은 피안의 미가 아니라 차안의 미를 모티프로 하고 있다는 것이다.

셋째, 선미술은 균제(均齊)의 미를 깨뜨린 불균제(不均齊)의 미를 특질로 하고 있다는 것이다. 나한상・달마상 같은 것이 그와 같은 것이라 하겠는데 여기서 말하는 불균제성이란 미완성이란 의미가 아니라 완전성을 깨뜨린 것이라는 파격성을 지닌다.

넷째, 선종은 의지적・남성적 종교라 할 수 있다. 따라서 선미술의 도상은 의지의 견고한 모습으로 표현하는데 이는 고난을 극복하는 선을 전파하고자 하는데 본 뜻이 있음을 알게 된다.

한편 이상과 같은 선미술에 있어 선화는 수묵화의 기법을 쓰고, 다른 한편 백지의 예술이란 특질을 지니기도 한다. 고려불화에 있어 〈관경변상도(觀經變相圖)〉 등을 제외한 아미타구존도(阿彌陀九尊圖)의 존상화에서 여백을 많이 남기고 있음은 이상과 같은 선화의 영향이 고려불화에서도 영향을 미치고 있는 것 같아 주목된다.

고려불화 수월관음도

현존하는 고려불화를 보면 관경변상도(觀經變相圖)를 비롯한 아미타의 정토도(淨土圖)가 대부분을 차지하고 그 다음이 관음도(觀音圖)・지장도(地藏圖)나 지장시왕도(地藏十王圖) 등이다. 이들을 주제별로 보면 고려시대에 정토신앙·밀교신앙 등이 유행하고 있었음과 무관하지 않았던 것이라 생각되고, 표현의 기법상에서 보면 정토사상·선사상의 영향을 간과할 수 없게 되는 것이라 생각된다. 왜냐하면 고려불화에 있어 정밀성·정제성 등은 정토사상의 내면화에 기인하고 구도상에 있어 공간성 및 여백의 의미를 남기는 것 등은 선종의 영향이라 생각되기 때문이다.

다른 한편 고려불화에 있어 정토교화(淨土敎畵)에는 고려 후기에 유행한 선정융합(禪淨融合)의 사상체계가 잘 반영되어 있어 이 점도 주목할 만한 일이라 하겠다. 즉 관경변상도(觀經變相圖)에 선종에서 강조하는 수기도(授記圖)가 묘사되어 있음이 그것을 말해주고 있기 때문이다.

4) 조선시대 불화의 새로운 전개

조선시대가 되면 초기에는 당분간 고려불화의 전통이 그대로 계승된다. 즉 명문을 남긴 조선시대 초기의 불화는 다소 그 필력이 쇠퇴하고 있는 듯하나 고려시대의 구도법과 섬세한 세부 묘사법을 그대로 답습하고 있는 작품의 예에서 그 추이를 알 수 있게 되거니와, 숭유억불 정책에 의한 조선불교의 새로운 전개는 불화면에 있어서 상당한 변화를 가져오게 한다.

조선시대의 불교는 사상적으로 보면 고려 후기에 유행했던 화엄사상, 선사상 등이 출가자를 중심으로 계승, 발전되고 있었던 것이라 하겠으나, 이들 사상이 대중적인 불교신앙의 문화화 내지 질적 향상에 기여하는 데는 한계성을 지니고 있었다. 따라서 조선시대의 불교신앙은 상층사회에서는 기반을 잃고, 일반 민중사회를 기반으로 하는 민속불교의 형태를 지니게 되었다. 즉 18세기에 이르면 『범음집(梵音集)』을 비롯한 많은 불교의식집이 간행되고 또 그와 같은 의식집은 한글로 번역되었는데 이는 한편으로는 불교의 민중화를 기하고자 하는데 목적이 있었던 것이라 할 수 있으나, 다른 한편으로는 불교가 다른 민간신앙적 요소를 다분히 수용하여 민속불교적 성격을 띠게 되었음이 그를 의미한다.

한편, 조선시대의 불화가 정토신앙・밀교신앙을 크게 반영하고 있음을 알 수 있는데, 이 중 정토신앙은 고려불화에서 보면 선종과의 융합이 엿보이나 조선불화에서는 밀교와의 결합이 엿보이는 것 등이 그와 같은 것이다. 예컨대 조선시대 불화에서 감로탱화와 같은 것이 성행한 것은 그 좋은 예라 할 수 있다. 감로탱화는 상단에 칠여래(七如來), 그 좌우에 인로왕보살도(引路王菩薩圖)와 관음(觀音)・지장도(地藏圖)를 묘사하여 정토와 정토인접래영(淨土引接來迎)의 모습을 묘사하고, 중단에 재의식단(齋儀式壇)과 그 앞에서 재의식(齋儀式)을 행하는 모습을, 그 하단에는 중심부의 아귀의 모습을 크게 묘사하고 그 주변에 육도의 중생상들을 묘사하고 있는데 육도중생상의 묘사가 시대상을 잘 반영하고 있어 최근에 와서 이 감로탱화에 대한 새로운 관심이 주목을 끌게 하고 있는 그림이다. 이 그림의 내용을 보면 하단은 악・세속세계를, 상단은 선・정토의 세계를 묘사하고, 중단에서는 재의식 관경을 묘사하고 있어 그 같은 도상의 구조적 의미는 재의식을 행한 공덕에 의하여 극락정토에 왕생할 수 있다는 권선징악적인 의미에 의한 정토교적 그림으로 보이지만 하단에 아귀의 모습을 크게 묘사하고 그 주변에 육도중생의 모습을 묘사하고 있음은 밀교의 『시아귀경(施餓鬼經)』 등에 의한 시아귀도(施餓鬼圖)의 성격을 지니고 있을 뿐 아니라 상단의 칠여래 또한 밀교경전에 의한 여래상임을 알 수 있게 된다. 그러나 다른 한편 상단의 인로왕보살과 관음・지장보살 등을 묘사하여 극락정토에의 접인래영(接引來迎)의 모습을 묘사하고 있음은 이 그림이 밀교와 정토교가 결합된 작품 성향을 보이고 있는 것이라 생각된다.

그리하여 조선시대의 불화는 고려 정토교화에서 볼 수 있는 정제성 등의 품격은 사라지고, 관경변상도(觀經變相圖) 등은 도식화 내지 속화(俗化)되는 경향을 나타낸다. 즉 조선시대에 유행하기 시작한 극락구품도(極樂九品圖)가 그와 같은 것인데 이는 정토교 경전이 설하고 있는 9품의 극락세계를 묘사한다는 의도에서 화면을 9구획으로 나누어 고려불화에서의 관경변상도(觀經變相圖)의 구도를 변형시키고, 이 9품도는 극락의 9품을 모두 묘사하지도 못하고 9구획으로 도식화한 관경변상도의 도식화 내지는 후퇴를 나타내고 있음이 그것이다. 그리고 이상과 같은 조선불교의 문화적 변용은 불화의 구도나 기법면에 있어서도 커다란 변화를 가져온다. 즉 고려불화의 구도에서 볼 수 있는 여백의 미 등은 사라지고 전 화폭을 꽉 메우는 구도법으로 퇴보한 기법을 대신하고 있다.

이처럼 조선시대의 불화는 고려불화에 비해 기법 등이 퇴보하고 예술성이 저하된 것이라 하겠으나 기층문화의 표출에 많은 기여를 했으리라 생각된다. 이는 유교사회에 있어 단절되기 쉬웠던 전통문화의 폭을 넓히고, 그 전승에 기여한 바가 큰 것이라 할 수 있다. 그리하여 18세기가 되면 이러한 전통문화를 바탕으로 조선불화의 새로운 화풍을 확립하기에 이르렀던 것으로 믿어진다. 그것은 17세기 후반에서 18세기 전반에 걸쳐 정비되기 시작한 『범음집(梵音集)』 등의 신앙의례집의 간행과 긴밀한 관계를 갖고 일어난 새로운 불교문화운동이었다는 데서 주목된다.

5) 한국불화의 전통성과 그 문화의 성격

불교는 인간주체의 발견과 그 주체에 의한 이상세계의 건설에 목표를 둔다. 여기서 불교미술이란 주체성을 나타낸 불상과 주체에 의해 건설된 이상세계까지 표현한 불화가 주류를 이루게 된다. 대승불교에 있어 가장 먼저 성립된 경전이 『반야경(般若經)』 계통이며, 그 다음으로 『무량수경(無量壽經)』이 성립되었다고 하는 사실은 이미 주지되어 온 사실이다. 그런데 이들 양자는 모두가 정토의 건립을 목표로 하지만 그 정토의 모습을 나타냄에 차이를 나타내고 있다는 데 주목할 필요가 있다. 즉, 『반야경(般若經)』에서 말하는 정토는 정토 국토의 준말이고, 『무량수경(無量壽經)』에서 말하는 정토는 극락정토의 준말이다. 이들을 범본(梵本)에서는 'parisudh', 'ukhavati'로 구분하고 있으나 한역하는 과정에서 그 구분을 확실히 하지 않는 '정토'로 표현하고 있다. 그런데 여기서 이들 양자를 구분하기 위해서는 대승경전의 구조가 어떻게 되어 있는가를 파악할 필요가 있다. 이를 한마디로 말하면 대승경전의 주인공은 보살이다. 그리고 그 보살이 서원을 세우고 그 서원을 성취하기 위한 수행을 계속한 이후 성불하여 부처가 되고 자신의 불국토(淨土)를 건설하여 그 정토에 중생을 제도하는 것으로 되어 있다.

『반야경(般若經)』 계통의 정토와 『무량수경(無量壽經)』 계통의 극락정토의 차이점이란 『반야경(般若經)』은 수행의 기간을 널리 설하고 그 결과 이룩된 정토의 모습에 대해서는 간단히 설하고 있는 반면, 『무량수경』은 보살의 수행을 간단히 설하여 응당 있었던 것으로 하고 그 결과 건설될 수 있었던 아미타의 정토에 대해 상세히 묘사하고 있다. 그리하여 아미타 관계의 경전은 불교미술을 발전시키는 데 큰 영향을 미치게 되었다. 따라서 이와 같은 『무량수경(無量壽經)』의 구조는 미륵경전(彌勒經典)·약사여래경전(藥師如來經典) 등에서도 영향을 미쳐 정토교적 불교미술의 발전에 크게 기여하게 되었다.

한편 밀교경전은 이 우주 자체가 곧 불(佛)이요, 불(佛)의 세계란 구조적 의미를 설하고 있어 여타의 대승경전과는 큰 차이를 보이지만 우리나라에서는 본격적인 밀교경전에 의한 불교미술이 발전하지 못하고 화엄사상이나 정토사상과의 연관관계에서 미술을 전개·발전시켜 나갔다는 특징을 지닌다.

이상에서 불교는 인간주체의 발견과 그 주체에 의한 이상세계의 건설에 목표를 둔다고 하였거니와 이를 다른 말로 하면 어떠한 보살정신에 철저할 수 있느냐 하는 것이라 할 수 있다. 따라서 한국의 불화는 어떤 보살정신이 발휘되고 있었느냐 하는데 대한 표출의 소산이라 할 수 있을 것이다. 그리하여 한국의 불화는 한국인에 의하여 발견된 인간주체가 어떤 것이었던가를 나타내고 있는 것이라 생각된다. 그리고 여기서 인간주체란 주체라고 하는 대상을 인식하는 방법과, 주체가 주체적으로 활동하게 하는 방법이 있었음을 알 수 있는데, 고려불화가 양자의 문화력을 동시에 지녔던 것이라면 조선시대의 불화는 전자에 치우쳐 있었던 것이라 믿어진다. 그것은 조선시대의 불화가 밀교적 경향을 지닌 불화가 많거나 아니면 밀교적 성격을 지닌 정토교화(淨土敎畵)가 성행하고 있었다는 데서 알 수 있기 때문이다.

다른 한편 한국의 불화는 교종 · 선종이라고 하는 불교의 방법론과 화엄사상 · 정토사상 · 밀교사상이라고 하는 불교사상을 나름대로 내면화하여, 그를 표출함에서 이룩된 것이다. 그리하여 한국의 불화에는 불교의 문화적 작용력과 불교의 문화적 척도 등이 잘 반영되어 있어 한국의 전통문화를 이해하는데 좋은 자료가 된다. 그것은 역사적으로 전개된 한국불화를 보면 주제 · 구도 · 색채 · 선의 묘사 등에 있어 많은 변화를 보이고 있는데 이는 각 시대에 따른 불교의 문화능력이 총체적으로 표현되고 있는 것이기 때문이다. 따라서 한국불화에 대한 연구는 그 양식 · 형식 등의 표현기법을 이해하는 일도 중요하지만 그와 같은 형식과 양식을 있게 한 주제에 대한 확실한 파악과 그와 연관된 갖가지 배경문제까지 아울러 이해하지 못하면 한국불화가 지니는 문화적 의미와 전통문화로서의 성격을 충분히 이해할 수 없게 될 것이다. 만약 그렇다고 한다면 새로운 한국불화의 발전적 바탕을 마련하는 데에도 미흡한 점이 많게 된다는 것을 불화 연구자는 명심할 필요가 있다고 생각한다. 요컨대 기술의 문제를 포함한 모든 문제가 시대에 따른 총체적 문화역량의 바탕 위에서 이해되어야 한다.

6) 맺음말

불화가 한국문화에 미친 영향은 어떤 것일까? 우선 한국의 불화가 불교적 이상세계를 표현함에 있어 산수적 요소를 많이 묘사하고 있다는 것은 조선시대에 발전하기 시작한 산수화의 전개와 무관한 것은 아니다. 한편 밀교화(密教畵)의 발달은 철저한 긍정주의를 심어준 것이라 하겠으나, 다른 한편 이로 인하여 채색의 감각을 일깨우는 데 기여하게 된 것이다. 왜냐하면 밀교는 선종처럼 채색의 세계를 부정하는 것이 아니라 총천연색의 우주적 본질에 접근해가는 것이기 때문이다. 그러나 다만 한국의 밀교화는 티베트의 〈만다라〉처럼 상징성을 발전시키지 못했다는 차이점을 지닌다. 이는 한국의 밀교가 만다라의 소의경전(所依經典)이 되는 『대일경(大日經)』·『금광정경(金光頂經)』 등을 철저히 수용하지 못한 탓도 있겠으나 한국미술사가 추구해온 자연주의적 경향의 추구와도 무관한 것이 아닌 것으로 생각된다.

세계적으로 불화문화의 전통이 오늘에 살아 있는 나라는 한국과 티베트뿐이다. 이들 양국의 불화는 다 같이 불교적 이상세계를 나타내고 그를 체험하려 한다는 공통점이 있다. 그러나 그 표현기법에 있어서 티베트의 〈만다라〉는 상징성이 발달하고, 한국의 불화는 구상성(具象性)이 강한 것이라는 차이점을 지닌다. 요컨대 한국과 티베트의 불화는 끊임없이 전통문화를 수용하면서 불교적 표현을 계속해온 문화적 소산이라는 데 주목할 필요가 있다.

12. 고려 불교미술의 흐름

1) 들어가는 말

고려시대 불교미술에 대한 올바른 이해를 위해서는 다음과 같은 몇 가지 사항을 먼저 알아둘 필요가 있다.

첫째, 고려시대는 어떤 사회였는지 아는 것이다. 이는 사회적 변화는 문화적 변화를 가져온다는 사실을 인식시켜 주기 때문이다.

둘째, 불교미술에 대한 이해는 불교에 대한 기본적 개념과 미술에 대한 기본적 이해 방법을 동시에 접근해보는 일이 필요하다. 왜냐하면 불교미술이란 일반미술과는 구분되는 개념이기 때문이다. 즉 불교미술은 단순한 아름다움의 대상이 아니라 불교적 신심(信心)을 불러일으킬 만큼 아름다운 것이기 때문이다.

셋째, 고려시대 불교미술의 흐름을 이해하기 위해서는 고려 전시대에 걸쳐 다양하게 전개된 불교 종파에 대한 개략적인 이해가 필요하다. 왜냐하면 같은 불교미술이라고 하더라도 종파적 개념이 다름에 따라 그 미술의 표현양식과 형식 기법 등이 각각 다르게 나타나고, 한편 고려시대의 불교미술은 이들을 종합적으로 파악, 표현하는 고도의 문화역량을 지니고 있었기에 고려시대 불교미술의 우수성을 오늘에 전할 수 있었다고 믿기 때문이다.

2) 고려 불교미술의 사회적 배경

첫째, 고려사회의 시작이 신라시대의 골품사회의 모순을 극복함에서 비롯되었음은 누구나 아는 사실이다. 그런데 이 같은 고려사회의 성격은 신라에 비하여 보다 개방적 사회를 지향하고 있었다는 사실에 주목할 필요가 있다.

둘째, 고려사회는 신라시대의 관념적인 교종(教宗) 중심의 불교를 선종(禪宗) 중심의 불교로 전환시킬 수 있었다는 데서 고려시대 불교문화의 시발점을 이해할 수 있게 된다. 즉 관념적인 교종의 불교를 실천적 관심에서의 선종불교로 전환시킬 수 있었고, 한편 그것은 불교의 생활문화를 발전시킬 수 있는 소지를 지니고 있어, 이 같은 사회적 배경은 불교미술을 발전시킬 수 있는 충분한 문화기반을 마련할 수 있었다는 것이다.

셋째, 고려사회는 주체성의 회복이라는 강한 자존심을 지니고 있었기에 중국의 여러 왕조를 통하여 외래문화를 수용하였지만 우리의 전통문화를 바탕으로 한 고려적 개성을 지닌 불교미술의 우수한 작품을 창작, 발전시킬 수 있었던 것이라 생각된다. 이상에서 보면 고려사회는 개방적이고 실천적인 사회였으며 강한 주체성을 지닌 사회였다고 할 수 있다. 이 같은 사회는 다양한 문화를 수용할 수 있는 토대가 마련되고 있었던 것이라 할 수 있다. 뿐만 아니라 나아가 다양한 문화를 수용, 발전시키되 이를 종합하는 문화역량을 길러 나갈 수 있는 총체적 문화역량을 지니고 있었던 사회였다고 할 수 있다. 그리하여 고려사회는 강한 주체성을 지니고 있었지만 아집에 빠지지 않고 다양한 문화역량을 포용하는 여유를 지니고 있었던 사회였다고 할 수 있다.

3) 불교미술의 이해방법

불교미술의 개념이 일반미술과는 다른 차이를 지니고 있으므로 이를 이해하는 방법에도 차이가 있다. 불교미술이라고 하더라도 그 교리의 해석에 따른 차이가 있을 수 있고 시대적 변천에 따른 문화적 차이가 있을 수 있으나, 우선 불교미술을 이해하는 데는 다음과 같은 공통적인 기본 입장을 알고 있어야만 한다.

첫째, 불교미술은 예배의 대상이다. 오늘의 불교미술을 논하는 입장에서 불교미술도 순수 감상의 대상으로서의 미술품이 될 수 있다고 하지만 적어도 고미술로 이해되는 불교미술은 예배의 대상이라는 사실을 잊어서는 안 된다.

둘째, 불교미술은 찬탄의 대상이 된다. 찬탄이란 스스로를 참회하고 예배의 대상을 심미적(審美的)인 감각으로 수용하는 자세가 필요하다는 것이다.

셋째, 불교미술은 관찰의 대상이 되어야 한다. 관찰이란 아미타여래가 극락정토를 아름답고 장엄하기 위해 백만 억 국토의 장엄의 모습을 모두 관찰하고 그 중에서 제일 아름다운 모습만을 골라 극락세계를 이룩했다는데 연유한다. 즉 불교미술은 불교적 아름다움을 관찰할 줄 아는 능력을 길러 나가야 한다는 것이다.

넷째, 불교미술은 작원(作願)의 대상이다. 작원이란 뚜렷한 목표가 있는 것임을 의미하지만, 그 목표란 중생을 모두 구제하기 전에는 결코 스스로 부처가 되지 않겠다고 하는 보살의 서원(誓願)을 의미한다.

다섯째, 불교미술은 회향(廻向)의 대상이 되어야 한다. 회향이란 성취한 목표를 어떻게 효과적으로 이용하느냐 하는 것이다. 그것은 말할 것도 없이 자기 자신만이 즐거움을 대상으로 삼을 것이 아니라 많은 중생을 보다 효과적으로 극락의 세계로 이끌게 해야 된다는 것이다.

이와 같이 불교미술은 예배의 대상이라는 대전제가 있어야 하지만 그것은 무조건 예배의 대상이 되는 것이 아니라 스스로를 참회함에 의하여 찬탄의 대상을 발견할 수 있게 되고, 나아가 그 같은 안목을 더욱 확대하여 관찰의 힘을 충분히 발휘함에 의해 고통의 세계가 아닌 즐거움의 극치로서의 아름다움의 세계를 발견하게 된다는 것이다. 그런데 그 아름다움의 세계는 자신만을 즐겁게 하는 것이 아니라 뭇 중생을 모두 즐겁게 해야 한다는 큰 목표하에 이루어진 것이다. 그러기에 만인에게 시공(時空)을 초월하여 아름다움의 대상이 될 수 있다. 그리하여 불교미술은 뭇 중생을 모두 즐거운 아름다움의 세계로 끌 수 있는 양식과 형식을 지니게 되고 그 기법 또한 이상의 다섯 가지 조건을 충족시킴에 의해 고려불교미술에서 볼 수 있는 아름다움의 극치를 우리는 접할 수 있게 된다.

4) 고려 불교미술의 흐름

고려 불교미술의 흐름, 즉 그 역사적 변천은 고려 불교문화의 역사적 변천과 그 궤를 같이 한다. 우선 고려 초기 불교미술은 그 자료가 거대한 석불과 철불 등에 제한되어 있지만 이들 고려 초기의 불상은 당시 고려 불교미술의 성격을 잘 반영하고 있어 주목된다. 거대하기만한 석불, 거기서 우리는 석굴암에서 볼 수 있는 바와 같은 자연주의적 아름다움의 극치를 한 치도 찾아볼 수 없다. 이와 같은 불상의 양식을 놓고 흔히 말하기를 의욕은 앞서고 기술이 따르지 못한 고려 조각의 쇠퇴론을 펴기도 한다.

한편 눈꼬리가 올라가고 얼굴 모습이 비틀어지거나 입을 조그맣게 다문 철불의 양식에서 자료의 전환에 의한 불상양식의 정착이 아직 성숙되지 못한 시기의 불상들이라 하여 역시 고려 조각예술의 쇠퇴론을 야기하고 있음을 본다. 이 같은 주장들은 적어도 그 외형적인 양식만 가지고 보면 그와 같은 주장이 있을 수 있다. 그러나 다른 한편 이들 불상들이 조성된 고려 초기는 선종(禪宗)적 문화바탕에 의해 사회적 전환이 이룩되고 있었다는 사회적·문화적 배경을 도외시하고 생각할 수 없다는 엄연한 사실을 주목해야 한다.

즉 고려 초기의 불상은 종래의 사회적 틀에서 벗어나고자 하는 사회적 몸부림을 선종(禪宗)적 문화양식을 빌려 표현하고 있다는 것이다. 이는 사회적 전환의식의 반영이며, 그 문화적 기반이었던 선문화(禪文化)의 양식화가 이루어지고 있었던 것이다. 선종적 문화양식 그것은 기본 틀에서 벗어나는 것이며 기존의 표현양식을 극복하는 데서 그 문화적 의미를 찾아볼 수 있기 때문이다. 그러나 이와 같은 고려 초기의 개혁적, 선종적(禪宗的) 문화기반은 다시 다양한 문화를 융합해 나가는 사회적 분위기가 고조되면서 신라적 문화전통까지 계승하는 새로운 문화양식을 낳게 된다.

중반 이후 나타나기 시작한 고려적 자연주의 양식의 불상과 화려한 장식의 밀교적 불상이 출현하게 되는 것이 그것을 뜻한다. 뿐만 아니라 후반기에 나타나는 고려불화에 있어 아름다움의 극치를 나타내는 표현기법 등도 이상과 같은 문화기반을 배경으로 하고 있다는 사실을 잊어서는 안 된다. 이와 같은 사실은 고려청자의 전개, 발전상에서도 잘 반영되고 있다는 사실에 주목해야 한다. 다양한 문화를 전개시키면서 이를 융합해 나간 고려 후기의 불교미술을 보면 정토교문화(淨土敎文化)·밀교문화(密敎文化)·선문화(禪文化) 등을 중점적으로 융합하면서 전개시켜 나간 것으로 생각된다. 정교하고 섬세한 기법의 문화양식은 정토교적 문화기반의 산물이라 할 수 있다. 즉 차안(此岸)을 부정하고 피안(彼岸)을 동경하는 정토교미술은 정제성(整齊性)과 정밀성을 필수 조건으로 하고 있음이 그것이다.

한편 화려한 장식과 찬란한 채색에 의한 표현기법은 밀교적 문화양식이다. 왜냐하면 밀교는 철저한 긍정주의적 입장을 취하여 우주적 현상계의 하나하나를 부처로 보고 신비적 상징주의가 발달함에 의하여 다양한 장식적 기법과 호화로운 채색의 향연을 연출하게 되는 것이다. 또한 대담한 생략과 간략화의 문화양식 그것은 선종문화의 영향이다. 고려불화를 조선불화와의 비교에서 보면, 도상의 간략화를 지적할 수 있음이 그것이며, 뿐만 아니라 고려 후기에는 수묵(水墨)에 의한 선화(禪畵)의 발전적 계기가 마련되고 있었음도 그것을 말해주기 때문이다. 그리고 이 같은 선화는 고려 후기 문인들에 의한 문인화의 발전적 계기를 마련하고 있었다는 사실도 주목할 필요가 있다.

5) 맺음말

고려사회는 무척 개방적인 사회였다. 그리하여 다양한 문화를 전개시켜 나갔다는 특징이 지적된다. 고려미술품에 있어 다양한 유형과 표현기법 등이 그것을 잘 말해주고 있다. 그러나 다른 한편 고려사회는 강한 주체성을 지니고 있었다. 그리하여 고려문화는 전통을 바탕으로 한 융합의 문화가 발달할 수 있었다. 고려불화에 있어 정토교적 요소를 바탕으로 하면서도 밀교적·선종적 문화양식을 융합적으로 수용하고 있음이 그것이다.

한편 화려하고 섬세한 고려미술품의 표현기법에 대해 고려 귀족문화로 쉽게 규정짓고 있다. 다른 한편에서 보면 고려미술품은 불교문화로 규정지어야 타당하리라 본다. 왜냐하면 고려청자를 포함한 고려 미술품은 불교적 요소가 너무 강렬하기 때문이다. 그것이 비록 귀족계층에 의해 주도된 문화적 소산이라 할지라도 고려사회는 불교의 대중화에 많은 노력을 경주하고 있었기에 귀족층의 주도 하에 제작된 미술품이라 할지라도 그 향유는 일반대중에게도 미치고 있었다고 보기에 이들을 귀족문화라고만 하기에는 많은 여운을 남긴다. 그리하여 고려의 미술품은 불교문화라 규정하여도 무방하리라 생각한다. 그것은 귀족문화라는 개념보다는 더욱 많은 역사적 의미를 포함할 수 있게 되리라 본다. 곁들여 부연한다면 신라시대의 불교문화는 미지의 불교문화를 탐색하는 시기였기에 그 성과가 역사적으로 두드러지게 나타나고 있었던 것이라면 조선시대의 불교문화는 배불(排佛)의 사회에서 그를 지키려는 노력이 있었기에 그 성격이 역사적으로 두드러지게 나타나고 있었던 것이다.

그러나 고려시대의 불교문화는 그것이 곧 생활이요, 생활과 더불어 있었기에 그 중요성이 평범화되어 역사적으로 그 문화의 우수한 성격 규정을 하지 못하고 있었다. 하지만 〈고려국보대전〉을 통하여 고려문화에 대한 우수성의 새로운 인식의 전환을 가져오게 되었다는 데 그 역사적 의의를 자리매김할 수 있게 되는 것이다.

13. 고려 불교미술의 특징과 이해

1) 들어가는 말

고려불화(高麗佛畵)는 몇 가지 일반적인 양식적 특징을 지니는데, 여래상(如

來像)의 적색가사(赤色袈裟)와 그에 시문(施文)된 금색의 원문(圓文)을 비롯하여 금니(金泥)를 많이 사용한 세부묘사의 정밀성 등이 그것이다. 이 같은 양식적인 특징을 지닌 불화를 송화(宋畵) 내지 원화(元畵)로 이해하려는 경향이 강했으나 이 같은 양식의 불화 등에는 고려불화임을 입증하는 명문(銘文)이 전하고 있어 고려불화의 양식을 파악할 수 있게 된 것은 많이 알려진 일이다. 이 같은 불화가 명문이 없었다고 한다면 고려불화가 아닌 송화나 조선시대의 불화로 오인되었을 가능성이 충분한 불화이다. 그런데 여기서 주의해야 할 것은 전자의 경우에는 명문불화(銘文佛畵)와 같은 양식의 불화는 모두 고려불화로 이해하면서도 후자의 경우에는 명문불화와 같은 양식의 불화가 있어도 이를 고려불화로 이해하지 않고 있다는 사실이다. 그리하여 여기서 고려불화의 양식적 분류를 필요로 하게 된다.

아미타삼존도, 호암미술관

다른 한편 고려불화는 몇 가지 형식이 있음을 알 수 있다. 독존도(獨尊圖), 삼존도(三尊圖), 구존도(九尊圖) 등과 관경변상(觀經變相) 등의 변상도 형식이 그와 같은 것이다. 현존 고려불화의 주제는 아미타(阿彌陀)〉의 정토(淨土), 미륵정토(彌勒淨土), 관음정토(觀音淨土), 지장시왕(地藏十王)의 세계(世界) 등이나 이중에서 아미타의 정토세계를 주제로 한 불화가 가장 많고 이들 아미타 관계의 불화는 다시 여러 형식으로 분류되고 있음을 알 수 있다.그런데 이와 같은 불화에 있어 형식의 차이는 또한 고려불화의 한 특징으로 지적된다.

고려불화의 대부분이 일본에 전하고 그 연구는 일본에서 비롯되었다. 그 결과 지금까지 국적 미상의 불화 또는 중국불화로 알려지고 있던 불화들이 많이 고려불화로 판명되었다. 그러나 아직도 분명히 고려시대나 조선시대의 한국불화임에도 불구하고 송(宋), 원화(元畵)나 명화(明畵)로 알려지고 있는 불화들이 상당수 있음을 몇 차례의 재일한국불화의 조사에서 알 수 있게 되었다. 현재 일본에 전하는 불화들을 보면 일본불화 외에 한국불화와 중국불화가 전한다. 이들 삼국의 불화는 다 같이 불교문화권에서 서로 문화교류를 하면서 제작된 것들이어서 도상(圖像)이나 구도면(構圖面)에서 공통적인 기반을 지니게 되었으나, 불교사상 내지 신앙형태의 전개양상이 다르고 문화적 전통이 다름에 따라서 표현양식이나 형식이 다르게 나타나게 되었다. 그리하여 한국, 일본, 중국의 불화는 불교라고 하는 공통의 기반 위에 성립된 것이지만 문화적 풍토가 다름에 따라서 각기 다른 불화의 형식과 양식을 낳게 되어 그 구분이 있게 된다는 것은 필연적인 사실이다. 그런데 일본에 전하는 한국의 불화와 중국의 불화가 많이 혼동되고 있다는 사실을 재일한국불화의 조사를 통하여 알 수 있게 되었다. 즉 그것은 한국불화와 중국불화의 양식과 형식에 대한 비교연구가 되어 있지 않다는데 연유하는 것이지만 한국불화를 중국불화로 쉽게 속단하게 되는 것에는 한국불화의 화기(畵記)에 중국연호가 사용되고 있음에 기인하는 것임을 현지 조사를 통하여 쉽게 알 수 있었다.

예컨대 송대의 연호(年號)가 쓰이면 송화(宋畵), 명대의 연호가 쓰이면 명화(明畵)로 이해하고 있음이 그와 같은 것이다. 따라서 본고에서는 기왕의 고려불화에 대한 연구업적의 축적에 의해 중국불화로 잘못 알려진 불화 중에서 고려시대나 조선시대의 한국불화로 밝혀진 것들이 증가되고 있으나 아직도 기명(記銘)이 없는 불화에서 확실한 판단이 서지 않을 때는 별다른 연구 성과의 토대 없이 중국불화로 취급하려는 경향이 강한 것이라 생각되어 한국불화가 갖는 몇 가지 특징적 요소에 주목해 보고자 한다. 하지만 이 일은 쉬운 것이 아니어서 중국불화는 물론 일본불화와의 비교연구도 있어야 한다. 지금까지 필자가 연구해온 한국불화에 대한 연구업적을 토대로 시론적(試論的) 방안을 제시함이 본 연구의 의도임을 밝혀둔다.

2) 고려불화의 주제와 그 표현기법

한국불화의 주제는 한국불화의 신앙양상이 어떻게 전개되느냐 하는 문제와 깊은 상관관계를 갖는다. 그것은 오늘날에도 한국의 불화는 오늘날 한국불화의 신앙형태와 상관관계를 갖고 신앙의 대상이 되고 있음을 쉽게 파악할 수 있기 때문이다. 전통적인 한국불교신앙의 형태를 보면 화엄신앙(華嚴信仰)·정토신앙(淨土信仰)·법화신앙(法華信仰)·진언밀교신앙(眞言密教信仰)·미륵신앙(彌勒信仰) 등이 주류를 이루어왔다. 그러나 이 같은 제종의 신앙형태는 당시대를 끌어온 불교사상의 영향이 어떤 것이었느냐에 따라 신앙의 대상이 되는 불화의 표현법이 달라지고 있다는데 주목할 필요가 있다. 예컨대 고려시대의 정토신앙은 선사상(禪思想)의 영향을 받아 그 신앙의 대상이 되는 고려불화에 있어 정토교화(淨土教畵)는 선종적 영향에서의 표현기법이 강조되고 있다. 조선시대의 정토신앙은 밀교사상의 영향을 받고 있음에서 그 신앙의 대상이 되는 조선시대의 정토교화(淨土教畵)는 밀교적 영향의 표현기법이 강조되고 있는 것 등이 그와 같은 것이라 할 수 있다.

고려시대의 관음화(觀音畵)는 정토의 표현이 강조되는 정토교적 관음화(觀音畵)의 표현기법이 큰 비중을 차지하고 있는 것에 반해, 조선시대의 관음화는 밀교적 영향이 큰 것임을 살필 수 있게 되는 것도 그와 같은 것이라 할 수 있다. 이외에도 문헌상으로 보면 고려시대의 불교신앙은 화엄신앙, 밀교신앙, 미륵신앙 등도 성행했음을 알 수 있다. 그러나 오늘에 전하는 고려불화의 자료에서 보면 이들 불교신앙이 주가 된 불화는 찾아볼 수 없고 간접적인 영향을 찾아볼 수 있을 따름이다. 현재 고려불화의 자료에서 보면 아미타의 정토신앙이 주류를 이루고 뒤이어 관음신앙(觀音信仰)·지장시왕신앙(地藏十王信仰)·미륵신앙(彌勒信仰) 등이 있었음을 알 수 있다. 그러나 다른 한편 관음화에 있어서도 관음의 정토를 표현하는 데 주목하고 있었으며 지장시왕신앙도 정토왕생신앙(淨土往生信仰)과 연결된 신앙형태를 지니고 있었다면 이것도 정토신앙과 무관한 것이 아니다. 또한 미륵신앙도 신라 이래의 다른 형태의 정토신앙으로 신앙되고 있었다면 오늘에 전하는 고려불화의 대전제가 되는 주제는 정토신앙이었다고 하여도 무방하리라 생각된다.

이렇게 고려불화의 대전제로서의 주제가 정토신앙이었다고 한다면 그 표현기법도 정토교 미술의 표현기법을 쓰고 있었던 것이라 생각되어 이 점을 간과할 수 없게 된다. 왜냐하면 정토교적 미술의 표현기법은 다른 불교미술에 비하여 강한 특징적 요소를 지니고 있기 때문이다. 고려불화에 있어 정밀성, 장식미의 표현 등이 그 양식적 특징으로 지적된다고 함은 이에 널리 알려진 바이지만 다른 한편 이와 같은 양식적 특징과 표현기법이 고려 후기사회가 요구하고 있던 문화적 욕구였다면 그 배경에는 정토교적 신앙심의 간절한 욕구가 있었던 것이라 생각된다. 왜냐하면 불화의 제작은 불화를 제작하고자 하는 간절한 신앙심이 문화역량으로 연결될 때, 그 결과로서 한 양식과 형식이 성립되는 것이라 믿기 때문이다. 그렇다면 고려 후기사회에 있어 불화제작을 담당할 수 있었던 문화역량은 어떤 것인가를 생각하지 않으면 안 된다. 그것은 몇 가지 추정이 가능하리라 본다.

첫째, 고려 전기사회에 있어 송나라와 교류하면서 송나라 불화의 기법을 수용한 문화역량으로서의 전통이 계승되고 있었던 것이라 생각된다.

둘째, 후기사회에 접어들면서 원나라 불화의 기법도 수용되었을 가능성은 충분히 추찰(推察)된다.

셋째, 고려 후기사회의 불교문화의 추진능력은 선종과 교종이 융합하는 것이었으나 선종이 중심이 된 선교(禪敎)의 융합이었고 이때의 교종은 천태종이 주류를 이루었으나 이 시기의 천태종은 정토신앙을 중시하여 결국 고려 후기사회에 있어 선종(禪宗)의 융합은 선정(禪淨)의 융합이었음이 입증된다. 따라서 고려 후기 불교문화의 추진능력은 선정(禪淨) 융합의 문화였다.

이상에서 보면 오늘에 전하는 고려불화를 제작할 수 있었던 문화능력은 선정(禪淨) 융합이라고 하는 불교문화의 기반 위에 송나라 불화의 기법과 원나라 불화의 기법을 수용하는 문화능력이었다고 생각된다. 오늘에 전하는 고려불화의 대전제로서의 주제가 정토교이나 양식상의 기법에서 선종적 영향을 배제할 수 없고, 또한 선화적인 성격을 지닌 고려시대의 나한도가 몇 점 전하고 있다는 사실은 고려불화의 문화적 기반이 정토교와 선종에 있었음을 전하고 있는 것이라 생각된다. 한편 이와 같은 고려불화에 대한 종교적·문화적 욕구를 충족시킴에 있어서는 송화, 원화의 영향도 지대하였음을 간과할 수 없다. 이 문제는 현재 일본에 전하는 송나라 불화, 원나라 불화들에서도 고려불화로서의 존재를 파악할 수 있게 될 것으로 믿는다.

3) 고려불화의 양식적 특색과 그 유형

고려불화의 양식문제에 대해서는 그동안 많은 연구업적이 축적되어 왔다고 할 수 있다. 왜냐하면 그 같은 고려불화의 양식연구에 의하여 고려불화의 존재가 비로소 확립된 것이라 할 수 있기 때문이다. 그러나 고려불화의 형식

문제는 아직까지 별다른 연구가 없었다. 미술사 연구에 있어 형식과 양식의 문제는 흔히 혼동되는 경우도 있는 것 같으나 형식은 형태상·구조상의 문제를 대상으로 하는 데 반하여 양식이란 표현기법상의 문제를 대상으로 하는 것이라는 데 상당한 차이점을 지닌다. 그런데 미술사의 연구에 있어 형식의 문제가 중요시되는 것은 형식 자체의 변천이 갖는 미술사적 의의도 간과할 수 없는 것이겠으나, 형식이 다름에 따라 양식의 차이를 초래하는 경우가 많다고 생각하기 때문이다.

고려불화에 대한 일반적인 형식은 독존형식(獨尊形式), 삼존형식(三尊形式), 구존형식(九尊形式), 변상형식(變相形式) 등이 있다고 함은 앞에서도 잠깐 언급한 바 있으나 여기서는 고려불화의 일반 형식 중 구체적인 형식 분류가 가능한 변상형식과 삼존형식을 대상으로 형식 분류를 해보고, 이렇게 분류되는 형식의 사이에 따른 양식상의 문제가 어떻게 나타나는 것인가를 살펴보고자 한다. 그리고 이와 같은 형식의 고려불화가 후대에는 어떤 형식의 불화로 전개되고 있는가도 아울러 살펴보고자 한다.

(1) 변상형식과 그 양식적 특색

고려의 변상도는 관경변상도(觀經變相圖)와 미륵하생경변상도(彌勒下生經變相圖) 등이 있으나 여기서는 관경변상도만을 그 대상으로 하고자 한다. 관경변상도란 『관무량수경(無量壽經)』을 소의경전(所依經典)으로 하는 변상도이다. 이와 같은 관경변상도를 가장 많이 소장하고 있는 일본의 경우, 관경변상이란 『관무량수경』을 소의경전으로 했지만 당(唐)의 선도(善導)대사의 해석에 의한 『관경사첩소(觀經四帖疏)』에 충실하게 따른 그림이 많다. 여기서 보면 관경변상은 내진부(內陣部, 玄義分)와 외진(外陣)의 3변으로 나누어 서분의(序分義), 정선의(定善義), 산선의(散善義)를 배치하는 형식을 취하고 있음을 알 수 있다.

이 같은 관경변상의 형식은 돈황화(敦煌畵)에서도 살필 수 있어 일본의 관경변상은 중국불화에서 그 형식을 취한 것임을 쉽게 알 수 있다. 그러나 고려시대의 관경변상은 이상과 같은 일본이나 중국의 관경변상과는 상당한 차이가 있다는데서 고려불화로서의 특징적 요소를 살필 수 있게 된다.

고려의 관경변상은 우선 서분의(序分義)의 그림과 16관(觀)의 그림을 따로 나누어 도솔하고 있다는 데 큰 차이점이 발견된다. 즉 현존 고려시대의 관경변상은 4점이 전하지만 이 중 2점은 서분의를 도설한 그림이고 2점은 16관 부분을 도설한 그림으로 판명되고 있다. 그것은 어쩌면 정토교적 신심을 일으킨 연원이 되었던 서분의에 대한 관심이 고려인들에게는 특별히 비추어졌기 때문인지도 모른다. 다른 한편 고려의 관경변상은 일본이나 돈황(敦煌)의 관경변상에서 볼 수 있는 바와 같이 도설의 하변에 산선의(散善義)의 구품왕생에 있어 내영도(來迎圖)가 도설되지 않고 있다는 점이 주목된다. 즉 고려의 관경변상은 16관변상(變相)과 서분변상(變相)으로 나누어지지만 16관변상 중에서도 산선의(散善義)에 있어 왕생인에 대한 내영도가 중요시되지 않고 있으며 산선의(散善義)의 구품왕생도 2점의 고려 16관변상이 각기 그 형식을 달리하고 있어 그 도상적 계보가 주목된다. 이 같은 서분의를 별설한 고려의 16관변상과 같은 도설은 13세기 남송(南宋) 작으로 알려진 경도(京都) 장향사(長香寺) 16관변상이 주목된다. 이 그림은 서복사(西福寺) 소장의 고려 16관변상과 같은 형식의 그림으로 이해되어 고려관경변상의 송화적 영향이 추출되기 때문이다. 즉 장향사(長香寺)의 관경 16관변상은 중앙상부 제일관의 일륜(日輪)을 우측에는 2관에서 7관까지, 좌측에는 8관에서 13관까지 구획 안에 넣어 배열하고 중앙부는 산선의의 14·15·16관을 배치하고 있는데 여기에 각각 보루각(寶樓閣), 연지(蓮池) 등을 묘사하고 연지에는 다시 연화탁생(蓮華托生)의 삼배(三輩)를 묘사는 것은 그 형식과 양식이 같은 계보에 의한 것임을 알 수 있다.

관경변상도, 서복사

도설은 북송(宋)의 정토교가인 대지율사(大智律師) 원조(元照, 1048~1116)의 『관무량수경의소(觀無量壽經義疏)』에 의한 것이라 전하고 이와 같은 관경 16관변상이 송대(宋代)에는 성행했다고 한다. 다른 한편 이와 같은 관경 16관변상도는 가마구라시대(13C)의 나라 아미타사(阿彌陀寺) 소장의 관경 16관경변상에서도 그 작례(作例)를 볼 수 있어, 이 시기 관경변상의 한 형식적 특징으로 이해된다. 오늘에 전하는 고려시대의 관경 16변상은 모두가 16관변상이라 했지만 이상에서 살핀 13세기의 남송(宋)본 관경 16관변상과 그 형식의 계통이 같은 것은 서복사(西福寺)의 관경 16관변상이다. 즉 그 형식적 특징이 중앙상부에 제일관, 우측에 2~7관, 좌측에 8~13관을 배열하고, 중앙에는 산선의(散善義)인 14~16관을 나타내고 있으나 보루각(寶樓閣)과 연지(蓮池), 연화탁생(蓮華托生)의 삼배생(三輩生)을 묘사하고 있다. 그러나 서복사의 변상은 세부의 표현기법에서 상당한 차이를 보여 고려불화로서 다음과 같은 양식적 특징이 추찰된다.

첫째, 중앙의 삼배관상방(三輩觀上方), 일륜관하방(日輪觀下方) 사이에 관경사첩소(觀經四帖疏)에 대한 관경변상의 내진부(內陣部)에 해당하는 안락세계불회도, 즉 극락세계를 묘사하고 있다. 이는 남송시대의 장향사본과 그를 묘사한 것으로 알려진 나라의 아미타사본이 중앙상방에 일륜관(日輪觀)을 사이에 두고 좌우에 관경 서분의(序分義)의 흠정연(欽淨緣)과 화전서(化前序)를 배열하고 있는 점과 다르다.

둘째, 좌우에 배열한 2관에서 13관까지의 도설을 각각 원 속에 배열하고 있음은 장향사본의 남송화 등과는 다르다. 즉 장향사본 등은 4각의 구획 안에 2관에서 13관까지를 배열하고 있기 때문이다.

셋째, 최하방의 연지 좌우에 아미타삼존이 왕생인에게 수기(授記)를 주는 장면을 묘사하고 있음이 특이하다. 이 같은 기법은 다른 어떤 관경변상도에서도 찾아볼 수 없기 때문이다.

넷째, 도설의 상하에 극락의 보수(寶樹)를 정밀하게 묘사하고 있음이 특이하다. 상방의 보수(寶樹)는 상부를 묘사하고 하방의 보수는 하부만 묘사하여 전체 중앙부 도설의 입체감을 살리려고 한 것에서 최하부의 효과를 나타낸 표현기법이라 할 수 있다. 뿐만 아니라 보수의 표현법이 대단히 정밀성을 지녀 경전에서 밝히고 있는 "근(根)・간(幹)・지(枝)・조(條)・엽(葉)・화(花)・과(果)・실(實)로 되어 있고 이들은 서로 어울려 다른 빛을 내고 서로 어울려 장엄을 이룬다"함을 잘 표현하고 있는 것으로 생각된다.

다섯째, 부채법(賦彩法)을 보면 적색을 많이 쓰고 있다는 특징을 지닌다.

이상에서 보면 서복사의 관경 16관변상은 13세기 남송불화의 도상에서 그 형식을 취하였으나 고려적인 표현기법으로 제작된 불화로 보인다. 따라서 이 그림은 그 연대를 14세기로 보는 경우도 있으나 더욱 연대를 올려 13세기 남송계의 고려불화로 보아도 무방하리라 생각된다. 그러면 이상과 같은 서복사 관경16관변상의 양식적 특징이 갖는 의미는 무엇일까. 그것은 다음의 몇 가지 사실이 주목된다.

첫째, 상방의 안락세계불회도에서 보면 무량수경의 뜻을 많이 수용하고 있는 것이라 생각된다. 왜냐하면 이들 회중의 성중(聖衆)은 명문을 남기고 있는데 이들은 모두가 무량수경소설(無量壽經所說)의 성중이기 때문이다.

둘째, 선종적 영향이 추찰된다. 최하방 연지 좌우의 수설장면을 묘사한 표현기법이 그러하고 도설 좌우에 정선의(定善義) 2관에서 13관까지를 묘사하면서 원 내부에 묘사하고 있음도 선종의 십우도(十牛圖)에서 살필 수 있는 선종적 발상으로 생각되기 때문이다.

서복사의 관경 16관변상에서 보면 이 시기의 정토신앙은 무량수경의 영향이 강하였고 다른 한편 선종적 영향이 강한데서 이와 같은 양식을 형성할 수 있었던 것이다. 그리고 이 그림의 형식은 남송불화의 형식을 취하고 있는 것이라 하겠으며 따라서 지은원(知恩院) 지치(至治) 3년(1323)의 관경변상보다 선행한 양식을 지니고 있는 것이라 믿는다. 그러면 다음에는 지은원(知恩院) 소장의 지치 3년의 관경변상의 형식과 양식은 어떤 것인가를 살펴보기로 하자.

이 그림도 언뜻 보면 서복사의 관경 16관변상과 같은 형식의 그림으로 보인다. 왜냐하면 중앙부 상방에 일륜관(日輪觀)이 있고, 이어 하방으로 보수(寶樹), 삼배관(觀)으로 보이는 삼전(三殿)의 그림이 중앙부분에 묘사되어 있고, 좌우에는 정선의(定善義)의 묘사는 아니나 구획을 이루는 기하학적 묘사법이 서복사의 구도와 흡사하기 때문이다. 그러나 자세히 보면 이 그림은 서복사 그림의 형식과는 전혀 다른 것임을 알 수 있다. 즉 지은원의 지치(至治) 3년명 관경변상은 좌우 외연부의 도설이 없어 언뜻 보아서는 관경변상이 아닌 아미타정토변(阿彌陀淨土變)처럼 보인다. 그러나 구체적인 내용을 살피면 관무량수경의 서분의(序分義)는 도설하지 않았으나 정선의(定善義)나 산선의(散善義)의 16관은 어느 관경변상보다 경의(經意)를 잘 표현하는 묘사법을 쓰고 있다. 그러나 이 지은원의 관경 16관변상은 정선의(定善義)의 관상도를 배열하는 구도법이 달라 서복사의 것과 그 형식이 다른 것임을 알 수 있다.

이 그림에서는 정선의의 2관에서 13관까지를 좌우의 외변에 도설하는 것이 아니라 중심부에 알맞게 배열하여 그로 하여금 극락정토의 모습을 나타내게 하는 구도법을 쓰고 있음이 그와 같은 것이다. 즉 이 그림에서는 16관의 경의를 나타내되 이를 하나의 정토의 광경으로 보이도록 함과 동시에 다른 한편에서는 관경변상이 아닌 아미타정토변의 형식을 취하는 것같이 하였다. 이를 서복사의 것과 비교하면 서복사의 것은 무량수경을 중심한 아미타정토변(阿彌陀淨土變)의 바탕 위에 관경변상을 취한 것이라면 지은원(知恩院)의 것은 관무량수경소설(無量壽經所說)에 충실히 따르되 각 관상도를 따로 도설하지 않고 하나의 복합적인 광경으로 보이게 함으로써 결국 관경변상이 아닌 아미타

정토변의 양식을 취하게 하였다는 것이다.

다시 말하면 지은원 그림의 도설을 보면 서복사(西福寺)의 것처럼 무량수경의 뜻을 묘사한 듯한 부분은 별로 찾아볼 수 없지만 전체적인 형식이 아미타정토변으로 보이게 한 양식을 취하였는데 그 특징을 찾아볼 수 있다는 것이다. 예컨대 관무량수경소설의 보지(寶池) 등은 기하학적으로 배치하여 부감도적(俯瞰圖的)으로 묘사하였고, 기타 불상(佛像), 보루각(寶樓閣), 보수(寶樹) 등은 평면상에 투영하여 묘사했는데 이 같은 양식은 아미타정토변에서 일반적으로 찾아볼 수 있는 투시법적인 구도와도 달라 회도의 도법에 통하는 바라 하겠다. 그리고 전체적으로 스스로가 아미타정토의 모습을 나타냄과 동시에 16관변상에서 볼 수 있는 도설이 각각 부분적으로 정리되어 명료하게 볼 수 있도록 의도함으로써 이와 같은 양식이 성립된 것이 아닌가 생각된다.

이 같은 지은원 관경 16관변상의 각 부분 묘사는 관무량수경의 경의(經意)에 충실을 기하였으나 제회상(諸繪像)을 엄밀히 좌우대칭적으로 혹은 규칙적으로 배치하여 연지(蓮池), 보루각(寶樓閣) 등의 직선적인 윤곽이 현저하여 설명적인 그림으로서는 충분하지만 정운(情韻)에서는 불충분한 데가 있는 것이라 하겠다. 이에 비하여 서복사의 것은 그 묘사법이 덜 도식적이어서 정운이 감도는 바가 있는 것이라 할 수 있다. 이상에서 지은원 관경16관변상의 형식과 양식적 특징을 서복사의 것과 비교하면서 살펴보았으나 그 이외에도 서복사의 것과 비교하면 다음과 같은 몇 가지 사실이 지적된다.

첫째, 지은원의 변상에서는 수기도(授記圖) 등의 선종적(禪宗的) 요소가 발견되지만 그 의미가 축소되어 있다. 이는 모르기는 하지만 지은원 시기의 변상에 오면 수기도(授記圖)는 따로 도설되는 경향이 생겨 의미축소가 되고 있었던 것이라 생각된다. 왜냐하면 현존 고려불화에는 지은원변상과 같은 양식으로 이해되는 수기도(授記圖)로 보이는 그림이 몇 점 전해지고 있기 때문이다.

둘째, 부채법(賦彩法)에서 보면 서복사의 것은 적색을 많이 쓰고 있는데 반하여 여기서는 녹청(綠靑)을 현저하게 많이 쓰고 있다. 삼점(三点)도 한 특징으로 지적된다. 이는 모르기는 하지만 원나라의 관계에서 오는 부채법(賦彩法)의 영향이 아닌가 생각된다.

지금까지 살펴본 것처럼 현존하는 고려시대의 관경변상은 관경 16관변상의 형식을 지닌 것임을 알 수 있다. 따라서 서분의(序分義)는 따로 도설하는 형식을 지니는 것임을 현존 서분변상이 잘 말해주고 있다. 이와 같은 16관변상의 형식은 남송의 16관변상에서 그 도상을 취한 것이라 생각되나 서복사의 도상은 고려의 양식적 특징을 정립하고 있고 지은원의 것은 서복사의 것을 바탕으로 하여 새로운 형식의 전개와 그에 따르는 양식의 변화가 있었던 것으로 생각된다. 이상과 같은 2가지 형식에 의한 고려시대의 관경변상이 이후 한국 정토교화의 두 계통의 계보를 이루고 있다는데 주목해야 한다.

즉 그 하나는 서복사의 16관변상에서 점차 16관상 부분이 생략되어서 상방의 극락세계불회도 부분과 하방의 수기도(授記圖) 부분만 도설하다가 급기야는 극락세계의 불회도인 아미타회상도로 전개된다. 예컨대 나라(奈良) 법륜사(法輪寺)의 조선시대(15C)의 아미타정토도(阿彌陀淨土圖), 조선시대인 1582년경의 카가와(香川) 내영사(來迎寺)의 아미타정토도, 그리고 18세기 이후 작으로 오늘의 한국에 전하는 아미타회상도가 모두 그러한 것이라 할 수 있다.

다른 하나는 지은원의 지치 3년 관경 16관변상에서 16관의 보루각(寶樓閣) 등 세부묘사가 점차 생략되고 도식화되면서 조선시대의 극락구품도(極樂九品圖)로 전개된다. 예컨대 1465년 명(銘)의 지은원 구품왕생도 역시 같은 15세기 작으로 추정되는 지은사의 관경 16관변상, 아이치(愛知) 인송사(隣松寺) 16관변상 그리고 18세기 이후 통도사(通度寺) 비로암(毘盧庵)의 관경변상, 동화사 염불암(念佛庵)의 관경변상, 개심사(開心寺)의 관경변상 등 이어 19세기 이후 작

관음 32응신도, 일본 지은원 소장

으로서의 서울 흥국사(興國寺) 구품왕생도, 신흥사(新興寺)의 극락구품도 등이 그와 같은 것이다.

전자는 무량수경사상을 바탕으로 관경 16관변상이 도설되었으나 점차 관경변상적인 요소가 생략되고 『무량수경』에 의한 아미타정토교의 형식만 남게 된 것을 의미하고, 후자는 『무량수경』에 의한 아미타정토변의 형식을 16관변상에서 수용하였으나 점차 16관을 나타내되 아미타정토변의 형식으로 변화하여 가다가 19세기에 이르러 9부분으로 구획을 나누어 도설하는 도식화된 극은구품도(極穩九品圖)로 전개되었다.

고려시대의 아미타정토변(阿彌陀淨土變)이 오늘날에 전하는 것이 없어 속단하기 어려우나 이상에서 한국의 아미타정토도(阿彌陀淨土圖)는 무량수경에 의한 아미타정토도가 중심을 이루고 있었음을 알 수 있다. 그것은 한국의 아미타 정토사상은 신라 이래로 무량수경사상이 중심을 이루고 있었다는 데 기인하는 것이라 생각된다.

(2) 삼존 형식과 그 양식적 특징

현존 고려불화에서 삼존 형식의 불화는 모두가 아미타삼존이다. 그러나 같은 아미타삼존의 형식은 다시 다음과 같은 세부 형식으로 분류된다.

첫째, 아미타삼존불상의 형식이다. 우에스기신사(上杉神社)의 아미타삼존이 그와 같은 것이라 하겠는데, 이 경우 삼존이 각각 개별의 그림으로 도설되고 있다는 점이 특이하다. 그리고 각각의 삼존이 협시(脇侍)를 대좌하방(臺座下方)에 도설하고 있어 전체적으로서는 9존을 이루고 있는 점도 주목해볼 만하다. 다른 한편 좌상의 아미타삼존은 법은사 소장의 불화도 이에 해당되는 것이라 하겠으나 이 그림은 전자와는 달리 한 폭에 삼존을 도설하고 협시는 주존(主尊)보다는 작게 묘사하되 주존의 대좌좌우(臺座左右)에 묘사하였을 뿐 아니라 그 상방좌우(上方左右)에 불제자(아난, 가섭)를 묘사하고 있음도 다르다.

둘째, 아미타삼존입상(阿彌陀三尊立像)의 형식이다. 구세아타미미술관(救世熱海美術館)의 삼존상과 현 한국의 호암미술관(湖岩美術館) 소장의 삼존상이 그와 같은 것이라 하겠는데, 세부적으로 보면 이들 삼존상은 다시 형식의 차이를 나타낸다. 즉 전자는 협시가 관음(觀音) · 세지보살(勢至菩薩)로 되어 있고, 선 자세도 삼존이 같이 취하고 있는데 반하여 후자는 협시가 관음과 지장보살(地藏菩薩)로 되어 있을 뿐 아니라 관음은 허리를 구부린 자세를 취하고 있음이 다르다.

셋째, 본존의 좌상이나 협시가 입상의 형식인 계림사 소장의 아미타삼존, 네즈미술관(根津美術館) 소장 (1), (2)의 아미타삼존상이 그와 같은 것이라 하겠는데 이 형식의 삼존상은 세부적으로 구분이 되지 않는 같은 형식의 삼존상이라 할 수 있다.

이상 세 가지로 구분되는 아미타의 삼존 중, 특히 주목의 대상이 되는 것은 첫째와 둘째의 삼존상이다. 다음에서 그 형식과 양식적 특징을 살펴보자.

① 우에스기신사(上杉神社)의 아미타삼존 삼폭

우에스기신사(上杉神社)의 아미타삼존상은 화려한 의상과 정밀한 묘사법, 다채로운 부채법(賦彩法) 등으로 고려불화 중에도 높은 풍격(風格)을 나타내는 그림이다. 그러나 다른 고려불화의 형식이나 양식과는 상당한 차이를 보이고 있어 이 불화에 고려불화로서의 명문이 없었다고 한다면 다른 시대 다른 나라의 불화로 오해될 가능성마저 지니고 있다. 왜냐하면 이 불화의 특징적 요소를 지적한 종래의 연구들이 그와 같은 경향을 지니고 있었기 때문이다.

삼존삼폭(三尊三幅)으로 구성되는 좌상의 아미타삼존형식은 송화로 전하는 지은원의 삼존삼폭의 아미타삼존좌상(阿彌陀三尊坐像)과 같은 형식의 불화이다. 지은원의 것은 보개(寶蓋)를 상방에 묘사하고 있어 조금 다르지만 삼존의 부채법이나 의문의 묘사법, 대좌(臺座)의 양식이 같은 계열의 것임을 짐작케 한다. 즉 우에스기신사(上杉神社)의 고려의 아미타삼존상은 지은원의 아미타삼존(阿彌陀三尊)에서 그 형식을 취한 송화계의 고려불화라는 생각을 갖게 된다. 이 같은 형식의 불화가 다른 삼존형식의 불화와 양식적 특징을 달리하고 있는 것은 형식의 계열을 달리하고 있음에 연유하고 있는 것이라 생각된다.

다른 한편 우에스기신사(上杉神社)의 아미타삼존 형식은 서복사 관경 16관변상의 상방부 안락세계불회도에 있어 아미타삼존과 같은 회상의 삼존 형식인 것으로 생각된다. 왜냐하면 우에스기신사의 아미타삼존 기명의 서방사성이란 다름 아닌 서복사 16관변상 상방부 불회도의 제성(諸聖)과 같은 것으로 이해되기 때문이다. 즉 우에스기신사의 아미타삼존상의 기명에서 "서방사성보상(西方四聖寶像) 영진가의공양(永鎮家衣供養) 소기(所冀) 현재호복(現在護福) 과왕초생(過往超生) 법계유정(法界有情)"하고 있는데 여기서 말하는 서방사성이 아미타삼존에 지장보살을 포함하고 있는 것이 아닌가 하는 주장을 하기도 하지만 그보다는 『범음집(梵音集)』, 『작법귀감(作法龜鑑)』, 『석문의범(釋門儀範)』 등을 통해 전승되어온 아미타단의식(阿彌陀壇儀式)의 아미타, 관음, 세지와 아미타 세계의 일체제성중을 지시하고 있는 것으로 생각된다. 만약 그렇다고 한다면 여기서 말하는 아미타 세계의 일체성중이란 서복사 관경 16관변상 상방부의 안락세계불회도(安樂世界佛會圖) 부분에 있어 아미타삼존 이외의 제성중으로 이해된다. 그리고 여기서 다시 우에스기신사본 아미타삼존의 무량수경적 소이를 살필 수 있게 되는 것이라 하겠다.

이상에서 우에스기신사의 아미타삼존은 그 형식을 송(宋)본에서 취한 송화 계통이며 한편 관무량수경소설(無量壽經所說)이 아닌 무량수경소설(無量壽經所說)에서 취한 불화임을 추찰할 수 있다. 따라서 이 불화는 관무량수경소설에 따른 다른 고려불화와는 그 표현기법 등의 양식에서 차이를 보이게 되었던 것이 아닌가 한다. 이상 우에스기신사본 아미타삼존의 양식적 특징은 다음과 같은 몇 가지 사실이 있다.

첫째, 갸름한 얼굴 모습이 두툼한 얼굴 모습을 한 여타의 고려불화와 다르다.

둘째, 본존의 적의(赤衣)에는 이중의 귀갑문(龜甲問) 지문(地文)에 봉황문(鳳凰文)을 묘사하고 있는데 이는 금색의 당초원화문(唐草圓花文)을 많이 사용하고 있는 다른 불화와 다르다.

셋째, 본존인 아미타여래는 얼굴색이 붉은 색을 띠고 있는데 반해 양 보살은 흰색을 띤 연한 핑크색으로 되어 있는 점도 다른 고려불화와 다르다.

넷째, 채색법에 관한 것을 보면, 본존은 붉은 가사를 하고 관음세지(觀音勢至)는 녹청의 바탕 위에 다양한 색채를 사용하여 교묘한 부채법을 쓰고 있다. 특히 삼존이 모두 흰색 선을 많이 사용한 것도 한 특징으로 지적된다.

이상과 같은 양식적 특징은 송의 불화로 알려진 그림들과 공통점이 많이 발견되어 우에스기신사 아미타삼존이 송화의 영향을 받은 불화임을 일러줌과 동시에 다른 한편 지금까지 송화로 알려진 일본 전래의 불화들 중에서는 고려불화로서의 가능성이 많은 것도 상당수 있을 것이라 생각된다.

송화로 전하고 있는 복강현(福岡縣) 무생시(武生市) 정각사(正覺寺)의 아미타삼존상과 아미타여래입상(阿彌陀如來立像)이나 서복사의 운중아미타여래상(雲中阿彌陀如來像) 등이 그와 같은 것이라 생각되고 이외에도 이와 같은 불화는 상당수 오늘의 일본에 전하고 있는 것으로 생각된다.

② 호암미술관본 아미타삼존과 구세아타미미술관본 아미타삼존

이상의 삼존은 종래의 내영(來迎) 형식의 불화로 알려져 왔다. 그리고 내영의 형식이 일본의 내영도(來迎圖)는 좌향인데 반해, 고려불화는 우향하는 형식이 다르다는 점에서 고려불화로서의 한 특징으로 지적되기도 했다. 그러나 필자는 이와 같은 형식의 고려불화가 내영도가 아니라 수기도(授記圖)라는 사실을 누누이 밝혀온 바 있다. 그것은 이들 삼존의 형식과 같은 형식의 도설을 서복사 관경 16관변상의 하방부왕생연지(蓮池)의 좌우에서 찾아볼 수 있었기 때문이다. 이들 부분도는 그 상방의 명문이 밝히고 있는 대로 아미타삼존의 수기의 장면을 묘사하고 있다. 이 부분도가 내영도가 아니라는 것은 구름을 타고 있지 않고 극락의 보배나무 아래의 보배연못을 밟고 있다는 데서도 알게 된다. 서복사의 관경 16관변상에서도 내영도(來迎圖)가 없는 것은 아니다. 중앙의 산선관(散善觀) 부분의 보루각(寶樓閣) 좌우에 구름을 탄 내영도로 보이는 그림이 도설되고 있다.

만약 이것이 내영상(來迎像)이라면 이 내영상은 모두 좌향이고 완연한 구름을 타고 있는 모습이다. 즉 구름의 묘사가 구부러진 꼬리를 남겨 내영상이 지나간 흔적을 나타내고 내영상(來迎像)은 허리를 약간 구부린 모습을 나타내고 있다. 이와 같은 고려불화에서의 내영도(來迎圖)는 종래에 내영도로 알려진 수기도(授記圖)와는 그 형식에 있어서나 양식에 있어 상이점을 나타내고 있다. 따라서 지금까지 내영도로 알려진 아미타삼존상 이외의 정법사의 아미타내영(阿彌陀來迎) 근진미술관(根津美術館) 덕천여명회(德川黎明會)의 아미타구존내영도(阿彌陀九尊來迎圖) 등도 모두가 다 수기도라는 사실을 명심할 필요가 있다. 왜냐하면 이들은 한결같이 서복사 수기도의 부분도에서 찾아볼 수 있는 것처럼 구름을 타지 않고 연화(蓮華)를 밟고 있기 때문이다. 근진미술관은 뒷부분에 구름이 묘사되고 있으나 여기서도 제존(諸尊)은 연화를 밟고 있지 구름을 타고 있지는 않다. 내영도는 움직이는 모습이기 때문에 구름의 묘사도 움직이는 기법을 써야 하는데 여기서의 구름은 정지해 있는 구름이며 제상도 서 있는 모습이지 움직이는 모습은 아니다. 따라서 서 있는 모습은 왕생인에게 장차 성불하게 될 것을 미리 예견해 주는 수기의 장면임에 틀림없는 것이라 하겠다. 이는 고려시대의 정토교화에는 선종적인 영향이 강한 것임을 나타내는 것이라 하겠다. 즉 내영(來迎)을 받는 타력적인 왕생보다는 왕생하여 자력으로 장차 성불하게 될 것이라는 희망이 주어짐이 고려불화에서는 강조되고 있었던 것이라 하겠다.

이상에서 보면 수기도 형식의 고려불화는 서복사 관경16관변상 등의 부분도에서 그 기원을 살필 수 있는 것임을 알았다. 그러나 오늘에 전하는 수기도 형식의 고려불화는 형식면에서는 서복사의 수기도 부분도에서 그 연원을 찾을 수 있는 것이라 하겠으나 양식면에서는 다른 기법의 양식적 특징을 나타내고 있다. 그것은 독립된 수기도가 도설되는 계기가 여타의 다른 불화양식이 성립되는 시기의 불화의 같은 문화기반에서 이루어졌기 때문이다.

지치 3년명 지은원의 관경 16관변상에서 보면 수기장면의 부분도가 생략되거나 축소되고 있는 느낌이다. 상품왕생지에서 보면 수기장면이 생략되고 잡상관부분도(雜想觀部分圖)와 상품왕생연지(上品往生蓮池)와의 사이에 통로를 묘사하여 잡상부분의 아미타삼존이 잡상관을 묘사함과 동시에 간접적으로는 상품상생인의 수기의 기능도 다하고 있는 효과를 나타내고 있다. 그 좌우에 중품인과 하품인 왕생의 연지에는 하품에 보살상 1위, 중품에 2위의 입상의 보살상을 나타내고 있어 이들이 수기의 보살로 보이나 중품연지에 아미타상이 보이지 않는 등 수기의 장면을 소홀히 한 느낌이 든다. 그렇다고 이 그림에 내영도가 강조되고 있는 것은 아니다. 그렇다면 이 시기의 관경변상은 수기의 신앙적 기능이 더욱 강조되어 수기도를 별설하게 되었던 것이라 생각된다. 그런데 이때의 독립된 수기도는 형식은 송화의 영향을 받은 서복사의 관경변상에서 취하고 있으나 그 표현기법은 송화의 계통이 아닌 후대에 형성된 지금까지 알려진 일반적인 고려불화의 양식적 특징을 지니고 있는 것이다.

수기도가 독립적인 그림으로 도설된다는 것은 선종적 영향이 더욱 강조됨에 기인하는 것으로 생각되며 그 표현기법이 달라진다는 것도 선종적인 영향으로 생각된다. 왜냐하면 일반적인 고려불화에서 느낄 수 있는 두툼한 얼굴의 모습과 신체적 양감 등의 표현은 선화적 양식으로 이해되기 때문이다. 이와 같은 불화는 전체 구도적인 면은 선종적인 영향이 추찰되나 세부 묘사법은 정토교적 표현 방법을 쓰고 있는 것이라 하겠다.

여기서 다시 한 번 주목하지 않을 수 없는 것은 고려불화에 있어 지장시왕도(地藏十王圖)의 존재가 고려 정토신앙에 있어 내영신앙(來迎信仰)의 형태를 대신하고 있다는 사실이다. 왜냐하면 지장시왕도에 의한 지장신앙은 사자(死者)를 극락으로 인도하는 보살로 신앙되어 이는 인로왕보살(引路王菩薩) 신앙과 더불어 오랫동안 한국정토신앙의 한 형태로 전승되었기 때문이다. 고려의 정토교화에 내영도가 도설되고 있지 않다는 것은 지장시왕신앙이 그 신앙적 기능을 담당하고 있었기 때문인 것으로 생각되기 때문이다.

4) 맺음말

현존 한국과 일본에 전하는 고려불화는 형식과 양식면에 있어 몇 가지로 분류된다.

첫째, 형식과 양식이 송나라 불화의 영향을 받으면서 형성된 송화계통의 고려불화를 들 수 있다. 서복사의 관경16관변상 우에스기신사의 아미타삼존 등이 그와 같은 것이라 하겠는데 이와 같은 불화는 비교적 시기가 올라가는 것이라 하겠으며 선정융합(禪淨融合)의 문화역량이 조성배경을 이루고 있으나 정토교를 바탕으로 선종을 수용하는 형태를 취하고 있었던 것으로 생각된다.

둘째, 형식은 송나라 불화의 영향을 받은 고려불화의 형식을 취하나 표현기법은 고려적인 양상이 정착된 불화를 들 수 있다. 수기도의 형식을 취한 고려불화가 그와 같은 것이라 하겠는데 불화도 선정융합의 문화역량의 소산이라 하겠다. 그러나 이 경우에는 선종이 중심이 되어 정토교를 융합한다는 특징을 지니고 나아가 고려적 주체성이 더욱 확립된 불화라 할 수 있다.

셋째, 형식과 양상이 고려적인 불화로 정착된 불화를 들 수 있다. 중존(中尊)은 좌상, 협시는 입상의 아미타삼존이나 중존좌상(中尊坐像)의 아미타구존 등의 불화가 그와 같은 것으로 이해되는데, 이 경우에도 선종이 중심이 된 선정융합(禪淨融合)의 소산으로 생각된다. 즉 전체화면의 상방에 여백을 많이 남기는 화법은 백지의 예술로 이해되는 선화의기법이 바탕을 이루고 있다고 생각되기 때문이다.

넷째, 고려시대의 정토교화는 무량수경사상을 중심으로 관무량수경사상을 수용한 것이 있고 관무량수경사상을 중심으로 무량수경사상을 수용한 불화가 있다. 여기 전자는 서복사의 관경변상과 좌상의 아미타삼존 중존좌상의 삼존상 구존상 등을 들 수 있고, 후자는 지은원 계열의 관경변상과 수기형식의 불화를 들 수 있다.

이상의 고려불화에서 첫 번째의 형식과 양식이 모두 송화의 계통을 따르고 있는 고려불화는 아직도 발견될 가능성이 충분히 있다. 왜냐하면 이와 같은 고려불화는 송화로 단정해 버리는 경향이 지금까지 있어 왔기 때문이다. 이후로 이 분야의 연구가 기대된다.

14. 고려불화에 반영된 총체적 문화 역량

고려불화(高麗佛畵)의 가치가 인식되기 시작한 것은 국내에서보다 해외에서 먼저 관심의 대상이 되기 시작하면서부터이다. 그것은 고려불화의 대부분이 일본 등의 국외에 보존회고 있었던 탓이겠지만 그로 인해 동국대 박물관이 국내에서 처음으로 갖게 되는 고려불화전이 더욱 큰 역사적 의의를 지니게 되는 것임을 깊이 인식할 필요가 있다. 왜냐하면 1978년 일본에서 있었던 최초의 고려불화전이 중국, 일본의 불화가 아닌 고려불화의 존재를 널리 알리게 했던 것이라면, 1992년에 있었던 미국의 고미술품 경매장에서 고려불화를 고가로 호가하게 되었던 것은 동양 불교문화의 소산이 매우 정밀성(精密性)을 지닌 것이라는 데 연유한다.

이같이 국외에서의 평가는 폭넓은 불교문화라는 기반 위에 고려불화에 대한 단편적인 인식을 하는 것에 그치고 있으나, 한국에서 전시된 특별전은 고려불화가 우수성을 지닌다는 단순한 인식에 머무는 것이 아닌 고려사회가 낳은 총체적 문화역량의 소산이라는 주체적 인식을 할 수 있게 되었다는 데 큰 의미가 있다. 고려불화가 우수성을 지닌다는 세계적 명성을 가지게 된 데는 다음의 몇 가지 요인들이 있어서 오늘의 우리들을 더욱 놀라게 한다.

첫째, 표현기법(表現技法)의 정밀성(精密性)을 들 수 있다. 이는 기술의 발전이 없고서는 불가능한 것으로, 가장 빠른 시기에 금속활자의 발명 등을 통하여 고도로 발달한 기술문명의 토대가 고려 후기 사회에 팽대되어 고려불화의 제작에 반영되고 있었음을 뜻한다.

둘째, 구도법(構圖法)에 나타난 다양한 사상의 조화력(調和力)이다. 이는 고려불화의 제작에는 폭넓은 세계관을 자유로이 수용할 수 있는 높은 정신문화의 바탕이 작용하고 있었음을 뜻한다. 즉 고려 후기 사회에서 선정융합(禪淨融合)의 사상이 크게 확산되고 있었음은 널리 알려진 사실이나 이 같은 문화기반이 불화의 제작에도 반영되고 있어 주목된다.

셋째, 화려한 채색법(彩色法)이다. 이는 뛰어난 감각의 발휘로 고려불화가 화려한 아름다움의 극치를 이루게 하는데 화엄밀교의 확산으로 무한한 감각세계에 대한 동경과 추구가 있었음에 기인하는 것이라 하겠다. 그런데 여기에는 고려인의 철저한 긍정주의(肯定主義)가 반영되고 있는 것 같아 주목된다.

넷째, 풍부한 경제력의 뒷받침을 들 수 있다. 그것은 우수한 견본(絹本)과 물감의 재질 등이 더욱 고려불화의 품위(品位)를 높여주고 있기 때문이다.

이같이 고려불화는 고려사회가 잠재적으로 지니고 있던 문화역량(文化力量)을 총체적으로 표현함에 의하여 그토록 우수한 작품을 창작해 낼 수 있었던 것으로 믿어진다. 그것은 항몽기(抗蒙期)의 위기에 민족의 문화역량을 총체적으로 발휘하려 하였던『삼국유사(三國遺事)』,『제왕운기(帝王韻紀)』 등에 의한 역사인식(歷史認識)에 바탕하고 있는 것이라 하겠다. 그러나 이 같은 총체적 문화역량의 발휘로 제작되어진 불화는 불교그림으로서의 의미만을 지니는 것이 아니라 일반 회화와의 간격을 좁힐 수 있게 되었다는 데서도 그 역사적 의미를 간과할 수 없데 된다. 여기서 우리는 민족의 잠재능력이 총체적으로 발휘될 때에는 우수한 문화를 낳고 개성 있는 문화를 낳을 뿐 아니라 경쟁력이 있는 보편적 문화를 낳을 수 있게 된다는 좋은 교훈을 얻게 된다.

고려불화는 단순한 그림으로만 전승되고 있는 것이 아니다. 여기에는 당시사회에 있어 경쟁력 있는 기술과 경제력이 번뜩이고 있으며 어떠한 어려움도 극복할 수 있는 폭넓은 정신적 능력이 빛나고 있다. 그리하여 고려불화를 감상하는 사람들로 하여금 이는 자신감을 갖게 하고 안정감을 갖게 할 뿐 아니라, 포근함에 감싸이게 하여 자연 경배의 정을 자아내게 하고 있다.

오늘의 우리 사회는 개방화(開放化)·국제화(國際化)의 물결에 휩싸여 그 대응책을 찾는데 부심하고 있다. 그 방안의 하나로 국제화는 철저한 개성과 전통의 확립을 요구하게 된다고 하고, 철저하게 민족적인 것이 철저하게 국제적일 수 있다는 주장도 나온다. 특징도 전통도 없이 단순히 괜찮기만 한 상품으로는 경쟁력을 키울 수 없기 때문이다. 우리는 개성화하고 우수성을 지니고 국제성을 지니게 하기 위한 본받을 만한 모델을 고려불화의 창작 예에서 찾을 수 있지 않을까 한다.

15. 단청문양의 장엄미

단청(丹靑)이란 목조건축의 세부 부위에 각각 다른 문양의 채색을 하여 다양한 부재로 축조된 건축물의 조화미를 한층 더 돋보이게 한다는 특징을 지닌다. 여기에 사용되는 색채(色彩)는 장단・삼청・황색・양록・석간주의 다섯 가지이며 이들을 아교에 개어 목재의 표면에 출초(出草)하여 그려 놓은 갖가지 문양에 따라 채색하는 일을 단청이라 한다.

단청의 효과와 기능은 건조물의 조화미를 돋보이게 할 뿐 아니라 목재에 채색을 가함으로써 방충의 효과도 가져와 목조건축의 내구성을 충실하게 해준다는 기능도 아울러 지니고 있다. 최근에는 단청에 사용되는 색채에 화학제품들을 쓰고 있어 그 아름다움도 뒤지고 금방 변색되고 마는 폐단은 안타까운 마음으로 종종 접하게 된다. 우리나라에서 전통적으로 사용해온 단청의 색채는 모래나 흙에서 채취한 석채(石彩)나 광물질로 만든 천연의 암채(岩彩)들이었다. 이들은 멀리 중국이나 서역지방에서 구해온 귀한 것들이어서 단청을 하는 건조물은 자연 격조 높은 건축물에 제한될 수밖에 없었다. 오늘날에도 단청을 제대로 하려면 이들 자연 색채를 사용해야 되지만 비싸기도 하거니와 구하기도 힘들어 전통적인 안료에 의한 단청의 모습은 보기 힘들다.

오늘에 전하는 단청집은 왕궁(王宮)과 사원(寺院)의 건조물에 국한되어 있다. 단청이란 격조 높은 집에만 하는 것이었거나 아니면 안료를 구하기가 힘든 것이어서 특별한 경우에만 채색하게 된데서 유래된 것인지 모를 일이다. 왕궁과 사원의 건조물이라 할지라도 정전(正殿)이나 불전(佛殿)은 공포를 많이 사용한 포집으로 짓고 목조건축의 조화미를 돋보이게 한다. 뿐만 아니라 이들 주건물에는 거기에 걸맞은 가장 많은 무늬에 의하여 장식된 금단청(錦丹靑)을 하고 있어 단청의 묘미는 목조건축의 조화미를 한껏 격조 높게 돋보이게 한 데서 유래된 것으로 생각된다. 다른 한편 단청의 묘미는 당해 건조물에 의미 부여를 하고 있다는 기능을 간과할 수 없게 된다. 즉 왕궁이면 왕궁의 정전으로서, 사원이면 사원의 불전으로서의 의미 부여를 단청을 통하여 보다 효과적으로 하고 있음이 그와 같은 것이다. 예컨대 단청의 문양에는 별화(別

畵)라고 하는 회화성이 강한 그림을 그리고 있는데 궁전에는 청룡·황룡·봉황, 불전에는 이들과 더불어 여러 불보살상과 각종 변상들이 그려져 있음이 그것을 말해주고 있다.

이와 같이 단청은 불교나 유교가 성행했던 중국·한국·일본 등 동아시아 3국에 일찍이 유행했던 것 같으나, 오늘에 이르기까지 단청문화의 전통이 계승되고 있는 나라는 우리나라뿐이다. 중국이나 일본에는 지난날의 건축물의 일부에서 단청의 흔적을 살필 수 있을 뿐 새롭게 집을 짓고 단청을 하는 사례는 거의 찾아볼 수 없다. 그러나 우리나라의 경우에는 사원을 새로 건립하면 반드시 단청을 하고, 궁전이나 고사(古寺)의 단청이 퇴락하면 다시 새롭게 단청을 한다. 또한 조그마한 사당이나 팔각정 등의 건조물을 지어도 단청은 필수적이다. 이는 오늘에도 단청문화의 전통이 우리나라에서 살아 숨 쉬고 있는 것임을 잘 나타내주는 것이라 할 수 있다.

우리나라 단청의 기원은 고구려 고분벽화에서 그 기원을 살필 수 있고, 불교의 수용과 더불어 더욱 발전되어 오늘에 이르고 있는 것으로 생각된다. 여기서 우리 민족은 단청과 더불어 살아오면서 단청의 멋을 한껏 누려온 민족임을 확인할 수 있다. 그렇다면 역사적으로 우리 민족이 누려온 단청문화의 멋은 어디서 살필 수 있을 것인가. 그것은 조화의 극치를 한껏 누리려 한 우리 조상들의 여유의 미학 그것이 아닐는지. 왜냐하면 단청은 목조건축에 있어 부재상의 제약을 모두 어루만지는 조화의 세계를 이룩해내고 있기 때문이다. 즉 단청은 잘난 자식 못난 자식 구분하지 않고 5색의 큰 이불로 자잘한 허물까지 모두 감싸며 상의상자(相依相資)의 미학을 연출하고 있기 때문이다.

그러나 우리나라의 단청도 시대에 따라 장인의 솜씨에 따라 그 풍기는 멋이 사뭇 다르다. 현대를 살아가는 사람으로 부끄러움을 느끼는 것은 오늘의 단청보다는 지난날의 단청 솜씨에서 더욱 깊은 정감을 느끼게 되는 것이다.

그것은 지난날의 단청에는 지극한 정성이 깃들어 있고, 그러기에 촌보의 빈틈을 보이지 않는 철저한 조화의 미학을 접할 수 있기 때문이다. 그 재질도 천연적인 것이어서 오래도록 그 솜씨를 전하여 오늘의 우리들에게 그 아름다움의 세계가 어떤 것인가를 일깨울 수 있게 해주고 있으니 더욱 고마움을 느낄 따름이다. 오래된 단청이 더러 있기는 하지만 고려단청의 멋을 계승하고 있는 것으로 생각되는 안동 봉정사 극락전의 내부단청이 그 장엄미를 오늘에 잘 전하고 있어 그를 한번 살펴봄이 단청의 미학에 접근하는 첩경이 되리라 생각한다. 단청 그것은 숱한 공덕을 쌓음에서 이룩해낼 수 있는 장엄공덕, 즉 장엄의 미학인 것이다.

16. 한국불교조각의 인체표현

한국인의 인체조각은 선사시대 이래 줄곧 계속되어 왔다. 그것은 종교적 신앙과 깊은 관련을 지니면서 신앙의 대상을 표상하게 된 데서 비롯된다. 그런데 인간이 표상하는 신앙의 대상은 일찍부터 인간의 인체를 빌려 표현하려 하였다는 데 주목할 필요가 있다. 선사시대의 토제인상(土制人像)이나 골제인상(骨制人像) 등이 그러하고 불교가 수용되면 여래상을 비롯한 보살상과 16나한, 500나한 등의 나한상, 그리고 제석, 대범, 8부신장, 4천왕 등의 신중상 등이 인체를 빌려 넓은 의미의 불상이란 이름으로 조각되고 있음이 그와 같은 것이다. 여기서 우리는 왜 그랬을까라는 물음에 답을 구해 보지 않으면 안 된다. 왜냐하면 신앙의 대상이란 우리 인간의 능력으로는 쉽게 접근할 수 없을 뿐 아니라, 상상하기조차 어려운 신비적이고 절대적인 존재를 인체의 여러 모습을 통하여 표현하고 있기 때문이다.

여기서 필자는 다음과 같은 생각을 할 수 있게 되었다. 흔히 근대미술 이

전의 각종 고미술품들이 예배의 대상 등 실용적인 미술품이었다면, 근대 이후의 미술품들은 순수미술품으로서 실용품이 아닌 감상의 대상이 된다는 것이다. 즉 근대 이후의 미술품들은 감상인을 위한 감상의 대상으로써 조각되거나 그림으로 그려진다. 이 같은 미술품은 아무리 훌륭한 작가정신에 의한 작품이라 해도 감상인의 평가를 제대로 받지 못한다면 작품으로서의 의미가 절하된다. 그것은 감상인을 대상으로 한 미술이기 때문이다. 반면 신앙의 대상을 조각하거나 그림으로 그린다는 것은 감상인을 위한 것이 아니라, 신앙인 자신의 모습을 신앙의 대상에게 표현하기 위해 자신을 표상하는 것이다. 신앙의 대상은 인간의 표상이기에 인체를 통해 표현될 수밖에 없었다. 그리하여 각종 불상을 통해 본 인체의 모습은 시대에 따라 변천하는 인간의 심성과 원력(願力)을 가득 담고 있는 것이므로 인체조각사를 통해 오늘의 인간이 어떤 심성과 바람을 축적해왔는지 살펴보는 일은 의미 깊은 일이라 하겠다.

불교조각은 거의 모두가 인체조각사라 해도 과언이 아니다. 즉 여래상, 보살상, 나한상, 각종 신중상 등 모두 인체를 빌려 표현하고 있다, 그것은 무엇을 뜻하는 것일까? 그 해법은 부처는 인격의 완성자라는 것에서 찾지 않으면 안 된다. 즉 불상은 창조자도 아니며 절대적 존재도 아니다. 인격의 완성자일 뿐이다. 그리하여 인격의 정도에 따라 인체적 표현이 다양한 모습으로 조각되었다.

불교에서 말하는 인격의 정도는 여래상을 인격의 완성자로 하여 그를 지원하는 보살상과 성문, 연각 등으로 구분된다. 이들은 모두 성자상(聖者像)으로 고통을 여읜 낙(樂)의 세계의 인간상(人間像)으로 조각하지만, 반면 고통에 쌓인 인격도 그 정도에 따라 천상(天像), 인간상(人間像), 아수라상, 축생상, 아귀상, 지옥상 등으로 구분하고 이들의 세계를 속계라고 한다. 속계의 인격은 인간의 인격이 천상의 인격보다 고통이 많고, 지옥 아귀 등의 인격보다 고통이 적은 상이므로 이들 속계의 상들은 조각할 경우에는 고통의 정도에 따라 인체의 표현을 각각 다르게 한다.

이처럼 불교는 그 인격의 정도에 따라 인체를 빌려 열 가지 양식으로 조각하고 있는 것임을 알 수 있다. 그렇다면 인체를 빌린 불교의 조각은 열 가지 양식으로 고정될 수밖에 없는 것이 아닌가 생각하기 쉬우나 그렇지 않고, 불상을 조각하는 시대상이나 사회상이 불(佛)에게 불상을 표현하는 양식을 각각 다르게 요구하고 있다는 점을 명심할 필요가 있다. 그것은 고통의 세계와 낙의 세계와의 상관관계가 어떻게 설정되는가에 따라 낙(樂)의 세계를 추구하는 심미감(審美感)의 차이에서 인체의 표현이 다르게 나타난다는 것이다. 여기서 우리는 다시 부처란 무엇인가라는 물음에 해답을 구하지 않으면 안 된다. 왜냐하면 앞에서 말한 인체를 빌려 표현한 불상은 부처 그 자체가 아니라 세속의 인간이 표현한 부처이기 때문이다. 그와 같은 인간이 표현한 부처는 그것만으로는 아무런 의미가 없다. 그는 무상의 진리에게 이것이 부처일 수 있는가라는 물음을 구하는 표현이기 때문이다. 그리하여 우리는 부처라고 하더라도 이것이 몇 가지로 구분되는 것임을 알고 있지 않으면 안 된다.

첫째, 불(佛)이란 무상보편(無上普遍)의 진리 자체를 지칭하는 것이며, 이를 본체적(本體的) 불(佛)이라 한다.

둘째, 불(佛)이란 불타(佛陀) 즉 무상보편의 진리를 깨달은 석가모니를 지칭하는 것이며, 이는 역사적으로 현전(現前)해 있는 불(佛)이다.

셋째, 불(佛)이란 불상, 불화류의 조각품과 회화류를 지칭하는데, 이는 불교의 구체적 해석인 것이다. 인체를 빌려 표현한 불상의 조각은 세 번째의 불상류임에는 틀림없지만, 그것이 시대상과 사회상을 달리함에 따라 그 표현양식이 달라지고 있다는 사실은 이상에서 말한 세 가지 불(佛)의 상관관계가 어떻게 설정되고 있는가에 따르는 것임을 주목하지 않으면 안 된다. 왜냐하면 불상의 조각은 단순한 인체를 표현한 것이 아니라 인간의 인격을 표현한 것이기 때문이다. 인간이 인격체임을 인지하는 말로서 사람의 얼굴은 철들기 전의 모습은 부모책임이지만, 철든 이후의 모습은 자기 자신의 책임이란 말이 있다. 이 같은 인식은 불상의 양식변화를 이해하는 데 도움을 준다. 즉 불상이란 스스로의 노력에 의해 도달한 최고의 인격자상이기 때문에 많은 사람들에게 심미감을 불러일으키게 할 뿐 아니라 감화력을 갖게 하는 것이다.

결국 불상의 조각은 자신의 인격을, 또는 사회상을 반영한 인간상을 불(佛)에게 표현하여 불(佛)로부터 인가받으려 하는 것이고, 그것이 불(佛)에게 만족스러운 조각이 되면 일반인들로 하여금 감화력을 갖게 하는 아름다운 인체상으로 느끼게 한다는 것이다. 그런데 여기서 말하는 불(佛)이란 보편의 진리 자체를 말하는 것이지만, 그에 이르는 길은 역사적 현전불(現前佛)인 석가모니불로부터 수용할 수밖에 없는 것이므로 불상의 조각은 석가모니불을 표현하

백제관음보살상(일본 소재)

연가7년명 고구려 불상

연가7년명 불상의 뒷면

는 데서부터 비롯된다. 한편 석가모니불은 중생을 그 근거에 따라 교화하는 화신불(化身佛)이므로 시간과 공간적인 인연에 따라 각각 다른 인체적 표현을 하게 된다. 여기서 시대에 따라 각각 다른 양식의 인체조각사가 형성된다는 사실을 주목할 필요가 있다. 즉 한국의 인체조각사를 불상의 인체적 표현을 통해 살피려고 한다면, 석가모니불의 방편교설의 배경을 충분히 인식하지 않으면 안 되는 것이다.

황룡사 출토 불두

한국 전통조각인 불상에서 만날 수 있는 한국인의 모습은 어떤 것일까? 삼국시대 초창기의 불상은 불교에 대한 이해가 불충분하여 외형은 북위(北魏) 불교적 양식을 모방할 수밖에 없었으나, 그 내용에 담은 한국인의 심상(心想)은 재래의 신화적 신비성을 표현할 수밖에 없었다. 그러나 신비성을 바탕으로 한 불교에 대한 이해가 어느 정도 성숙해지면 황룡사 출토의 불두(佛頭)에서 보듯이 알듯 모를 듯한 침묵이 감도는 인간상을 만나게 된다. 이 상(像)은 불신(佛身)을 잃어 인체의 해부학적 실체감을 느낄 수는 없으나 차분하고 안정감을 느끼게 하는 인체를 구성하고 있었던 것이 아닌가 한다.

한편 불교에 대한 응용의 필요성이 강조되는 6~7세기경이 되면 사유에 골몰하는 인체로 변천해간다. 고구려, 백제, 신라가 모두 성하게 조각하였던 반가사유상이 그와 같은 것이라 할 수 있는데, 예리한 코와 지그시 감은 눈, 그리고 볼에 오른손을 살짝 대고 반가상을 취한 모습은 날카로우면서도 여유

반가사유상

있는 인체를 형성하고 있다. 이는 불교에서 지혜가 갖는 구체적 기능이 강조된 데서 이루어진 인체적 특성으로 생각된다. 그러나 불교는 날카로운 지혜만을 요구하지는 않는다. 지혜적 체질로 보이는 반가사유상에서도 날카로운 예지와 더불어 여유의 안정감을 형성하고 있다. 그런가 하면 불상에 희구하는 이와 같은 안정감은 괴량감 있는 인체의 조각으로 나타난다. 군위석불의 삼존상은 그 대표적인 예로 손꼽을 수 있다.

불교신앙이 민주화되고 사회적·구체적 기능이 더욱 확충되어 가면 이제 불상은 신비적인 대상이거나 권위의 대상도 아니다. 그저 누구나 친근감을 가질 수 있는 촌노와 같은 인체가 부처상으로 갈망되는 것이다. 경주의 배리(拜里)석불에서 그것이 잘 표현되어 있는데 군위석불처럼 굳어진 괴량감으로 외형적인 안정감만 가지려 하는 것이 아니라, 그 위에 우리의 마음을 평안하고 부드럽게 해주는 인체에서 부처의 너그러움을 접할 수 있게 되는 것이다. 표현기법은 결코 정제된 아름다움을 나타내고 있지 않으나 인자한 얼굴의 표정과 귀족적 향취를 풍기지 않는 체형이 당시의 민중들을 포근하게 감싸주었던 것이다. 백제의 미소로도 일컫는 서산 마애석불도 결코 귀족적 체질이 아닐 민중의 마음이 너그러운 부처에게 안기고 싶다는 소원을 담고 있어 여유 있는 얼굴에 미소상을 나타내면서도 화려하지 않는 소박미를 나타내고 있다.

이처럼 한국조각사에 나타난 인체의 형성은 인격을 바탕으로 이루어지고 그 사회적 의미가 부여되는 것임을 알 수 있다. 그것은 불교조각사가 자신의 인격을 최고 인격자인 부처에게 표상하는 작업이었기 때문이다. 그런데 8세기 초기까지의 불상조각이 부처에 도달하기 위한 노력의 과정이었다면, 8세기 중엽이 되면 정치, 경제, 사회, 문화의 성숙기를 맞이하면서 사회적으로 불교적 분위기가 난숙되어 불교를 신봉하는 종교적 주체는 진속일여(眞俗一如)의 주체성을 확립하게 되면서 불상조각에 있어 인체의 표현은 당당하고 촌보의 빈틈이 없는 정제된 기법과 조화미의 극치를 이룬 체형을 형성하게 된다. 이 같은 표현기법을 미술사에는 사실주의 극치라고 말한다. 석굴암의 본존불과 불국사의 비로자나불상을 그 대표적인 예로 손꼽을 수 있을 것이다. 이것은 최고의 인체의 표현이면서 완성된 인격의 표현이기도 하다. 뿐만 아니라 여기서의 인체는 자연과도 일여(一如)의 경지를 이루어 석굴암 본존불의 인체는 석굴의 자연성과 더불어 더욱 조화의 일치를 이루고 있는 것이다.

이같이 촌보의 빈틈을 나타내지 않는 융합과 조화의 극치를 이룬 인체는 자유자재한 인격의 표상으로 전진한다. 허리를 약간 틀어 동적인 곡선미를 나타내는 인체의 표현이 그와 같은 것이라 하겠는데, 안압지 출토 판불의 보살상과 호암미술관 소장의 금동관음 보살입상이 그 예를 잘 말해주고 있다.

불(佛)을 향한 인간의 표현이 극치에 달하면 쇠퇴기를 맞이한다. 쇠퇴기의 불상조각은 성숙된 인격을 세련된 기법으로 표현한 인체를 간직하지 못한다. 불(佛)을 표상하려 하지만 진속일여(眞俗一如)의 경지를 체득하지 못한 조각가는 최고의 경지인 불(佛)을 대상화하여 표현할 따름이다. 이와 같이하여 불(佛)의 심상을 잃은 조각가는 자신이 왜소해진 사실을 발견하게 되고, 그 한계성을 진리당체인 법신불(法身佛)을 표상하여 극복하려 하지만 인체는 당당함을 잃어 목이 짧고 어깨가 좁아지면서 빈약한 체형의 인체로 표현된다.

9세기 후반에 이르러 많이 조성된 비로자나불상들이 그와 같은 것이다. 그러면서도 이 한계성을 극복하려는 노력은 계속된다. 선종의 수용을 그 대표적인 예로 손꼽을 수 있다. 그러나 선종은 인체를 빌린 불(佛)의 표현에 적극적인 입장을 취하지 않는다. 이와 같은 불상 조각사에 있어서의 혼란을 나말여초에 불상조각의 일대 변혁기를 거치게 된다. 그것은 재질을 바꾼 철불의 출현과 거대한 인체를 빌린 석불의 조각으로 나타난다. 재질을 바꾼 이 시기의 철불은 한편으로는 석굴암 본존불의 인체를 재현하려 하고, 다른 한편 개성 있는 인체의 표현을 통해 변혁기의 조각사에 일조를 하고 있다. 국립박물관 소장 철불들은 이상과 같은 두 가지 철불의 인체상이라 할 수 있다.

고려 초기 인체를 바꾸어 새로운 불상을 조각하려는 노력은 석불에서도 나타나는데 강릉 신복사지의 석조보살좌상과 월정사의 석조보살좌상을 그 대표적인 예로 들 수 있다. 하지만 그 같은 인체를 여래상으로까지 발전시키지 못하는 한계성을 지니고 있었다. 그리고 다시 새로운 국면으로 표현한 거대한 석불의 조성, 그것은 은진미륵불의 인체상에 의해 나타난다. 이 · 목 · 구 · 비의 얼굴 면만을 강조하여 위압감을 나타내는 인체의 표상이다. 이 같은 예는 불교의 정신면에 있어서 선종과 화엄종이 아직 융합하지 못한 정신적 바탕의 취약성에서 오는 인체표현의 원시화라 할 수 있다. 그러나 이 같은 양식은 다시 큰 바위에 신체를 선각(線刻)하고, 따로 입체의 머리만을 얹어놓은 마애불 형식의 인체를 표현한다. 이는 은진미륵불의 거대한 인체표현의 전통을 계승하고 있는 것이라 할 수 있지만, 그보다 인간을 다시 자연으로 되돌려 그것이 곧 부처임을 설하는 밀교의 수용을 의미하는 것으로, 이 같은 과도기를 거쳐 고려시대 밀교적 불상의 인체로 발전되어 간다. 즉, 불상조각 발전의 과도기적 현상으로 나타났던 은진미륵불과 같은 양식은 한편으로는 불상조각사에 밀교를 수용하는 계기를 만들어 주었다. 여기 전자는 밀교적 정신이 반영된 인체를 조각하고, 후자는 밀교적 정신의 반영이 부족하였기에 민속적 인체의 양식을 형성하게 되었다는 것이라 하겠다. 이 같은 나말여초의 불상조각사에 나타난 인체의 형성은 선종과 교종이 한편으로는 대립하면서 다른 한편으로는 융합하려 했던 사상계의 양상을 반영하면서 나타난 과도기의 인체 혼란기였다고 할 수 있다.

과도기를 거친 고려불상의 조각은 대체로 두 가지 양식의 인체를 표상하는데, 그 하나는 석굴암 보존불의 사실적 양식을 계승 복원하려는 인체표현이다. 이 양식은 초기 철불에서도 나타나지만, 이후 금동불상에도 나타난다. 불상의 인체는 신라불상에 비하여 육중한 인체미가 다소 나약해지는 듯한 인상을 준다. 그것은 고려불교가 다양성을 지양하면서 융합하려 하지만, 신라 원효사상에 의한 불교사상처럼 보다 원활한 융합의 원리를 찾지 못한 데 기인하는 것이 아닌가 한다. 그러나 고려불교의 다양성은 불교의 생활문화에 크게 기약하면서 밀교적 인간상을 형성해나갔는데 주목해볼 필요가 있다. 왜냐하면 고려 후기에 나타난 밀교불상의 출현이 그것을 잘 말해주고 있기 때문이다. 그러면 밀교적 인간상 그것은 어떤 것인가 생각해 보자. 우선 밀교라고 하면 철저한 긍정주의라는 데 관심을 가져야 한다. 그것은 여타의 불교가 진(眞)이 속(俗)에 부정적인 입장을 취하면서 철저한 수행을 통해 진속일여(眞俗一如)의 경지에 도달하는 것이라면 밀교는 속계(俗界)의 모든 삼라만상이 곧 부처라는 철저한 긍정주의이다. 따라서 밀교는 우주만상이 모두 부처라는 것이다. 여기서 밀교적 불상은 최상의 상징주의를 취한다. 따라서 자유자재로 인체표현을 하며 많은 장식물을 정교한 기법으로 나타낸다는 특징을 지닌다.

14세기 작으로 추정되는 국립박물관 소장 금동관음보살좌상, 국립전주박물관 소장 금동관음보살좌상과 호림박물관 소장 금동대세지보살좌상 등을 그 대표적인 예이다. 많은 장식을 한 인체의 표현은 밀교의 상징적 표현기법에 의한 것으로써 언뜻 보면 호화롭고 자유분방한 것처럼 보이지만, 여기에는 정연한 상징체계가 있어 우리의 마음을 너그럽게 하면서도 정연하게 정돈해 주는 철저함을 지닌 인체의 구성체계를 보여준다. 그러나 밀교의 이와 같은 상징주의적 구성체계가 일단 허물어지면 형식화되면서 많은 사회적 폐단을 야기한다. 고려 후기 불교의식 행사의 폐단을 지적하게 되었던 것도 바로 그것을 말해주고 있다. 배불숭유라는 사회적 풍조를 거치면서 조선시대에는 불교가 사회적 지도원리로서의 명분과 능력을 잃어가고 있었던 것임에 틀림없다. 그리하여 조선시대의 불상은 당당함과 너그러움과 조화로운 아름다움 그 하나도 갖추지 못한 인체로만 표상된다. 목이 짧은 뿐 아니라, 고개 숙인 인체의 얼굴은 납작해지면서 기상을 상실한 듯 무기력해 보이는 체질감, 이렇게 표현된 것이 조선시대 불교인에 대한 인체관이다. 그러나 이와 같은 조선시대 불교조각에 나타난 인체가 부정적인 의미만을 지니는 것은 아니다. 여기에는 참회와 반성, 겸손을 나타내는 인체의 구성이요, 새로운 다짐과 인내, 원력 등이 곁들여 있는 것이다. 그리하여 조선시대 불교는 어느 시대 불교보다 민중들에게 친근감을 주는 불교로 뿌리 내리고 있었던 것이다.

상원사 문수동자상

한편 재기를 다짐하는 조선시대의 불교는 원점으로 되돌아가서 재출발하려는 불상관을 갖는다. 동심(童心)이 곧 불심이라는 회기심으로 동자상을 많이 조성하고 있음이 그 같은 것이라 하겠는데, 동심의 불상의 인체로 표현한 대표적인 예는 상원사 문수동자상을 손꼽을 수 있다. 이같이 조선시대의 불상은 발전을 위한 후퇴, 재기를 위한 몸낮춤 등의 인체를 구성하고 있었으나, 문제는 현대 불상조직이 그 바탕을 계승 발전시키는 원동력을 갖고 있지 못하다는 데 있다.

이상에서 불상조각을 통해 본 인체의 체형을 주로 여래상과 보살상을 통하여 살펴보았다. 그런데 여기서 주목되는 것은 불상의 체형이 비록 시대에 따라 변화하고 있으나, 그 인체는 모두 건강하고 젊은 인체뿐이라는 것이다. 그것은 넓은 의미의 불상조각에 포함되는 나한상의 인체표현과 비교가 되어 관심을 끌게 한다. 즉 나한상은 젊은 인체, 늙은 인체로 표현되는가 하면, 건강하지 못한 병자나 장애인의 인체로 표현되기도 한다. 나한상은 아직 완전한 인격을 형성하지 못하고 갖가지 개성을 지닌 인격의 소유자임을 나타내는 것이다. 이와 같은 갖가지 인체를 지니는 나한상이 어떤 원력을 지니느냐에 따라 그에 대응한 여래상이나 보살상의 인체구성에 변화가 있다는 사실을 명심하지 않으면 안 된다.

즉 여래는 인격의 완성자요, 보살은 여래의 지원자이기도 하나, 여래의 이면성을 지니고 있다는 데서 동질성을 지닌다. 그러나 나한은 우리 중생의 고뇌를 대표하고 있는 현실적 인격체라 할 수 있다. 따라서 불상의 조각은 현실적 중생이 불(佛)에게 불심을 표현하여 불(佛)로부터 구제(인정)를 받으려 한 데서 출발한 것이었다면, 불상조각의 인체는 우리 중생을 대표하는 나한상과 여래상과의 상관관계에서 인체구성의 변화가 있는 것임을 알게 된다. 요컨대 불상조각사에서 인체의 구성이나 변화를 살핌에 있어 그것이 구조물이기에 중국이나 인도적인 영향을 고려하지 않을 수 없다. 그러나 불상조각에 나타난 인체가 한국인의 염원을 담은 것이라고 한다면 그 인체는 한국인의 인격을 표현한 것이고, 그 인격은 각양각색으로 나타나는 여러 인격이 불(佛)이라고 하는 최고의 인격에 어떻게 닮아 가느냐에 따라 체질형성이 된다는 사실을 주목해야 될 것이다. 넓은 의미의 불상은 여래상, 보살상, 나한상, 각종 신중상 등의 여러 가지 인격의 정도를 나타내는 인체의 표현을 포함한다. 이들이 상호조절되는 가운데 좁은 의미의 불상, 즉 여래상의 인체구성이 이루어진다는 사실을 잊어서는 안 된다.

끝으로 여래상은 인격의 완성자이기에 젊고 건강한 인체로 표상된다는 사실도 깊은 관심의 대상이 된다.

17. 한국 선미술에 대하여

한국불교는 선종으로 그 계맥(系脈)을 유지해 왔다. 그리하여 한국불교의 전통은 선종 중심으로 계승되어 왔다고 해도 과언이 아니다. 오늘의 한국불교가 선중심(禪中心)의 불교를 종지로 삼고 있는 데서도 알 수 있다. 한국불교가 선종 중심으로 전통을 계승해 왔다면 그에 상응한 선문화의 발생, 발전이 있어 왔음은 틀림없을 것이다. 그러나 한국 전통문화의 뿌리는 불교문화에 있다고 주장하고 그에 따른 불교문화의 연구가 활발히 이루어지고 있음에도 불구하고 정작 그와 같은 불교의 핵심을 이룬다고 할 수 있는 선문화에 대한 연구는 미진한 상태라 생각된다.

우리나라의 불교가 통불교적 성격을 지니면서도 선불교가 중추적인 역할을 담당하여 왔다는 인식이 새로워지면서 선학 및 선사상의 연구는 꾸준히 계승되어 오늘날에 그 성과가 상당히 축적되어 있음은 누구나 다 아는 사실이다. 그러나 이상과 같은 선사상의 연구 성과를 바탕으로 선문화에 대한 연구가 더욱 활발히 전개되어야 함에도 불구하고 아직도 미진한 상태에 있다고 함은 웬일일까? 그것은 나름대로 이유가 있을 것이라 생각된다. 즉 오늘에 이르기까지 선문화는 다양하게 전개・발전되어 왔고 오늘날의 생활양식 속에서도 우리가 모르는 가운데 선문화적 요소가 수용되어 있을 것이다. 하지만 아직은 그 정리 연구가 되어 있지 않아 이 분야에 대한 연구가 더욱 활발하게 전개되었으면 하는 바람에서 우리나라 선문화에 대한 시론적인 의견을 제시하는 것이 본고의 목적이다.

원으로 표현된 선화

선문화(禪文化)는 다양한 생활양식으로 오늘의 우리 전통문화에 수용되어 있으리라 생각되나 그에 대한 연구가 미진한 것은 선문화가 갖는 특질을 밝히는 데 필요한 방법론이 결여되어 있었기 때문이 아닌가 생각된다. 그런 가운데 다행히 최근에 와서는 선화(禪畵)를 중심으로 한 선문화의 연구가 활발히 진행되고 있어 무척 다행한 일이다. 즉 최순탁(崔荀埰) 교수의 선화 연구가 그것이고 김남희 씨의 선화에 대한 열정적인 연구 활동이 그와 같은 것이라 할 수 있다. 한편 남해 망운사 주지 성각스님의 열정적 선화연구가 많은 관심을 끌고 있다. 그러나 다른 한편 회고해 보면 선문화에 대해서는 일찍이 우현(又玄) 고유섭(高裕燮) 선생이 깊은 관심을 보이기 시작하여, "선문화야말로 한국미술사의 획기적인 발전을 가져올 수 있는 계기를 마련하고 있었다"는 놀라운 주장을 하고 있다. 고유섭 선생은 일찍이 「불교미술에 대하여」라는 논문에서 다음과 같이 선문화의 중요성을 강조하고 있다.

> 불교미술은 선종의 발전으로 말미암아 매우 외형적으로는 회백한 것으로 되었다고 말할 수 있습니다. 그러나 미술이 도리어 이 선종으로 말미암아 새로워진 일면도 있는데, 그것은 무엇이냐 하면 미술이 하나의 높은 정신적인 존재로서의 철학적인 성격이 확립되어 갔다고 할 수 있습니다. 선종에 의하면 미술은 확실히 정신적으로 유현(幽玄)한 것이 되었습니다. 그것이 수묵화의 발전이라고 생각합니다. 선종의 발전으로 말미암아 일반 불상조각은 예배대상으로서의 우상성을 상실하였습니다. 그러나 동시에 그들은 선종적으로 해석되어 하나의 선종 정신을 지니고 있는 것으로서 되었습니다. 송조(宋朝) 이후의 불화라는 것에 이와 같은 것이 상당히 있습니다. 산수(山水), 절지(折枝), 조수(鳥獸), 화접(花蝶)의 그림도 정신적인 것은 선종적인 것이 되었습니다. 말하자면 불심이 모든 것에 침윤하고 모든 것이 불심에까지 인상되었던 것입니다. 불상조각 같은 것은 과연 우상적 숭배가 강한 것이므로 갑자기 그런 것은 감퇴하였고 감상적으로 될 수 있는 것, 예컨대 관음상이나 나한상 같은 데서 우수한 것이 많게 되었습니다. 그리고 선에는 사자상전(師資相傳)이라는 것이 있어서 소위 조사(祖師)라는 것이 중요시됩니다. 그것이 선어(禪語)의 각득(覺得)에 대하여 좋은 선례자이며 선각자여서 후래의 사람을 조사에 대하여 그 각득의 권위가 부여되는 소위 의발상전(衣鉢相傳)의 풍(風)이 조사라는 것을 중요시하며 이곳에 조각이나 회화 등에 의한 조사의 상이 특별한 발전을 이루어 소위 천상조각이 라는 일부분의 발생을 보게 되었습니다. 뿐만 아니라 서도(書道)의 발생이라는 것도 생각되는데 이것은 고래로 사경(寫經)이 유행된 데서도 생각되는 바이지만 다시 선종의 유행과 더불어 서도(書道)에도 하나의 전기를 초래하였던 것입니다. 서(書)가 미술이냐, 아니냐가 일시 크게 문제된 적도 있지만 여하간 나는 훌륭한 미술이라고 봅니다. 그리고 선에 의하여 변격(變格)된 서(書)의 미(美)라는 것

은 또 한 번 논의할 만한 일입니다.

이상에서 보면 선종은 불교미술이 대전환기를 맞게 되는 계기를 마련하였고 그 화풍은 채색화를 거부하는 수묵화로 전환된다는 특징을 지닌다. 그리고 이와 같은 선화의 수묵화적(水墨畵的) 장주(張周)가 고려 후기에 와서 문인화(文人畵)의 화풍에 영향을 미친 것으로 생각되어 주목되는 바라 하겠다.

그러면 이와 같은 선화의 특질은 어디서 연유하는 것일까? 그것은 선화를 포함한 선문화의 전체적 조감에서 찾지 않으면 안 된다. 불교가 문화화한다는 것은 불교의 이념적인 면이 의례화(儀禮化)함에서 비롯된다. 그것은 이념적인 것이 형체를 갖지 않는 상태에서 존재할 때 공간의 의장(儀裝)에 의하여 형상화(形象化)되고, 형상화됨에 따라 의식화된다는 것이다. 즉 설명에 의하지 않는 전달, 뜻의 표출에 의한 전달 그것이 의례의 본질이라 할 수 있다는 것이다. 따라서 의례의 성립은 의례를 행하는 자와 의례공간이 일치되었을 때 이루어지고, 다른 한편 뜻을 표출하는 사물의 유기적(有機的) 구축(構築)으로서의 의례공간에 몰입할 때 의례가 성립된다는 것이다. 즉 여기서 종교적 주체의 합일, 합의가 이루어져 불교의 문화양식이 생기고, 이것이 불교미술의 발생 · 전개를 있게 한다는 것이다.

그러면 불교문화의 일반적 발생 · 전개에 따른 선문화(禪文化)의 특질은 어떻게 발생하는 것일까. 그것은 의례의 차이점에서 발생하는 것이다. 즉 같은 불교의례라 할지라도 그 교의에 따른 의례행위의 유형에 따라 선문화의 발생이 있게 되는 것이라 생각된다. 불교의례의 유형은 대별(大別)하여 선정형의례(禪定型儀禮)와 기도형의례(祈禱型儀禮)로 구분된다. 여기 전자는 의례행위가 곧 일상생활이라는 특질을 지님에 대하여, 후자는 의례가 수행법이란 특질을 지닌다. 기도형의례는 다시 정토교형의례(淨土敎型儀禮)와 밀교형의례(密敎型儀

禮)로 구분되지만 여기서는 선정형의례의 특질을 좀 더 상세히 규명하여 선문화의 특질에 접근해보려 한다.

우선 선정형의례는 일상생활 그대로가 의례의며 일상생활을 영위 한다는 것이 곧 의례의 집행이라는 특이점을 지닌다. 따라서 일상생활과 의례를 별개의 것으로 생각하지 않고 처음부터 별개의 의례를 생각하지 않았다는 특징을 지닌다. 즉 선정삼매(禪定三昧)의 수행에 의하여 종교의식의 본질인 자기의 생명에 직입(直入)하고 그 실체를 파악 실증(實證)하여 무상지견(無上之見)을 개발한다는 입장에서 본다면 일상생활 그대로가 다음과 같은 특질을 지니고 있는 것이라 할 수 있다. 즉 일상생활 그대로가 가장 높은 문화가치를 지닌 존귀무상(尊貴無上)의 생명이며, 그 스스로에 조직이 있고 체계가 있어 그대로가 종교의례로서 최고의 것이 되는 것이다. 따라서 선정형의례는 정보리심 부단(不斷)의 향상 수도(修道)의 원심(願心)으로 일관하고, 기도형의례(祈禱型儀禮)는 기원(祈願)으로 일관한다는 특질을 지닌다. 이를 다시 말하면 전자는 종교적 주체와 객체가 시종 일원적인 것임에 반하여, 후자는 처음에는 이원적 관계에 있다가 궁극적으로는 일원화한다는 특질을 지닌다. 이처럼 선문화의 특질은 대상화하지 않는다는 특징을 지닌다. 우현(又玄) 선생이 다음과 같이 지적하고 있는 것처럼 전술한 선정형의례의 특질을 설명함에 있어 잘 부합되는 것이라 생각되어 더욱 주목을 끈다.

> 선(禪)에서는 교(敎)와 같은 개념적인 설명이라는 것을 전연 거부합니다. 그렇다고 해서 밀교와 같이 괴기적(怪奇的)인 신비성에 함입하였느냐 하면 그렇지도 않습니다. 개념적인 설명을 거부하게 되면 문득 신비적인 것이 되기 쉬우나 그 신비적이란 것이 괴기적인 우상 숭배적인 신비성이 아니고 그와는 정반대로 예지에 빛나는 심히 이지적(理智的)인 신비성에 속함으로 철학적으로 말하면 직관지(直觀智)를 중히 여기는 것이 됩니다.

이상을 종합해보면, 선문화는 선정형의례에서 선문화의 양식이 성립되는 것이라 하겠는데, 앞에서 말한 바와 같이 선정형의례는 일상생활이 곧 의례이고 따라서 일상생활 그대로가 불작불행(佛作佛行)인 것이다. 그런데 이와 같은 선정형의례는 의례행위자만이 최대의 의의를 갖는 것이 아니라 이를 견문하는 자에게도 이익을 주게 된다는 것이다. 그리하여 선종의례로 일상생활양식의 규범을 정하게 된다. 조복(調伏) 율(律)이란 것이 그와 같은 것이며 청규(淸規)에 의한 생활로서 지견개발자(知見開發者)의 생활을 영위한다는 것이 선문화의 양식을 형성하게 되는 것이라 생각된다. 따라서 선미술은 조사상(祖師像)의 조성이 성행하게 되고, 종교형 또는 기도형 미술처럼 예배의 대상으로 대상화하지 않는다는 특질을 지니게 된다.

우현(又玄) 선생께서도 "조사상(祖師像)의 조성은 선종의 영향이라 하고 있으며 한편 재래의 신앙대상, 즉 대상적이었던 것이 피감상체(被鑑賞體)로서 전치(轉置)된 곳에 선종으로 말미암은 미술의 180도적 전환이 있게 된 것이다"라고 하여 전술한 선문화의 특질을 잘 지적하고 있는 것으로 생각된다. 다른 한편 우현 선생께서 선종으로 말미암아 불교예술이 회화로 넘어갔다는 것은 무엇이냐 하는 점 또한 선미술(禪美術)을 이해하는데 도움이 된다. 왜냐하면 선미술은 신앙의 대상으로 삼았던 종래의 구상적(具象的)인 미술에서 비구상적(非具象的) 추상화(抽象化)로서의 성격을 지니게 되기 때문이다. 이 같은 선화(禪畵)의 성격은 다음과 같은 단하소불도(丹霞燒佛圖)의 고사에 잘 나타나 있다.

> 단하천연(丹霞天然, 738~824) 선사가 추운 겨울에 오래된 절에서 하룻밤을 유숙하게 되었는데 이때에 법당의 목조불상(木造佛像)을 태워 군불을 피웠다. 이에 놀란 주지가 무엇을 하고 있느냐고 하자 그는 불상이 타버리고 난 잿더미를 지팡이로 뒤적거리면서 사리를 찾고 있는 중이라고 하였다. 그러자 주지는 당신은 정말 미쳤군요. 목불에서 무슨 사리가 나옵니까? 그러자 선

사가 말하기를 내가 그대에게 보여주고 싶은 것이 그것이다. 사리가 안 나오면 이것은 진짜 부처가 아니다. 이것은 그저 조각된 나무에 불과하다. 그러니 이것에 속지 말라. 나는 긴 여행에 매우 지쳤는데 밤은 길고 너무 추워서 불을 지폈다. 기왕 나를 도와주려면 불상 두 개만 갖다 달라. 아직도 그대에게는 불상이 세 개나 있지 않은가. 예불을 하는 데는 하나면 충분하다. 나머지 두 개는 나에게 줄 수 있지 않은가. 밤은 매우 춥고 나는 살아 있는 부처다. 살아 있는 부처를 위해서 나무로 된 부처를 불태우는 것이 무엇이 그리 잘못된 것인가.

이상의 고사를 주제로 한 단하(丹霞)의 소불도(燒佛圖)는 우리나라에는 전하지 않으나, 일본 등지에서 유명한 선화로 전해지고 있는데, 이 그림에서 보면 우선 종래의 구상성을 지닌 불상을 불태웠다는 것은 구상성(具象性)을 부정하고 비구상성(非具象性)을 추구하고 있다는 사실을 알게 된다. 그리고 이 같은 선화야말로 예배의 대상으로서 실용화(實用畵)가 아니라 감상의 대상으로서의 불교미술의 발전을 있게 한 계기를 마련하고 있었던 것이라 하겠다.

한편 선화는 채색을 부정하여 수묵화로 전환한다는 특징을 지닌다. 그것은 선(禪)은 현상계(現象界)를 부정하고, 오직 마음속에서 주체적으로 대상화를 부정하는 일원적(一元的) 부단(不斷)의 향상수도의 원심(願心)을 일관하여 이루어진 이미지를 수묵으로 나타낸 것이라 하겠으며 다른 한편 백지의 예술이라고 할 수 있다.

이 같은 한국불교에 있어서의 선미술(禪美術)의 발전적 계기는 고려 후기 사회의 선풍(禪風)의 종교적 정서가 짙어지면서 일어나기 시작하였다고 하겠으며, 그와 같은 선미술의 전통은 십우도(十牛圖), 달마도 등을 통해 오늘에 계승되고 있다. 그러나 십우도는 사원 전각의 벽화로 그려져 전각을 장식화하는 그림으로 전개되어 그 주제는 선화로서의 성격을 지니나 그 양식기법은 선화로서의 의미를 잃어가고 있는 느낌이다. 달마도는 그 계맥이 작품의 우수성 여하를 막론하고 오늘에 전해지고 있으며 석정(石鼎) 스님의 달마도가 한국 달마도의 특징을 형성하고 있는 것으로 생각된다.

근대사회에 와서 선문화가 흥기할 수 있는 또 하나의 계기가 있었다. 그것은 한용운(韓龍雲) 선사의 『조선불교유신론(朝鮮佛教維新論)』에 잘 나타나고 있다. 즉 그는 조선불교를 혁신하기 위해서는 선불교가 주체성을 회복해야만 되고, 그러기 위해서는 지금까지 신앙의 대상으로 삼았던 불상, 불화들을 모두 불태워 버려야 된다는 것이다. 이는 단하소불(丹霞燒佛)의 고사에 의하여 선미술이 발전할 수 있었던 사실과 같은 계기를 마련하고 있었던 것이라 믿어져 더욱 그러한 생각이 든다.

우현 선생은 "선종의 미술은 곧 주객합일체(主客合一體)로서 미술이 곧 자내증(自內證) 그 자체이며 자내증이 곧 미술 그것인 것이다. 그러므로 선기(禪機)에 무르녹은 회화는 제일로 모든 감각적인 것의 극한 위에 우선시 된다. 예컨대 모든 색채적인 것을 지나서 수묵 일색으로서의 묘사의 제일법을 세우고 다음에 모든 형사(形似)를 떠나서 심기의 직참(直參)을 보인다"라고 하였는데, 이는 전술한 바와 같이 선종에 있어서는 수행자의 일상행위가 그대로가 수행도의 실천의례이기 때문에 그와 같은 선화의 발생이 가능하게 되는 것이다. 다시 말하면 선종의 수행자는 인간 생명의 진전과정에 있어 찰라를 충실시키는 전인적 생활이 최고의 문화를 형성시키는 것이 되기 때문이다. 즉 선종의 종교의식의 발현양식은 직접 그 본질인 생명 자체에 직입(直入)하는 형식을 취한다는 것이다.

다음에는 선종화(禪宗畵)와 교종화(教宗畵)의 주제(主題)와 패턴은 어떻게 다른 것인가를 살펴보지 않으면 안 된다. 우선 이를 결론부터 말한다면 선예술은 속박에서 자유를 지향하고 있다는 특징을 지닌 반면 교종화는 고(苦)에서 극락을 지향한다는 특징을 지닌다. 선화로 주목되는 심우도(尋牛圖)에서 보면 그를 쉽게 알 수 있게 된다. 심우도는 십우도(十牛圖)라고 하는데 현존하는 것으로는 보명(普明)의 십우도와 곽암의 십우도가 있다. 한국의 십우도는 보명의 십우도가 주류를 이루지만 곽암의 십우도를 겸하여 있기도 한다. 십우도는 한편 십원상도(十圓相圖)라고도 할 수 있는데 보명의 십우도는 최후의 10위에만 원상(圓相)을 묘사하는데 반하여 곽암의 십우도는 처음부터 원상 안에 보명의 십우도와 같은 소재를 묘사한다. 다른 한편 우리나라의 십우도는 곽암의 십우도 중 제 8위의 인우구망(人牛俱忘)의 원상묘사(圓相描寫)에서 끝나는 경우도 많다. 다음에 보명의 심우도송(尋牛圖頌)을 참고하여 곽암의 십우도를 단계별로 보면 선화의 주체가 속박에서 자유를 찾고 있는 것임을 알게 된다.

① 심우(尋牛)

소를 찾아 헤매는 동자상을 묘사하고 있다. 동자는 망이나 꼬비를 들고 있는데 이는 속박에서 자유를 찾는 암중모색상을 나타내고 있는 것이다.

② 견작(見跡)

소발자국을 묘사하고 있는데, 소발자국의 발견은 자유를 찾는 오도(悟道)에의 서광이 비추어지고 있음을 묘사하고 있다.

③ 견우(見牛)

멀리서 동자가 소를 발견한 모습을 묘사하고 있는데 이때의 소는 야생의 사나운 소를 묘사한다. 이는 득오의 경지에 이르렀으나 아직 불안한 상태를 상징하고 있다.

④ 득우(得牛)

동자가 소를 붙든 모습을 묘사하고 있는데 이때의 소는 야생의 소를 묘사한다. 이는 득오의 경지에 이르렀으나 아직 불안한 상태를 상징한다.

⑤ 목우(牧牛)

붙들었던 소를 다시 놓아주는 모습을 나타낸다. 그러면 소는 오히려 점잖아지는데 이는 오도(悟道) 이후의 조심(調心)을 통한 자유자재의 상태를 말한다. 그런데 이때 소를 흰색으로 묘사하는 데서 선화의 특징이 백지의 예술이라는 근거를 찾게 되는 것이다.

⑥ 기우귀가(騎牛歸家)

동자가 소를 타고 피리를 불면서 돌아오는 모습을 나타내는데 이는 잃었던 자기 고향에 돌아와 보니 애써 찾은 곳은 온데간데없고 자기만 남아있음을 묘사하고 있다. 이는 자유를 찾는 진리가 자기 밖에 있는 것이 아님을 상징하고 있다.

⑦ 인우구망(人牛俱忘)

집에 돌아와 보니 이제 소만 없어진 것이 아니라 소 다음에 자기 자신도 잊어버리게 되는 상태를 나타낸다. 만물의 일체가 공(空)임을 나타내는데 이 경지는 원상(原像)의 묵화(墨畵)로 나타난다.

십우도라 할지라도 이 7단계에서 마치는 경향이 있으나 곽암의 십우도는 이어서 다음과 같은 8단계, 9단계를 나타낸다.

⑧ 반본환원(返本還源)

이는 인간의 본성이 원래 청정한 것임을 나타낸다.

⑨ 입전수수(入鄽垂手)

이는 이타행(利他行)을 위하여 다시 세속적으로 돌아옴을 나타낸다.

이처럼 십우도는 선의 수행 단계를 소와 동자에 비유하여 도해한 그림이라 할 수 있다. 즉 동자는 수행자를 상징하고 소는 찾고자 하는 도를 상징하고 있다. 선미술(禪美術)이 일반미술에 비하여 다른 점은 일반미술이 예배의 대상으로서의 의미를 크게 지님에 반해 선미술은 그를 예배의 대상으로 삼기보다는 스스로가 그 대상(佛法)과 같이 되고자 하는 불심을 담고자 하는 의도를 지닌 미술이라 할 수 있다. 따라서 이를 바꾸어 말하면 선미술의 주제는 '자유'라고 할 수 있게 되는 것이다.

한편 우리나라에 현존하는 선화는 달마상을 빼놓을 수 없다. 달마상은 눈을 크게 뜨고 귀를 크게 표현하고 있음에 주목하지 않으면 안 된다. 이 같은 달마의 표현은 자유를 체험한 당당한 주인공으로서의 모습을 나타낸 것이라 한다. 그리고 이와 같은 도상(圖像)을 바탕으로 달마의 사적이나 전설에 따라 여러 유형의 달마상이 그려지기도 하는데 면벽(面壁)달마 · 쌍이(雙履)달마 등이 있게 됨이 그와 같은 것이다. 달마상의 선화로서의 특징은 우선 수묵화(水墨畵)로 그려진다는 것이며 묵(墨)의 농도로 일체의 색을 나타낸다. 그리고 간략한 선화의 특질은 추상화의 경향이 뚜렷한 것이라 할 수 있다. 왜냐하면 표현에 있어 대담한 생략과 단순화를 기하고 있기 때문이다.

선화 외의 일반 불교미술이 고(苦)에서 극락(極樂)으로 지향함을 주제로 하고 있다는 것은 이들 미술품들이 지옥(地獄) · 아귀(餓鬼) · 축생(畜生) · 아수라

(阿修羅) · 인간(人間) · 천(天) · 성문(聲聞) · 연각(緣覺) · 보살(菩薩) · 불(佛) 등의 십계를 소재로 삼고 있기 때문이다. 여기 지옥에서 천상까지는 신앙의 대상으로 삼고 있지 않으나, 성문상 이상은 신앙의 대상을 삼고 있어 결국 불(佛)을 지향함이 일반 불교미술의 소재가 되고 있음을 알게 되는 것이라 하겠다.

선미술은 불교미술사상 또는 한국미술사상 어떻게 성격을 규정지을 것인지 생각해 보자. 그것은 다음과 같은 몇 가지 사실로 지적된다.

첫째, 선미술은 예배의 대상으로서가 아니라 감상의 대상으로 전환되었음을 지적하지 않을 수 없다.

둘째, 대담한 생략을 특질로 하고 있다는 데서 사실주의적(寫實主義的) 경향을 지녀 왔던 불교미술이 추상화 경향으로 전환되고 있었음을 알 수 있다.

셋째, 선미술은 피안성(彼岸性)과 성(聖)의 부정을 특질로 하고 있는 것이라 할 수 있다. 즉 선미술은 피안(彼岸)의 미가 아니라 차안(此岸)의 미를 모티프로 하고 있다는 것이다. 그러기에 성적(聖的)인 것의 부정이 세속성을 의미하는 것은 아님을 잊어서는 안 된다.

넷째, 선미술은 균제(均齊)의 미를 깨뜨린 불균제(不均齊)의 미를 특질로 하고 있는 것이라 할 수 있다. 나한상 · 달마상 같은 것이 그와 같은 것이라 하겠는데 여기서 선미술의 파격적 성격을 살필 수 있게 된다.

다섯째, 선미술은 남성적 의지의 미를 바탕으로 한다는 특질을 지닌다. 이는 선미술의 주제가 고난을 극복함으로써 자유 자재한 세계에 도달할 수 있다는 미적 감각을 바탕으로 하고 있기 때문이라 생각된다.

오늘의 한국불교는 선종 중심의 불교를 지향하고 있다. 그러나 일부 달마상 등이 그려지기도 하고 심우도(尋牛圖) 등이 불당의 외벽에 벽화로 그려지기도 하지만 본격적인 선미술은 발전하고 있지 못한 것이 사실이다. 그것은 오늘의 한국불교가 종교나 이념적인 면은 선종 중심으로 입지를 세우고 있으나, 일부 선수행자(禪修行者)를 제외한 신앙의례적(信仰儀禮的)인 면에 있어서는 정토신앙(淨土信仰)・밀교신앙(密敎信仰) 등에 의한 신앙행위가 주류를 이루고 있기 때문이다.

앞에서도 말한 것처럼 신앙의례는 종교의 생활양식을 성립시키고, 종교가 문화화하는 기능을 하고 있다. 그러므로 오늘의 한국불교가 종지상(宗旨上)으로는 아무리 선지(禪旨)를 고양시키려 노력하고 있지만, 일반대중이 종교사회적으로 행하는 신앙의례(信仰儀禮)를 선정형의례(禪定型儀禮)로 보급해 나가지 않는다면 결코 선미술의 발전적 계기는 마련될 수 없는 것이라 생각한다. 따라서 오늘의 한국 선미술은 일부 인사들에 의하여 그 명맥만 유지되어 올 뿐 새로운 발전의 계기를 마련하지 못하고 있다는 사실을 부인할 수 없게 된다.

마치는 글

오늘에 와서 불교의식의례에 대한 연구가 활발하게 이루어지고 있음을 본다. 그것은 매우 바람직한 일이다. 왜냐하면 불교의식과 의례는 불교문화의 총체적 내용을 포함하고 있기 때문이다. 즉 불교의식은 불교음악, 불교미술, 불교무용, 불교연극, 불교문학 등의 총체적 문화역량의 발현이요, 표출이란 인식이 마음 속 깊이 다가오고 있다는 데 주목할 필요가 있다. 물론 불교는 교리에 의한 사상체계를 굳건히 다져 나가는 것이 기본 바탕이 된다. 그것은 정신주의의 기반을 굳건히 하는 토대가 되기 때문이다.

그러나 한편 이에 곁들여 의식, 의례를 낮은 단계의 문화라 폄하하는 경향이 있음은 바람직한 일이 아니다. 왜냐하면 전통적으로 전승되어온 의식, 의례 등에는 전술한 다양한 문화를 산출한 것임을 간과하고 있는 것이라 믿기 때문이다. 왜냐하면 그것은 우리 불교민속의 폭넓은 자산이요, 한편 그 같은 의례 속에는 중요한 예지가 있고 문화가 있다고 한다면 다시 한 번 의식, 의례를 통한 불교 발전의 계기를 삼을 필요를 느끼게 한다. 여기서 보면 한국문화의 총체적 인식과 이해를 위해선 교리, 의례, 신앙공동체란 삼자의 상관관계에서 불교문화의 정체성을 찾아야 한다는 것임을 알게 된다. 왜냐하면 교리는 이념적인 면, 의례는 표현적인 면, 신앙공동체로서의 교단은 실천적인 면이라는 문화의 총체상을 살필 수 있기 때문이다. 본인은 평생을 이와 같은 불교문화의 본질에 접근하기 위한 노력을 해왔다.

이 책은 이상과 같은 불교문화에 대한 나의 소신을 밝혀본 것이다. 그것은 오늘날에 불교민속의 형태로 전승되고 있지만 불교의 문화적 기능은 융합하고 조절한다는 성격을 강하게 지니고 있는 사실을 증명하고 있다.

끝으로, 본 저서를 정리함에 있어 아내 조명렬과 장손녀 홍혜진의 노고가 컸음을 밝혀두고 감사하는 바이다. 한편 도서출판 동인의 이성모 대표님께서 이 책의 출판을 흔쾌히 맡아주신데 대해서도 깊은 감사의 뜻을 전하는 바이다.

홍윤식
경남 산청 출생
동국대학교 사학과를 거쳐 일본 교토 불교대학 문학석·박사학위를 취득했다. 서울국악예술고등학교 교장, 원광대학교 국사교육과 교수, 동국대학교 역사교육과 교수, 일본 규슈대학 특임교수, 동방대학원대학교 석좌교수, 동국대학교 박물관장, 문화예술대학원장 등을 역임했으며, 문화관광부 소속 문화재 위원, 서울시, 경기도 문화재위원으로 위촉되었다. 현재는 동국대학교 명예교수, 한국불교민속학회, 한국전통예술학회 회장을 맡고 있다.
대표 논문으로는, 「불교음악으로서의 범패」, 「불전상에서 본 불교음악」, 「한국사원 전래의 불화내용과 그 성격」 등이 있으며, 대표 저서로는, 『한국불교의례의 연구』(일본 간행), 『한국불화의 연구』, 『고려불화의 연구』, 『한국의 불교 미술』, 『한국의 가람』, 『불교민속학의 세계』, 『문화유산의 전통과 향기』, 『자비의 미학』 등 다수가 있다.

융합의 구조기능에서 본
蓮史 홍윤식의 불교문화기행

초판 1쇄 발행일 2019년 5월 15일
홍윤식 지음

발행인 이성모
발행처 도서출판 동인

주 소 서울시 종로구 혜화로3길 5 118호
등 록 제1-1599호
TEL (02) 765-7145 / FAX (02) 765-7165
E-mail dongin60@chol.com
ISBN 978-89-5506-804-7
정 가 32,000원